DIZIONARIO GASTRONOMICO

OSCAR GALEAZZI

DIZIONARIO GASTRONOMICO

ITALIANO, INGLESE, FRANCESE, SPAGNOLO, TEDESCO

- Traduzione e comprensione del menù
- Conversazione al ristorante

EDITORE ULRICO HOEPLI MILANO

via Hoepli 5, 20121 Milano (Italy)
tel. +39 02 864871 - fax +39 02 8052886
e-mail hoepli@hoepli.it

www.hoepli.it

ISBN 88-203-2114-9

Ristampa:

9 2002 2003 2004

Redazione e realizzazione editoriale del Gruppo Redazionale, Milano
con la collaborazione di:
Luigi Colnaghi (progetto grafico)
Alessia Fani (illustrazioni)
Gianna Brocato, Sylvie Coyaud, Lucia Cumpostu, Waltraud Sattler (traduzioni)

Copertina di Lamberto Menghi

Composto da Biblon S.n.c., Cernusco S/N (Mi)

Stampato da Legoprint S.p.A., Lavis (Trento)

Printed in Italy

AVVERTENZA

Questo dizionario è diretto agli *albergatori* e ai *ristoratori*, per agevolarli nella traduzione delle loro preparazioni culinarie, ai *clienti dei ristoranti*, per aiutarli nella comprensione di un menù in lingua straniera, al *personale di sala*, per sostenerlo nella conversazione con i propri ospiti, agli *allievi delle scuole alberghiere*, per munirli di uno strumento valido anche per lo studio delle lingue.

LA STRUTTURA

Il dizionario è diviso in due parti: la prima raggruppa i nomi degli alimenti e le loro preparazioni gastronomiche; la seconda è dedicata ai termini e alle frasi che ricorrono nel rapporto tra il personale alberghiero e i clienti.
Per facilitare la consultazione tutta la terminologia è stata concentrata in poche sezioni, ordinate secondo la sequenza tradizionale delle portate dei pasti e la frequenza d'uso.
I titoli delle sezioni sono stati scelti in base al criterio della brevità e dell'immediatezza, anche a costo di qualche forzatura. Infatti la sezione **Pesci** comprende anche i molluschi e i crostacei; nelle **Carni** sono presenti anche il pollame e la selvaggina; tra le **Verdure** ci sono i cereali, le insalate, i funghi e qualche fiore. Nella sezione delle **Bevande** sono elencati prodotti analcolici, alcolici e superalcolici.

LE PREPARAZIONI

In molti casi la traduzione del nome dell'alimento, o del piatto, comprende anche una breve spiegazione della sua preparazione. Tutti gli alimenti il cui nome non poteva essere tradotto (tipico il caso dei **Formaggi**) sono stati descritti.
Alcune sezioni - **Pasta e riso**, **Pesci**, **Carni**, **Verdure** - sono seguite dalle loro preparazioni tipiche (sezioni 4, 7, 9 e 11), cioè dai metodi di cottura e presentazione che le contraddistinguono. In pratica la sezione dell'alimento principale (per esempio: **Carni**) e quella delle sue preparazioni (**Preparazioni per carni**) possono essere collegate ricercando prima l'ingrediente principale (per esempio: *Coniglio*) e successivamente la preparazione desiderata (per esempio: *al forno*).

PREPARAZIONI ALLA...

La sezione 20, **Preparazioni alla...**, include termini generali, molti derivanti dalla cucina classica internazionale (*alla francese, alla veneziana, alla duchessa, alla rustica, alla cacciatora...*).
Questi termini indicano spesso specifiche elaborazioni gastronomiche, oppure, più semplicemente, la presenza di uno o più ingredienti ricorrenti. Per esempio, il termine *alla boscaiola* presuppone che vi siano i funghi, *all'indiana* prevede il curry, *alla fiorentina* gli spinaci, *alla milanese* un ingrediente impanato e fritto. Ma non è una regola fissa. Spesso lo stesso termine, abbinato a ingredienti diversi - pasta, pesce, carne o verdura - designa preparazioni diverse.

UN CONSIGLIO AI PROFESSIONISTI

Alcuni termini gastronomici non permettono al cliente del ristorante di capire facilmente il metodo di cottura e la presentazione di un alimento. Inoltre, nonostante la corretta traduzione alcuni alimenti di uso poco comune, o di limitata diffusione, possono essere sconosciuti al cliente.
In tutti questi casi può essere utile integrare il nome dell'alimento con qualche breve informazione

supplementare, per esempio: *Crespelle alla fiorentina (con spinaci); Trota al cartoccio con serpillo (erba aromatica).*

Per fornire ulteriori informazioni sono state incluse nel dizionario la sezione **Altri ingredienti**, che raccoglie alimenti che non rientrano nelle varie categorie, e la sezione **Termini di preparazione**, che elenca molti metodi di lavorazione, cottura e presentazione degli alimenti (per esempio: *tagliare, salare, arrotolare, gratinare...*).

Tutto questo per permettere ai ristoratori di presentare meglio le loro portate e ai loro clienti di scegliere più facilmente il piatto desiderato.

RINGRAZIAMENTI

Desidero ringraziare per il loro contributo mia moglie Adriana, che mi ha aiutato in tutto il lavoro di selezione e ricerca dei termini, Gianna Brocato, Sylvie Coyaud, Lucia Cumpostu e Waltraud Sattler, scrupolose e pazienti autrici delle traduzioni, Angelika Hosp, Florence Durello, Joanneke Kneppelhout, Katja Montino, Erzsebet Nagy, Heather Williams e Zahaida Saavedra-Pérez per il prezioso aiuto nella messa a punto della scelta terminologica per le varie lingue.

OSCAR GALEAZZI

NOTA SUI TERMINI SEGNALATI CON ASTERISCO

Per tradurre in modo corretto il nome di un piatto, i termini segnalati con un asterisco (*) nelle sezioni 4, 7, 9, 11 – aggettivi e participi passati che si comportano come attributi dell'alimento principale – vanno accordati con il genere (maschile, femminile, neutro) e il numero (singolare, plurale) dell'alimento a cui si uniscono (come in italiano: pesce bollit*o*, verdure bollit*e*, carne bollit*a*).
Di seguito diamo alcuni schemi utili per eseguire questa concordanza.

FRANCESE

Maschile		Femminile	
–	+	**e**	(es.: *frit/frite*)
e		–	(es.: *acide/acide*)
er	=	**ère**	(es.: *léger/légère*)
f	=	**ve**	(es.: *vif/vive*)
x	=	**se**	(es.: *savoureux/savoureuse*)
[**el, eil, en, on, et**]	=	[**elle, eille, enne, onne, ette**]	(es.: *végétarien/végétarienne*)

Singolare		Plurale	
–	+	**s**	(es.: *fumé/fumés*)
s, x, z		–	(es.: *moelleux/moelleux*)
au, eu	+	**x**	(es.: *beau/beaux*)

SPAGNOLO

Maschile		Femminile	
án, ín, ón, or	+	**a**	(es.: *alargador/alargadora*)
a, e, i		–	(es.: *suave/suave*)
l, s, z, n, r		–	(es.: *nacional/nacional*)
[**o, ete, ote**]		[**o, e = a**]	(es.: *gratinado/gratinada*)

Singolare		Plurale	
term. con voc.	+	**s**	(es.: *dulce/dulces*)
term. con cons.	+	**es**	(es.: *sutil/sutiles*)
z	=	**ces**	(es.: *torcaz/torcaces*)

TEDESCO

Quando l'attributo è preceduto da un articolo determinato (*der/die/das*) esso prende *al nominativo* (cioè quando l'attributo accompagna il sostantivo nella funzione di soggetto della frase) le seguenti forme:

Maschile	+	**e**	(es.: *der scharfe Pfeffer*)
Femminile	+	**e**	(es.: *die scharfe Wurst*)
Neutro	+	**e**	(es.: *das scharfe Essen*)
Plurale	+	**en**	(es.: *die scharfen Gewürze*)

Quando l'attributo è preceduto da un articolo indeterminato (*ein*, *eine*, *ein*) oppure è senza articolo esso prende le seguenti forme:

Maschile	+	**er**	(es.: *(ein) scharfer Pfeffer*)
Femminile	+	**e**	(es.: *(eine) scharfe Wurst*)
Neutro	+	**es**	(es.: *(ein) scharfes Essen*)
Plurale	+	**e**	(es.: *scharfe Gewürze*)

Gli aggettivi che terminano in *el* o *er* quando precedono il sostantivo perdono la e:
es.: *dunkel/ein dunkles Bier*
es.: *sauer/die saure Orange*.

Quando due o più attributi si susseguono prendono tutti la stessa forma:
es.: *das große dunkle Bier/ein großes dunkles Bier.*

Se il sostantivo precede l'attributo non si accorda:
es.: *Gegrillte Seezunge/Seezunge, gegrillt*.

ABBREVIAZIONI E SEGNI

f	femminile	generi e plurale sono stati inseriti solo nelle sezioni collegate con le preparazioni (3, 6, 8 e 10) e solo quando differiscono dall'italiano; se il termine principale è ripetuto l'indicazione è riportata solo alla prima apparizione
inv	invariabile	
m	maschile	
n	neutro	
pl	plurale	
u.	und	
USA	americano	
&	and	
▶	vedi	

* segnala che il termine si accorda con il genere (maschile, femminile, neutro) e il numero (singolare, plurale) dell'alimento principale a cui si unisce
es.: *roulé* = Poitrine de veau roulée*

( ) le parentesi tonde racchiudono spiegazioni e descrizioni
es.: *Cervella alla milanese (impanate)*

[ ] le parentesi quadre racchiudono una variante dello stesso termine
es.: *Mostarda [Senape]*

; separa più modi di tradurre lo stesso termine
es.: *Tagliatelle= tagliatelle; noodles*

/ nei nomi separa il maschile dal femminile e neutro, e il singolare dal plurale; nei verbi l'infinito dal participio passato
es.: *Mela/e* e *Brasare/brasato*

~ appare nelle preparazioni delle sezioni 4, 7, 9, 11, nell'inglese e nel tedesco, e segnala che il termine va posto davanti al nome dell'ingrediente principale a cui si unisce
es.: *braised~ = braised beef*

\- il trattino all'inizio o alla fine dei termini tedeschi segnala la formazione di una parola composta
es.: *Schmelz-= Schmelz-Kartoffeln*
-Püree = Erbsen-Püree

PARTE PRIMA

PER IL MENÙ

PARTE SECONDA

PER LA CONVERSAZIONE

ANTIPASTI	HORS D'ŒUVRE[1]	HORS-D'ŒUVRE	ENTREMESES	VORSPEISEN
Affettati di selvaggina	Cold cuts of game	Assiette froide de gibier	Embutidos de caza	Gemischter Aufschnitt vom Wild
Affettato misto	Assortment of cured meats	Assiette de charcuterie	Embutido mixto	Gemischter Aufschnitt
Alici farcite	Stuffed anchovies	Anchois farcis	Anchoas rellenas	Gefüllte Sardellen
- in scapece (fritte e marinate)	Fried & marinated anchovies	Anchois en escabèche (frits et marinés)	Anchoas en escabeche (fritas y marinadas)	Fritierte marinierte Sardellen
Anguilla fritta all'agro	Sour fried eel	Anguille frite à l'aigre	Anguila frita agria	Fritierter Aal, sauer eingelegt
- marinata alle erbe	Marinated eel with herbs	Anguille marinée aux fines herbes	Anguila marinada con hierbas	Marinierter Aal mit Kräutern
Antipasti al carrello	Hors d'œuvre trolley	Hors-d'œuvre du chariot	Entremeses del carrito	Vorspeisen vom Servierwagen
Antipasto assortito	Mixed hors d'œuvre	Hors-d'œuvre assortis	Entremés surtido	Gemischte Vorspeise
- di pesce	Seafood hors d'œuvre	Hors-d'œuvre de poisson[2]	Entremés de pescado	Fischvorspeise
- rustico	Farmhouse hors d'œuvre	Hors-d'œuvre rustiques	Entremés rústico	Rustikale Vorspeise
- vegetariano	Vegetarian hors d'œuvre	Hors-d'œuvre végétariens	Entremés vegetariano	Vegetarische Vorspeise
Aringa affumicata	Smoked herring	Hareng fumé	Arenque ahumado	Geräucherter Hering
Aringhe fresche marinate	Marinated fresh herring	Harengs frais marinés	Arenques frescos marinados	Frische marinierte Heringe
Aspic di gamberetti	Shrimps in aspic	Aspic de crevettes	Aspic de gambas	Krabben in Aspik
- di verdure	Vegetables in aspic	Aspic de légumes	Aspic de verduras	Gemüse in Aspik
Assortimento di antipasti tipici	Assortment of typical hors d'œuvre	Assortiment de hors-d'œuvre typiques	Surtido de entremeses típicos	Typischer Vorspeisenteller
Avocado ai gamberetti	Avocado with shrimps	Avocat aux crevettes	Aguacate con gambas	Avocado mit Krabben
Barchette alle acciughe	Anchovy tartlets	Barquettes aux anchois	Barquitas con anchoillas	Teigschiffchen mit Sardellen
- di astice con insalata di pesce	Lobster nests with seafood salad	Barquettes de homard à la salade de poisson	Barquitas de bogavante con ensalada de pescado	Hummerschiffchen mit Fischsalat
- di zucchine con ragù di pesce	Courgette[3] nests with fish sauce	Barquettes de courgettes au ragoût de poisson	Barquitas de calabacines con salsa de pescado	Zucchinischiffchen mit Fischragout
Bastoncini al formaggio	Cheese straws	Bâtonnets au fromage	Bastoncitos con queso	Käse-Teigstäbchen
- di sfoglia alle acciughe	Puff-pastry anchovy straws	Bâtonnets feuilletés aux anchois	Bastoncitos de hojaldre con anchoillas	Blatterteigstäbchen mit Sardellen
Bauletti con verdure e formaggio	Vegetable & cheese pasties	Coffrets de légumes et fromage	Maletitas con verduras y queso	Teigpastetchen mit Gemüse u. Käse

[1] Anche: appetizers [2] Anche: hors-d'œuvre du pêcheur [3] USA: zucchini

ANTIPASTI	HORS D'ŒUVRE	HORS-D'ŒUVRE	ENTREMESES	VORSPEISEN
Bavarese di pomodori con salsa di finocchio	Bavarian tomato cream with fennel sauce	Bavaroise de tomates à la sauce de fenouil	Bavaresa de tomates con salsa de hinojo	Tomatenflan mit Fenchelsauce
Bignè al fegato d'oca	Goose foie gras puffs	Choux au foie gras	Pastelitos de hígado de ganso	Windbeutel mit Gänseleberpastete
- al formaggio	Cheese puffs	Choux au fromage	Pastelitos de queso	Käse-Windbeutel
- alle acciughe	Anchovy puffs	Choux aux anchois	Pastelitos de anchoillas	Sardellen-Windbeutel
- con spuma di prosciutto	Ham mousse puffs	Choux à la mousse de jambon	Pastelitos con mousse de jamón	Windbeutel mit Schinkenmousse
Biscotti salati alle erbe	Salted biscuits with herbs	Biscuits salés aux herbes	Galletas saladas a las hierbas	Salziges Gebäck mit Kräutern
Blinis (frittatine lievitate con grano saraceno)	Blinis (buckwheat pancakes)	Blinis (gaufres de sarrasin)	Blinis (crêpes pequeñas de trigo sarraceno)	Blinis (Hefeplinsen aus Buchweizenmehl)
Bocconcini ai gamberetti	Shrimp bites	Bouchées de crevettes	Bocaditos de gambas	Krabben-Häppchen
- al pollo	Chicken bites	Bouchées de poulet	Bocaditos de pollo	Geflügel-Häppchen
- alla selvaggina	Game bites	Bouchées de gibier	Bocaditos de caza	Wildbret-Häppchen
- di polenta con funghi	Polenta bites with mushrooms	Bouchées de polenta aux champignons	Bocaditos de polenta con setas	Polenta-Häppchen mit Pilzen
Bottarga (uova secche pressate) di cefalo	Pressed & dried grey-mullet roe	Boutargue (œufs séchés pressés) de mulet	Huevas secas de maduro prensadas	Gepreßter getrockneter Meeräscherogen
- di tonno su cuore di sedano	Celery sticks with pressed & dried tuna roe	Œufs de thon séchés pressés sur cœur de céleri	Corazón de apio aderezado con huevas secas de atún prensadas	Gepreßter getrockneter Thunfischrogen auf Sellerieherz
Brioche agli asparagi	Asparagus brioche	Brioche aux asperges	Croissant de espárragos	Spargel-Croissant
- farcita con crema di formaggio	Brioche filled with cheese cream	Brioche fourrée de crème de fromage	Croissant rellena con crema de queso	Croissant mit Käsecremefüllung
Bruschetta	Toast with garlic & olive oil	Pain grillé à l'aïl et à l'huile d'olive	Rebanada de pan tostado con ajo y aceite de oliva	Geröstete Brotscheibe mit Knoblauch u. Olivenöl
Budino di spinaci con salsa di formaggio	Spinach pudding with cheese sauce	Pain d'épinards à la sauce au fromage	Pudin de espinacas con salsa de queso	Spinatpudding mit Käsesauce
Canapè al caviale	Caviar canapés	Canapés au caviar	Canapés de caviar	Kaviar-Canapés
- al prosciutto	Ham canapés	Canapés au jambon	Canapés de jamón	Schinken-Canapés
- al salmone	Salmon canapés	Canapés au saumon	Canapés de salmón	Lachs-Canapés
- assortiti	Mixed canapés	Canapés assortis	Canapés surtidos	Gemischte Canapés
Cannoli di prosciutto	Ham rolls	Rouleaux de jambon	Canutos de jamón	Schinkenröllchen
Cappesante alla griglia	Grilled scallops	Coquilles saint-jacques grillées	Conchas de peregrino a la parrilla	Jakobsmuscheln vom Grill

ANTIPASTI	HORS D'ŒUVRE	HORS-D'ŒUVRE	ENTREMESES	VORSPEISEN
Carne secca di vitello con olio e limone	Dried veal with oil & lemon	Viande de veau séchée à l'huile et au citron	Carne seca de ternera con aceite y limón	Luftgetrocknetes Kalbfleisch mit Öl u. Zitrone
Carni fredde	Cold meats	Viandes froides	Fiambres	Kalter Fleischaufschnitt
Carpaccio d'oca (fettine sottili di carne d'oca cruda marinata)	Duck carpaccio (raw marinated paper-thin slices)	Carpaccio d'oie (fines tranches crues marinées)	Carpaccio de ganso (lonchas finas crudas marinadas)	Gänse-Carpaccio (hauchdünne rohe marinierte Scheiben)
Carpaccio di storione (fettine sottili di pesce crudo marinato)	Sturgeon carpaccio (raw marinated paper-thin slices)	Carpaccio d'esturgeon (fines tranches crues marinées)	Carpaccio de esturión (lonchas finas crudas marinadas)	Stör-Carpaccio (hauchdünne rohe marinierte Scheiben)
Caviale	Caviar	Caviar	Caviar	Kaviar
- pressato	Pressed caviar	Caviar pressé	Caviar prensado	Preßkaviar
Cavolo farcito con salmone	Cabbage stuffed with salmon	Chou farci au saumon	Col rellena de salmón	Mit Lachs gefüllter Kohl
Cestini di riso	Rice nests	Nids de riz	Cestas de arroz	Reiskörbchen
Cestino di sfoglia	Puff-pastry nest	Nid de pâte feuilletée	Cesta de hojaldre	Blätterteigkörbchen
Cetriolini sottaceto	Gherkins	Cornichons au vinaigre	Pepinillos en vinagre	Cornichons; Essigurken
Ciambella di salmone in gelatina	Jellied salmon ring	Savarin de saumon en gelée	Roscón de salmón en gelatina	Lachs-Aspik-Ring
Ciccioli	Crackling[1]	Rillons	Pedacitos de carne de cerdo desecada	Grieben
Cipolline sottaceto	Pickled onions	Petits oignons au vinaigre	Cebollas tiernas en vinagre	Silberzwiebeln, sauer eingelegt
Club sandwich	Club sandwich	Sandwich club	Club sandwich	Club-Sandwich
Cocktail di frutta	Fruit cocktail	Cocktail de fruits	Cóctel de frutas	Fruchtcocktail
- di gamberetti	Shrimp cocktail	Cocktail de crevettes	Cóctel de gambas	Krabbencocktail
- di scampi	Scampi cocktail	Cocktail de langoustines	Cóctel de langostinos	Scampi-Cocktail
Conchiglie di pasta ripiene	Stuffed pasta shells	Coquilles de pâte farcies	Conchas de pasta rellenas	Gefüllte Teigmuscheln
Cornetti di prosciutto	Ham crescents	Cornets de jambon	Medias lunas de jamón	Schinkenhörnchen
Corona di verdure	Vegetable ring	Couronne de légumes	Corona de verduras	Gemüsering
Cozze alla marinara (con olio e aglio)	Mussels marinara style (with oil & garlic)	Moules marinières (à l'huile et à l'aïl)	Mejillones a la marinera (con aceite y ajo)	Miesmuscheln nach Matrosenart (mit Öl u. Knoblauch)
Crema fritta al formaggio	Fried cheese cream	Crème frite au fromage	Crema frita de queso	Fritierte Käsecreme
Crespella al salmone	Salmon crêpe	Crêpe au saumon	Crepe de salmón	Crêpe mit Lachs

[1] USA: chitlings

ANTIPASTI	HORS D'ŒUVRE	HORS-D'ŒUVRE	ENTREMESES	VORSPEISEN
Crespelle ai funghi fritte	Fried mushroom crêpes	Crêpes frites aux champignons	Crepes de setas fritos	Fritierte Crêpes mit Pilzen
Crocchette di grano	Wheat croquettes	Croquettes de blé	Croquetas de trigo	Kornkroketten
- di pesce	Fish croquettes	Croquettes de poisson	Croquetas de pescado	Fischkroketten
- di pollo	Chicken croquettes	Croquettes de poulet	Croquetas de pollo	Hähnchenkroketten
- di riso	Rice croquettes	Croquettes de riz	Croquetas de arroz	Reiskroketten
Crostata di cipolle	Onion pie	Tarte aux oignons	Tarta de cebollas	Zwiebelkuchen
- di sogliola	Sole pie	Tarte de sole	Tarta de lenguado	Seezungenkuchen
Crostini	Canapés	Croûtes	Tostaditas	Röstbrote
- ai fegatini di pollo	Chicken-liver canapés	Croûtes aux foies de volaille	Tostaditas con higadillos de pollo	Röstbrote mit Geflügelleber
- ai funghi	Mushroom canapés	Croûtes aux champignons	Tostaditas con setas	Röstbrote mit Pilzen
- al pollo	Chicken canapés	Croûtes au poulet	Tostaditas con pollo	Röstbrote mit Geflügel
- alla selvaggina (da pelo)	Game canapés	Croûtes au gibier	Tostaditas con caza	Röstbrote mit Wildpastete
- caldi con pâté di coniglio	Hot canapés with rabbit paté	Croûtes chaudes au pâté de lapin	Tostaditas calientes con paté de conejo	Warme Röstbrote mit Kaninchenpastete
- di polenta con porcini	Polenta canapés with wild mushrooms (porcini)	Croûtes de polenta aux cèpes	Tostaditas de polenta con hongos calabaza	Polentahäppchen mit Steinpilzen
- rustici	Farmhouse canapés	Croûtes rustiques	Tostaditas rústicas	Rustikale Röstbrote
Crostoni al formaggio	Cheese canapés	Croûtes au fromage	Tostaditas de queso	Röstbrote mit Käse
Crudità (verdure crude)	Raw vegetables	Crudités	Verduras crudas	Rohkost-Gemüse
Cuori di sedano al gorgonzola	Fennel hearts with gorgonzola	Cœurs de céleri au gorgonzola	Corazones de apio con queso gorgonzola	Sellerieherzen mit Gorgonzola
Dadolata di dentice marinato	Marinated cubes of sea bream	Dentex en dés mariné	Dados de dentón marinado	Würfel von marinierter Zahnbrasse
- fritta di polenta e formaggio	Fried polenta & cheese cubes	Dés de polenta et fromage frits	Dados fritos de polenta y queso	Gebackene Polenta-Käse-Würfel
Delizie al formaggio	Cheese delights	Délices au fromage	Delicias de queso	Käse-Leckereien
Fagottini alle acciughe	Anchovy parcels	Ballottines aux anchois	Pastelitos con anchoillas	Sardellen-Teigpastetchen
- di sfoglia al formaggio	Puff-pastry parcels with cheese	Friands au fromage	Pastelitos de hojaldre con queso	Käse-Blätterteigpastetchen
Fagottino di sfoglia con mousse di pesce	Puff-pastry parcel with fish mousse	Friand à la mousse de poisson	Pastelito de hojaldre con mousse de pescado	Blätterteigpastetchen mit Fischmousse
Fegato grasso d'oca	Goose foie gras	Foie gras (d'oie)	Hígado graso de ganso	Gänseleberpastete
- d'oca in gelatina	Jellied goose foie gras	Foie gras en gelée	Hígado de ganso en gelatina	Gänseleberpastete in Gelee

ANTIPASTI	HORS D'ŒUVRE	HORS-D'ŒUVRE	ENTREMESES	VORSPEISEN
Filetti di acciuga	Anchovy fillets	Filets d'anchois	Filetes de anchoillas	Sardellenfilets
- sogliola in scapece (fritti e marinati)	Fried & marinated fillets of sole	Filets de sole en escabèche (frits et marinés)	Filetes de lenguado en escabeche (fritos y marinados)	Fritierte u. marinierte Seezungenfilets
Fiori di zucchine ripieni di ricotta	Courgette[1] flowers stuffed with ricotta cheese	Fleurs de courgettes farcies à la ricotta	Flores de calabacines rellenas de requesón	Mit Ricotta-Käse gefüllte Zucchiniblüten
Flan con zucchine e pomodoro	Courgette[1] & tomato pie	Tarte aux courgettes et aux tomates	Tarta de calabacines y tomate	Zucchini-Tomaten-Kuchen
Fondi di carciofo ripieni	Stuffed artichoke hearts	Fonds d'artichaut farcis	Fondos de alcachofa rellenos	Gefüllte Artischockenböden
Fonduta di formaggio con funghi	Cheese fondue with mushrooms	Fondue de fromage aux champignons	Queso fundido con setas	Käse-Fondue mit Pilzen
Frittelle al formaggio	Cheese fritters	Beignets au fromage	Buñuelos de queso	Käsebeignets
- alle acciughe	Anchovy fritters	Beignets aux anchois	Buñuelos de anchoillas	Sardellenbeignets
- di baccalà	Salt-cod fritters	Beignets de morue	Buñuelos de bacalao	Stockfischbeignets
Frutti di mare su ghiaccio	Seafood on ice	Fruits de mer sur glace pilée	Exposición de mariscos sobre hielo	Meeresfrüchte auf Eis
Funghi porcini marinati	Marinated wild mushrooms (porcini)	Cèpes marinés	Hongos calabaza marinados	Marinierte Steinpilze
- sottolio	Mushrooms in olive oil	Champignons à l'huile	Setas en aceite	In Öl eingelegte Pilze
Galantina di anatra	Cold stuffed duck	Galantine de canard	Galantina de pato	Enten-Galantine
- di pollo	Cold stuffed chicken	Galantine de poulet	Galantina de pollo	Hühner-Galantine
Gamberetti in gelatina	Jellied shrimps	Crevettes en gelée	Gambas en gelatina	Krabben in Gelee
Gazpacho (zuppa fredda di verdure crude)	Gazpacho (cold soup with raw vegetables)	Gazpacho (potage froid de légumes crus)	Gazpacho	Gazpacho (kalte Suppe aus rohem Gemüse)
Gelatina di pesce con verdure	Fish jelly with vegetables	Gelée de poisson aux légumes	Gelatina de pescado con verduras	Fisch-Gelee mit Gemüse
Ghiottonerie fredde	Cold delicacies	Gourmandises froides	Delicias frías	Kalte Leckerbissen
Gnocchi di pesce con verdure	Fish dumplings with vegetables	Gnocchis de poisson aux légumes	Ñoquis de pescado con verduras	Fischklößchen mit Gemüse
Gratin di verdure	Vegetable casserole	Gratin de légumes	Verduras gratinadas	Gemüsegratin
Insaccati misti	Mixed cured meats	Saucisses et saucissons	Embutidos mixtos	Gemischte Wurstplatte
Insalata calda di pesce	Warm seafood salad	Salade chaude de poisson	Ensalada caliente de pescado	Warmer Fischsalat
- di carne	Meat salad	Salade de viande	Ensalada de carne	Fleischsalat
- di carne di cavallo	Horse-meat salad	Salade de viande de cheval	Ensalada de filete de caballo	Pferdefleisch-Salat

[1] USA: zucchini

ANTIPASTI	HORS D'ŒUVRE	HORS-D'ŒUVRE	ENTREMESES	VORSPEISEN
Insalata di fagiano e rucola	Pheasant & rocket salad	Salade de faisan et roquette	Ensalada de faisán y ruca	Fasanensalat mit Gartenrauke
- di frutti di mare	Seafood salad	Salade de fruits de mer	Ensalada de mariscos	Meeresfrüchte-Salat
- di funghi	Mushroom salad	Salade de champignons	Ensalada de setas	Pilzsalat
- di muso di manzo	Cow's muzzle salad	Salade de museau de bœuf	Ensalada de morros de vaca	Ochsenmaulsalat
- di nervetti	Veal-cartilage salad	Salade de tendrons de veau	Ensalada de cartílagos de ternera	Salat von gekochten Kalbsknorpeln
- di patate	Potato salad	Salade de pommes de terre	Ensalada de patatas	Kartoffelsalat
- di pesce	Fish salad	Salade de poisson	Ensalada de pescado	Fischsalat
- di pollo	Chicken salad	Salade de poulet	Ensalada de pollo	Geflügelsalat
- di riso	Rice salad	Salade de riz	Ensalada de arroz	Reissalat
- di sedano	Celery salad	Salade de céleri	Ensalada de apio	Selleriesalat
- nizzarda	Salade niçoise	Salade niçoise	Ensalada nizarda	Nizza-Salat
- russa (verdure bollite a cubetti con maionese)	Russian salad (cubes of boiled vegetables with mayonnaise)	Salade russe (légumes coupés en dés et bouillis à la mayonnaise)	Ensalada rusa (verduras cocidas a daditos con mayonesa)	Russischer Salat (gekochte Gemüsewürfel mit Mayonnaise)
- tiepida di indivia riccia con pancetta	Lukewarm curly endive & bacon salad	Salade tiède de frisée aux lardons	Ensalada templada de escarola y tocino	Warmer Friseesalat mit Bauchspeck
- tiepida di trota affumicata	Lukewarm smoked-trout salad	Salade tiède de truite fumée	Ensalada templada de trucha ahumada	Warmer Salat von Räucherforelle
Involtini di carne cruda	Raw-meat rolls	Paupiettes de viande crue	Rollitos de carne cruda	Rohe Fleischrouladen
- di salmone affumicato con insalata russa	Smoked-salmon rolls with Russian salad	Paupiettes de saumon fumé et salade russe	Rollitos de salmón ahumado con ensalada rusa	Räucherlachs-Rouladen mit Russischem Salat
- di verdure in foglie di vite	Vine-leaf rolls with vegetables	Paupiettes de légumes en feuilles de vigne	Rollitos de verduras en hojas de vid	Gemüserouladen in Weinblättern
Involtino di melanzana	Aubergine[1] roll	Paupiette d'aubergine	Rollito de berenjena	Auberginenroulade
Lingua salmistrata	Cured tongue	Langue à l'écarlate	Lengua salobreña	Pökelzunge
Melanzane alla parmigiana	► *Parmigiana di melanzane*			
Melone al Porto	Melon with Port	Melon au Porto	Melón con Oporto	Melone mit Portwein
Millefoglie al formaggio	Cheese puff pastry	Millefeuille au fromage	Milhojas de queso	Käse-Blätterteigschnitte
Millefoglie alle verdure	Vegetable puff pastry	Millefeuille aux légumes	Milhojas de verduras	Gemüse-Blätterteigschnitte
Mousse	Mousse	Mousse	Mousse; espuma	Mousse
- di aragosta	Spiny-lobster mousse	Mousse de langouste	Mousse de langosta	Langustenmousse

[1] USA: eggplant

ANTIPASTI	HORS D'ŒUVRE	HORS-D'ŒUVRE	ENTREMESES	VORSPEISEN
Mousse di branzino su letto di lattuga	Bass mousse on a bed of lettuce	Mousse de bar sur lit de laitue	Mousse de lubina sobre hojas de lechuga	Seebarschmousse auf Lattichbett
- di fegato d'oca con gelatina di pomodoro	Goose foie gras mousse with tomato gelatine	Mousse de foie gras à la gelée de tomate	Mousse de hígado de ganso con gelatina de tomate	Gänselebermousse mit Tomatengelee
- di peperoni	Pepper mousse	Mousse de poivrons	Mousse de pimientos	Paprikamousse
- di prosciutto	Ham mousse	Mousse de jambon	Mousse de jamón	Schinkenmousse
- di salmone	Salmon mousse	Mousse de saumon	Mousse de salmón	Lachsmousse
Mozzarella in carrozza	Fried mozzarella-cheese sandwich	Sandwich de mozzarelle frit	Sandwich de mozzarella frito	Fritiertes Mozzarella-Sandwich
Nidi di patate farciti	Stuffed potato nests	Nids de pommes de terre farcis	Nidos de patata rellenos	Gefüllte Kartoffelnester
Olive farcite fritte	Fried stuffed olives	Olives farcies frites	Aceitunas rellenas fritas	Gefüllte gebackene Oliven
- nere	Black olives	Olives noires	Aceitunas negras	Schwarze Oliven
- ripiene	Stuffed olives	Olives fourrées	Aceitunas rellenas	Gefüllte Oliven
- snocciolate	Pitted olives	Olives dénoyautées	Aceitunas deshuesadas	Entkernte Oliven
- verdi	Green olives	Olives vertes	Aceitunas verdes	Grüne Oliven
Ostriche fritte	Fried oysters	Huîtres frites	Ostras fritas	Gebackene Austern
- gratinate Mornay	Oysters with Mornay sauce au gratin	Huîtres gratinées à la sauce Mornay	Ostras gratinadas con salsa Mornay	Austern mit Mornay-Sauce überbacken
Palline al formaggio	Cheese balls	Boulettes de fromage	Bolitas de queso	Käsebällchen
Parmigiana di melanzane	Aubergine[1] casserole	Gratin d'aubergines	Pastel de berenjenas	Auberginen-Auflauf
Pasta fritta con crema di acciughe	Fried dough with anchovy cream	Pâte frite à la crème d'anchois	Pasta frita con crema de anchoillas	Fritierte Teigbällchen mit Sardellencreme
Pasticcini salati	Salted pastries	Petits gâteaux apéritifs	Pastelitos salados	Salzgebäck
Patate ripiene con salmone	Potatoes filled with salmon	Pommes de terre fourrées au saumon	Patatas rellenas con salmón	Mit Lachs gefüllte Kartoffeln
Pâté casereccio	Home-made paté	Pâté maison	Paté de la casa	Hausgemachte Pastete
- di cacciagione su crostone	Game paté on toast	Pâté de gibier sur croûte	Paté de caza sobre tostadita	Wildpastete auf Röstbrot
- di carne	Meat paté	Pâté de viande	Paté de carne	Fleischpastete
- di fegato	Liver paté	Pâté de foie	Paté de hígado	Leberpastete
- di fegato d'oca	Goose foie gras paté	Pâté de foie gras	Paté de hígado de ganso	Gänseleberpastete
- di funghi e noci	Mushroom & walnut paté	Pâté de champignons et noix	Paté de setas y nueces	Pilz-Nuß-Pastete
- di prosciutto	Ham paté	Pâté de jambon	Paté de jamón	Schinkenpastete

[1] USA: eggplant

ANTIPASTI	HORS D'ŒUVRE	HORS-D'ŒUVRE	ENTREMESES	VORSPEISEN
Pâté di vitello in gelatina	Jellied veal paté	Pâté de veau en gelée	Paté de ternera en gelatina	Kalbsleberpastete in Aspik
Peperoni farciti	Stuffed peppers	Poivrons farcis	Pimientos rellenos	Gefüllte Paprikaschoten
- marinati	Marinated peppers	Poivrons marinés	Pimientos marinados	Marinierte Paprikaschoten
- sottaceto	Pickled peppers	Poivrons au vinaigre	Pimientos en vinagre	In Essig eingelegte Paprikaschoten
- sottolio	Peppers in olive oil	Poivrons à l'huile	Pimientos en aceite	In Öl eingelegte Paprikaschoten
Pesce in carpione (fritto e marinato)	Fried & marinated fish	Poisson en matelote (frit et mariné)	Pescado en escabeche (frito y marinado)	Fritierter marinierter Fisch
Petto d'oca affumicato su insalata di campo	Smoked goose breast on wild salad	Poitrine d'oie fumée sur salade des champs	Pechuga de ganso ahumado sobre ensalada de campo	Geräucherte Gänsebrust auf Feldsalat
- di cappone in insalata	Capon-breast salad	Blanc de chapon en salade	Ensalada de pechuga de capón	Kapaunbrustsalat
Piatto freddo	Cold platter	Assiette froide	Surtido de fiambres	Kalte Platte
Pinzimonio	Raw vegetables with dips on the side	Crudités avec sauce à part	Verduras crudas con salsa aparte	Rohkostdip
Pizzette assortite	Assorted mini pizzas	Petites pizzas assorties	Pizzas pequeñas surtidas	Auswahl an kleinen Pizzas
Polenta fritta con salsiccia	Fried polenta with sausage	Polenta frite avec saucisse	Polenta frita con salchicha	Gebackene Polenta mit Wurst
Polpette di carciofi fritte	Fried artichoke balls	Boulettes d'artichauts frites	Albóndigas de alcachofas fritas	Fritierte Artischockenbällchen
- di melanzane	Aubergine[1] balls	Boulettes d'aubergines	Albóndigas de berenjenas	Auberginenbällchen
- di riso agli aromi	Spicy rice balls	Boulettes de riz aux arômes	Albóndigas de arroz con aromas	Reisfrikadellen mit Gewürzen
Pomodori alla russa	Tomatoes stuffed with Russian salad	Tomates à la russe	Tomates a la rusa	Russische Tomaten
- farciti	Stuffed tomatoes	Tomates farcies	Tomates rellenos	Gefüllte Tomaten
Prosciutto crudo e fichi	Raw ham[2] & figs	Jambon cru et figues	Jamón serrano con higos	Roher Schinken mit frischen Feigen
- crudo e melone	Raw ham[2] & melon	Jambon cru et melon	Jamón serrano con melón	Roher Schinken mit Melone
Punte di asparagi in insalata	Asparagus tip salad	Pointes d'asperges en salade	Ensalada de puntas de espárragos	Spargelspitzensalat
Quiche al rombo	Turbot quiche	Quiche au turbot	Tarta salada de rodaballo	Steinbutt-Quiche

[1] USA: eggplant [2] Anche: Parma ham

ANTIPASTI	HORS D'ŒUVRE	HORS-D'ŒUVRE	ENTREMESES	VORSPEISEN
Quiche di verdure	Vegetable quiche	Quiche aux légumes	Tarta salada de verduras	Gemüse-Quiche
- lorenese	Quiche Lorraine	Quiche lorraine	Tarta de Lorena	Quiche Lorraine
Ramequins (tartellette al formaggio)	Ramequins (cheese tartlets)	Ramequins (tartelettes au fromage)	Ramequins (tarteletas de queso)	Ramequins (Käsetörtchen)
Ravioli al formaggio fritti	Fried cheese ravioli	Raviolis au fromage frits	Ravioles de queso fritos	Gebackene Käse-Ravioli
Rissoles (sfogliatine ripiene)	Rissoles (stuffed puff-pastries)	Rissoles (feuilletés farcis)	Rissoles (pastelitos de hojaldre rellenos)	Rissoles (gefüllte Blätterteigplätzchen)
Rosette di anguilla in agrodolce	Sweet & sour eel rounds	Rosettes d'anguille à l'aigre-doux	Rosetas de anguilas en agridulce	Süß-sauer eingelegte Aal-Rosetten
Rotolini di prosciutto crudo e fichi	Raw ham[1] & fig rolls	Rouleaux de jambon cru et figues	Rollitos de jamón serrano con higos	Rohe Schinkenröllchen mit frischen Feigen
Salame alla piastra con polenta	Grilled salami with polenta	Saucisson grillé à la polenta	Salami a la plancha con polenta	Wurst vom Rost mit Polenta
- cotto con aceto in salsa di cipolle	Salami cooked in vinegar with onion sauce	Saucisson cuit au vinaigre en sauce à l'oignon	Salami cocido en vinagre con salsa de cebolla	In Essig gekochte Wurst mit Zwiebelsoße
Salmone affumicato	Smoked salmon	Saumon fumé	Salmón ahumado	Räucherlachs
- marinato all'aneto	Marinated salmon with dill	Saumon mariné à l'aneth	Salmón marinado con eneldo	Lachs in Dillmarinade
Salsiccia di pesce	Fish sausage	Saucisse de poisson	Salchicha de pescado	Fischwurst
Salumi assortiti	Mixed cured meats	Charcuterie assortie	Embutidos surtidos	Gemischte Wurstplatte
Sandwich ai gamberetti	Shrimp sandwich	Sandwich aux crevettes	Sandwich de gambas	Krabben-Sandwich
- al formaggio	Cheese sandwich	Sandwich au fromage	Sandwich de queso	Käse-Sandwich
- al pollo	Chicken sandwich	Sandwich au poulet	Sandwich de pollo	Geflügel-Sandwich
- al prosciutto	Ham sandwich	Sandwich au jambon	Sandwich de jamón	Schinken-Sandwich
Sardine sottolio	Sardines in olive oil	Sardines à l'huile	Sardinas en aceite	Ölsardinen
Sauté di calamari	Sautéed squids	Sauté de calmars	Salteado de calamares	Sautierte Calamari
Sauté di vongole	Sautéed clams	Sauté de palourdes	Salteado de almejas	Sautierte Venusmuscheln
Scampi crudi marinati in aceto con rucola	Raw scampi marinated in vinegar with rocket	Langoustines crues marinées au vinaigre avec de la roquette	Langostinos crudos marinados en vinagre con ruca	In Essig marinierte rohe Scampi mit Gartenrauke
Scrigno di pasta con spuma di prosciutto	Ham-mousse pasty	Ballottine à la mousse de jambon	Cofre de pasta con mousse de jamón	Teigtasche mit Schinkenmousse
- di sfoglia alle verdure	Vegetable pasty	Friand aux légumes	Cofre de hojaldre con verduras	Blätterteigtasche mit Gemüse
Sedano rapa grattugiato con salsa alla panna e senape	Grated celeriac with cream sauce & mustard	Céleri rémoulade (céleri-rave râpé en sauce à la crème et à la moutarde)	Apio nabo rallado con salsa de nata y mostaza	Geriebener Knollensellerie mit Rahmsauce u. Senf

[1] Anche: Parma ham

ANTIPASTI	HORS D'ŒUVRE	HORS-D'ŒUVRE	ENTREMESES	VORSPEISEN
Sfogliatine	Small puff pastries	Petits feuilletés	Pastelitos de hojaldre	Blätterteigplätzchen
- ai funghi	Small mushroom puff pastries	Petits feuilletés aux champignons	Pastelitos de hojaldre con setas	Blätterteigplätzchen mit Pilzfüllung
- al prosciutto	Small ham puff pastries	Petits feuilletés au jambon	Pastelitos de hojaldre con jamón	Blätterteigplätzchen mit Schinken
Sformato agli scampi	Scampi pudding	Timbale aux langoustines	Pudin de langostinos	Scampiauflauf
- di formaggio	Cheese pudding	Timbale de fromage	Pudin de queso	Käseauflauf
- di verdure	Vegetable pudding	Timbale de légumes	Pudin de verduras	Gemüseauflauf
Sorbetto di pomodoro	Tomato sorbet[1]	Sorbet de tomate	Sorbete de tomate	Tomaten-Sorbet
Sottaceti	Mixed pickles	Légumes au vinaigre	Encurtidos	Mixed pickles
Soufflé al formaggio	Cheese soufflé	Soufflé au fromage	Suflé de queso	Käsesoufflé
- di crostacei	Shellfish soufflé	Soufflé aux crustacés	Suflé de crustáceos	Krustentiere-Soufflé
- di pesce	Fish soufflé	Soufflé au poisson	Suflé de pescado	Fischsoufflé
Spiedini di formaggio	Cheese kebabs	Brochettes de fromage	Broquetas de queso	Käsespießchen
- di salumi	Cured-meat kebabs	Brochettes de charcuterie	Broquetas de embutidos	Wurstspießchen
Spuma ► *Mousse*				
Strudel di salmone e patate	Salmon & potato strudel	Strudel de saumon et pommes de terre	Rollo de pasta con salmón y patatas	Lachs-Kartoffelstrudel
- di verdure	Vegetable strudel	Strudel de légumes	Rollo de pasta con verduras	Gemüsestrudel
Stuzzichini al formaggio	Cheese bits	Amuse-bouche au fromage	Bocaditos de queso	Käse-Appetithäppchen
Tartara di trota (trota cruda tritata e aromatizzata)	Trout tartare (minced & spiced raw trout)	Tartare de truite (truite hachée et aromatisée)	Tartare de trucha (trucha cruda triturada y aromatizada)	Forellen-Tatar (gehackte u. gewürzte rohe Forelle)
Tartellette	Tartlets	Tartelettes	Tartaletas	Törtchen
- al formaggio	Cheese tartlets	Tartelettes au fromage	Tartaletas de queso	Käsetörtchen
- alle verdure	Vegetable tartlets	Tartelettes aux légumes	Tartaletas de verduras	Gemüsetörtchen
Tartine ► *Canapés*				
Terrina di fegato d'oca	Goose foie gras terrine	Terrine de foie gras	Tarrina de hígado de ganso	Gänseleberterrine
- di gamberi con gelatina	Jellied prawn terrine	Terrine d'écrevisses en gelée	Tarrina de gambas con gelatina	Garnelenterrine mit Gelee
- di maiale in crosta	Pork terrine in pastry crust	Terrine de porc en croûte	Tarrina de cerdo en costra	Schweinefleisch-Terrine in Teigkruste
- di verdure con salsa di pomodoro	Vegetable terrine with tomato sauce	Terrine de légumes au coulis de tomate	Tarrina de verduras con salsa de tomate	Gemüseterrine mit Tomatensauce
Timballo di luccio in salsa di menta	Pike pie with mint sauce	Timbale de brochet avec sauce à la menthe	Timbal de lucio en salsa de menta	Hechttimbale in Minzsauce

[1] USA: sherbet

ANTIPASTI	HORS D'ŒUVRE	HORS-D'ŒUVRE	ENTREMESES	VORSPEISEN
Timballo di sogliola in gelatina	Jellied sole pie	Timbale de sole en gelée	Timbal de lenguado en gelatina	Seezungen-Timbale in Gelee
Toast ai funghi	Mushroom toast	Toast aux champignons	Tostada de setas	Pilztoast
Tonno sottolio	Tuna in olive oil	Thon à l'huile	Atún en aceite	In Öl eingelegter Thunfisch
Torta al formaggio	Cheese pie	Tourte au fromage	Tarta de queso	Pikanter Käsekuchen
- di sfoglia farcita con bietole	Pastry pie filled with Swiss chard	Tourte feuilletée farcie aux bettes	Tarta de hojaldre rellena con acelgas	Mit Mangold gefüllte Blätterteigtorte
Tortino ai funghi	Small mushroom pie	Petite tourte aux champignons	Tartita de setas	Pilztörtchen
- alle alici	Small anchovy pie	Petite tourte aux anchois	Tartita de anchoas	Sardellentörtchen
Tramezzini	Sandwiches	Sandwich (de pain de mie)	Sandwiches	Sandwiches
Tronchetti ai funghi	Mushroom logs	Bûchettes de champignons	Rollitos de setas	Pilzstämmchen
Tronchetto al salmone	Salmon log	Bûchette de saumon	Rollito de salmón	Lachsstämmchen
Uova alla russa	Russian eggs	Œufs à la russe	Huevos a la rusa	Russische Eier
- di lompo	Lumpfish roe	Œufs de lump	Huevas de lompo	Lumpfischrogen
- di salmone salate	Salted salmon roe	Œufs de saumon salés	Huevas de salmón saladas	Gesalzener Lachsrogen
- ripiene	Stuffed eggs	Œufs farcis	Huevos rellenos	Gefüllte Eier
Valigette di melanzane con crema di formaggio	Aubergine[1] bundles with cheese cream	Coffrets d'aubergines à la crème de fromage	Maletines de berenjenas con crema de queso	Auberginentaschen mit Käsecreme
Verdure ripiene	Stuffed vegetables	Légumes farcis	Verduras rellenas	Gefülltes Gemüse
- sottaceto	Pickled vegetables	Légumes au vinaigre	Verduras en vinagre	In Essig eingelegtes Gemüse
- sottolio	Vegetables in oil	Légumes à l'huile	Verduras en aceite	In Öl eingelegtes Gemüse
Vitello tonnato	Cold veal with tuna sauce	Veau froid à la sauce au thon	Ternera fría con salsa de atún	Kaltes Kalbfleisch in Thunfischsauce
Vol-au-vent	Vol-au-vent	Vol-au-vent	Tartaletas de hojaldre rellenas	Königinpastetchen; Blätterteigpastetchen
- alla finanziera	Vol-au-vent finanziera style	Vol-au-vent financière	Tartaletas de hojaldre a la financiera	Königinpastetchen nach Finanzmannsart
- con verdure	Vegetable vol-au-vent	Vol-au-vent aux légumes	Tartaletas de hojaldre con verduras	Königinpastetchen mit Gemüse
Vongole alla marinara	Clams marinara style	Palourdes marinières	Almejas a la marinera	Venusmuscheln nach Matrosenart

[1] USA: eggplant

ANTIPASTI	HORS D'ŒUVRE	HORS-D'ŒUVRE	ENTREMESES	VORSPEISEN
Zucchine farcite con ricotta ed erba cipollina	Courgettes[1] stuffed with ricotta cheese & chives	Courgettes farcies de ricotta et ciboulette	Calabacines rellenos con requesón y sueldacostilla	Zucchini, gefüllt mit Ricotta-Käse u. Schnittlauch
Zuppa di frutti di mare	Seafood chowder	Soupe de fruits de mer	Sopa de mariscos	Meeresfrüchtesuppe
Zuppetta di molluschi e crostacei	Shellfish & mollusc chowder	Mollusques et crustacés à la nage	Sopa de moluscos y crustáceos	Suppe aus Weich- u. Krustentieren

[1] USA: zucchini

MINESTRE	SOUPS	POTAGES	SOPAS	SUPPEN
Anolini in brodo	Ravioli in stock	Raviolis en bouillon	Caldo con ravioles	Ravioli in Brühe
Brodo	Stock	Bouillon	Caldo	Brühe; Bouillon
- di cappone	Capon stock	Bouillon de chapon	Caldo de capón	Kapaunbrühe
- di carne	Meat stock	Bouillon de viande	Caldo de carne	Fleischbrühe
- di pesce	Fish stock	Bouillon de poisson	Caldo de pescado	Fischbrühe
- di pollo	Chicken stock	Bouillon de poulet	Caldo de pollo	Hühnerbrühe
- di verdure	Vegetable stock	Bouillon de légumes	Caldo de verduras	Gemüsebrühe
- di verdure profumate	Aromatic vegetable stock	Bouillon de légumes parfumés	Caldo de verduras aromatizadas	Aromatische Gemüsebrühe
- ristretto ► *Consommé*				
- vegetale	Vegetable stock	Bouillon végétal	Caldo vegetal	Gemüsebrühe
Canederli in brodo	Large bread dumplings in stock	Quenelles de pain en bouillon	Gruesos ñoquis de pan con caldo	Semmelknödel in Brühe
Cappelletti in brodo	Tortellini in stock	Tortellinis en bouillon	Caldo con tortellini	Tortellini in Brühe
Consommé	Consommé	Consommé	Consomé	Kraftbrühe
- Celestina (con striscioline di frittata)	Consommé Celestine (with crêpe ribbons)	Consommé Célestine (à l'omelette avec lanières)	Consomé Celestina (con tiritas de tortilla)	Kraftbrühe Celestine (mit Omelettstreifchen)
- con capelli d'angelo	Consommé with vermicelli	Consommé aux cheveux d'ange	Consomé con espaguetis muy finos	Kraftbrühe mit Fadennudeln
- con pastina	Consommé with small pasta	Consommé aux petites pâtes	Consomé con fideo	Kraftbrühe mit Suppennudeln
- di manzo con riso	Beef consommé with rice	Consommé de bœuf au riz	Consomé de vaca con arroz	Rinderkraftbrühe mit Reis
- di pesce	Fish consommé	Consommé de poisson	Consomé de pescado	Fischkraftbrühe
- di pollo	Chicken consommé	Consommé de poulet	Consomé de pollo	Hühnerkraftbrühe
- di selvaggina	Game consommé	Consommé de gibier	Consomé de caza	Wildbret-Kraftbrühe
- freddo allo sherry	Cold consommé with sherry	Consommé froid au sherry	Consomé frío con Jerez	Kalte Kraftbrühe mit Sherry
- julienne (con verdure a striscioline)	Consommé julienne (with shredded vegetables)	Consommé julienne (aux légumes émincés)	Consomé juliana (con verduras a tiritas)	Kraftbrühe Julienne (mit feingeschnittenem Gemüse)
Crema	Cream soup	Crème	Crema	Cremesuppe
- di asparagi con crostini	Cream of asparagus soup with croûtons	Crème d'asperges aux croûtons	Crema de espárragos con pedacitos de pan frito	Spargelcremesuppe mit Croûtons
- di avena	Cream of oat soup	Crème d'avoine	Crema de avena	Hafercremesuppe
- di carote	Cream of carrot soup	Crème de carottes	Crema de zanahorias	Karottencremesuppe

MINESTRE	SOUPS	POTAGES	SOPAS	SUPPEN
Crema di funghi	Cream of mushroom soup	Crème de champignons	Crema de setas	Pilzcremesuppe
- di gamberi	Cream of prawn soup	Crème d'écrevisses	Crema de gambas	Garnelencremesuppe
- di lattuga	Cream of lettuce soup	Crème de laitue	Crema de lechuga	Lattichcremesuppe
- di ortiche	Cream of nettle soup	Crème d'orties	Crema de ortigas	Brennesselcremesuppe
- di orzo	Cream of barley soup	Crème d'orge	Crema de cebada	Gerstencremesuppe
- di patate	Cream of potato soup	Crème de pommes de terre	Crema de patatas	Kartoffelcremesuppe
- di piselli	Cream of pea soup	Crème de petits pois	Crema de guisantes	Erbsencremesuppe
- di pollo	Cream of chicken soup	Crème de poulet	Crema de pollo	Hühnercremesuppe
- di pomodori	Cream of tomato soup	Crème de tomates	Crema de tomates	Tomatencremesuppe
- di porri	Cream of leek soup	Crème de poireaux	Crema de puerros	Lauchcremesuppe
- di riso	Cream of rice soup	Crème de riz	Crema de arroz	Reiscremesuppe
- di spinaci	Cream of spinach soup	Crème d'épinards	Crema de espinacas	Spinatcremesuppe
- fredda al formaggio	Cold cream of cheese soup	Crème froide au fromage	Crema fría de queso	Kalte Käsecremesuppe
Crostini al fegato in brodo di selvaggina	Liver croûtons in game stock	Croûtons au foie en bouillon de gibier	Tostaditas con hígado en caldo de caza	Croûtons mit Leberpastete in Wildpretbrühe
Fagottini di verdure in brodo di piccione	Vegetable-filled pasta parcels in pigeon stock	Ballottines aux légumes en bouillon de pigeon	Pastelitos con verduras en caldo de paloma	Gemüse-Teigtaschen in Taubenbrühe
Gnocchetti di erbe in brodo	Little herb dumplings in stock	Petits gnocchis d'herbes en bouillon	Pequeños ñoquis de hierbas con caldo	Kräuterklößchen in Brühe
Minestra	Soup	Potage	Sopa	Suppe
- alla birra	Beer soup	Potage à la bière	Sopa de cerveza	Biersuppe
- chiara	Clear soup	Potage clair	Sopa clara	Klare Suppe
- di coda di bue	Oxtail soup	Potage à la queue de bœuf	Sopa de rabo de vaca	Ochsenschwanzsuppe
- di fagioli con pancetta	Bean soup with bacon	Potage de haricots au lard	Sopa de alubias con tocino	Rote Bohnensuppe mit Bauchspeck
- di farro e fagioli	Spelt & bean soup	Potage d'épeautre et de haricots	Sopa de farro y alubias	Dinkel- u. rote Bohnensuppe
- di granchio	Crab soup	Bisque[1] de crabe	Sopa de cangrejo	Krebssuppe
- di orzo	Barley soup	Potage à l'orge	Sopa de cebada	Graupensuppe
- di pane	Bread soup	Potage au pain	Sopa de pan	Brotsuppe
- di pasta e fagioli	Pasta & bean soup	Potage de pâtes et de haricots	Sopa de pasta y alubias	Rote Bohnensuppe mit Nudeln
- di pomodori	Tomato soup	Potage aux tomates	Sopa de tomates	Tomatensuppe
- di riso	Rice soup	Potage au riz	Sopa de arroz	Reissuppe

[1] Riferito a minestre e passati di crostacei

MINESTRE	SOUPS	POTAGES	SOPAS	SUPPEN
Minestra di semolino	Semolina soup	Potage à la semoule	Sopa de sémola	Grießsuppe
- di verdure	Vegetable soup	Potage aux légumes	Sopa de verduras	Gemüsesuppe
- fredda	Cold soup	Potage froid	Sopa fría	Kalte Suppe
Minestrone	Vegetable soup	Soupe de légumes	Potaje de verduras	Gemüsesuppe
- alla milanese (con riso)	Milanese vegetable soup (with rice)	Soupe de légumes à la milanaise (au riz)	Potaje a la milanesa (con arroz)	Mailänder Gemüsesuppe (mit Reis)
- con salsa al pesto	Vegetable soup with pesto sauce	Soupe au pistou	Potaje con salsa pesto	Gemüsesuppe mit Pesto-Sauce
Passatelli (cilindretti di uova, pangrattato e formaggio in brodo di carne)	Passatelli (spaghetti-like mixture of eggs, bread-crumbs & parmesan in stock)	Passatelli (gros spaghettis d'œuf, chapelure et parmesan en bouillon)	Passatelli (pedazitos de huevo, pan rallado y parmesano con caldo)	Passatelli (Spätzle aus Eiern, Semmelbröseln u. Parmesan in Brühe)
Passato	Purée	Purée	Puré	Passierte Suppe
- di carote	Purée of carrots	Purée de carottes	Puré de zanahorias	Passierte Karottensuppe
- di fagioli	Purée of beans	Purée de haricots	Puré de alubias	Passierte Rote Bohnensuppe
- di verdure	Purée of vegetables	Purée de légumes	Puré de verduras	Passierte Gemüsesuppe
Pasta e fagioli	Pasta & bean soup	Soupe de pâtes et de haricots	Sopa de pasta y alubias	Nudel-Bohnen-Eintopf
- in brodo	Pasta in stock	Pâtes en bouillon	Caldo con pasta	Nudelsuppe
Pastina in brodo	Small pasta in stock	Petites pâtes en bouillon	Caldo con pastitas	Suppe mit feinen Nudeln
Piccola marmitta Enrico IV (brodo con striscioline di carne di gallina)	Petite marmite Henri IV (stock with shredded hen)	Petite marmite Henri IV (lanières de viande de poule en bouillon)	Petite marmite Henri IV (caldo con tiras de carne de gallina)	Kleiner Heinrich IV.-Topf (Bouillon mit feingeschnittenem Hühnerfleisch)
Pot-au-feu (brodo con pezzi di carne e verdure)	Pot-au-feu (stock with bits of meat & vegetables)	Pot-au-feu	Pot-au-feu (caldo con pedazos de carne y verduras)	Pot-au-feu (Bouillon mit Fleisch- u. Gemüsestückchen)
Ravioli in brodo	Ravioli in stock	Raviolis en bouillon	Caldo con ravioles	Ravioli in Brühe
Riso in brodo	Rice in stock	Bouillon au riz	Caldo con arroz	Bouillon mit Reiseinlage
Stracciatella	Stock with beaten egg	Potage aux œufs filés	Caldo con huevos hilados	Fleischbrühe mit Eierstich
Tagliolini in brodo	Thin tagliatelle in stock	Fines tagliatelles en bouillon	Tallarines finos con caldo	Dünne Bandnudeln in Brühe
- di pesce in brodo di crostacei	Fish tortellini in shellfish stock	Tortellinis de poisson en bouillon de crustacés	Tortellini de pescado con caldo de crustáceos	Fisch-Tortellini in Krustentieren-Brühe
Tortellini in brodo	Tortellini in stock	Tortellinis en bouillon	Tortellini con caldo	Tortellini in Brühe
Vellutata ► *Crema*				

MINESTRE	SOUPS	POTAGES	SOPAS	SUPPEN
Vermicelli in brodo	Vermicelli in stock	Vermicelles en bouillon	Caldo con fideos	Dünne Spaghetti in Brühe
Zuppa	Soup	Soupe	Sopa	Suppe
- di cavoli	Cauliflower soup	Soupe aux choux	Sopa de coles	Kohlsuppe
- di ceci con crostini	Chick-pea soup with croûtons	Soupe de pois chiches aux croûtons	Sopa de garbanzos con pedacitos de pan frito	Kichererbsensuppe mit Croûtons
- di cipolle gratinata	Onion soup au gratin	Soupe à l'oignon gratinée	Sopa de cebollas gratinada	Überbackene Zwiebelsuppe
- di fagioli con cotenne di maiale	Bean soup with pig skin	Soupe aux haricots et à la couenne	Sopa de alubias con pieles de cerdo	Suppe aus roten Bohnen mit Schweineschwarte
- di funghi e lumache	Mushroom & snail soup	Soupe aux champignons et escargots	Sopa de setas y caracoles	Pilzsuppe mit Schnecken
- di lattuga e frutti di mare	Lettuce & seafood soup	Soupe à la laitue et aux fruits de mer	Sopa de lechuga y mariscos	Lattichsuppe mit Meeresfrüchten
- di ostriche	Oyster soup	Soupe aux huîtres	Sopa de ostras	Austernsuppe
- di pane	Bread soup	Panade	Sopa de pan	Brotsuppe
- di pesce	Fish soup	Soupe de poisson	Sopa de pescado	Fischsuppe
- di rane	Frog soup	Soupe de grenouilles	Sopa de ranas	Froschschenkelsuppe
- di tartaruga	Turtle soup	Soupe de tortue	Sopa de tortuga	Schildkrötensuppe
- di verdure	Vegetable soup	Soupe de légumes	Sopa de verduras	Gemüsesuppe
- paesana	Peasant-style soup	Soupe paysanne	Sopa paisana	Rustikale Suppe
- pavese (minestra di pane fritto, uovo crudo e parmigiano)	Pavese soup (fried bread slices, raw egg & parmesan in stock)	Soupe pavese (bouillon avec pain frit, œuf cru et parmesan)	Sopa pavese (caldo con pan frito, huevo crudo y queso parmesano)	Paveser Suppe (Brühe mit gebackenen Brotscheiben, rohem Ei u. Parmesan)
- rustica	Farmhouse soup	Soupe rustique	Sopa rústica	Rustikale Suppe

PASTA E RISO	PASTA & RICE	PÂTES ET RIZ	PASTA Y ARROZ	NUDELN UND REIS
Agnolotti	Ravioli	Raviolis	Ravioles	Ravioli
Arancini di riso	Rice croquettes	Croquettes de riz	Croquetas de arroz	Reiskroketten, *f*
Assaggio di primi piatti di pesce	Tasting of pastas with fish sauce	Dégustation de pâtes aux poissons	Degustación de primeros platos con pescado	Kostprobe von Nudelgerichten mit Fischsauce
Bavette	Flat spaghetti	Spaghettis plats	Espaguetis planos	Flache Spaghetti
Bocconcini di pasta alle sogliole	Sole-filled pasta bites	Bouchées de pâtes à la sole	Bocaditos de pasta con lenguado	Nudelhäppchen mit Seezungenfüllung
Bucatini	Hollow spaghetti	Spaghettis percés	Espaguetis huecos	Hohle Spaghetti
Cannelloni	Cannelloni (filled & baked pasta rolls)	Cannelloni (rouleaux de pâte fraîche farcis au four)	Canelones (rollitos de pasta fresca rellenos al horno)	Cannelloni (gefüllte Nudelrolle, überbacken)
Cappelletti	Tortellini	Tortellinis	Tortellini	Tortellini
Crespelle al formaggio	Cheese crêpes	Crêpe au fromage	Crepes (*m*) de queso	Crêpes mit Käsefüllung
Crespelle al pesce con salsa di pomodoro	Fish crêpes with tomato sauce	Crêpes de poisson à la sauce tomate	Crepes de pescado con salsa de tomate	Fisch-Crêpes mit Tomatensauce
Crespelle di grano saraceno	Buckwheat crêpes	Crêpes de sarrasin	Crepes de trigo sarraceno	Buchweizenmehl-Crêpes
Degustazione di due primi piatti	Tasting of two pastas	Dégustation de deux plats de pâtes	Degustación de dos tipos de pasta	Kostprobe von zwei Nudelgerichten
Fagottini al formaggio con erbe aromatiche	Cheese-filled pasta parcels with herbs	Ballottines de pâte au fromage avec fines herbes	Pastelitos de queso con hierbas aromáticas	Käse-Teigtaschen mit Gewürzkräutern
- al granchio con sugo di pesce	Crab-filled pasta parcels with fish sauce	Ballottines de pâte au crabe au jus de poisson	Pastelitos de cangrejo con salsa de pescado	Teigtaschen mit Krebsfleischfüllung u. Fischsauce
- di radicchio con salsa di funghi	Red chicory-filled pasta parcels with mushroom sauce	Ballottines de pâte à la salade de Trévise et sauce aux champignons	Pastelitos de achicoria roja con salsa de setas	Teigtaschen mit Radicchio-Füllung u. Pilzsauce
- di ricotta ed erbe al sugo di piccione	Pasta parcels with ricotta cheese & herb filling in pigeon sauce	Ballottines de pâte à la ricotta et aux herbes, au jus de pigeon	Pastelitos de requesón y hierbas con salsa de paloma	Teigtaschen mit Ricotta-Kräuterfüllung u. Taubenfleischsauce
Gnocchetti	Little dumplings	Petits gnocchis	Ñoquis pequeños	Kleine Klößchen, *n*
Gnocchi	Dumplings	Gnocchis	Ñoquis	Klößchen, *n*
- alla parigina (gnocchi di farina gratinati)	Parisienne dumplings (flour dumplings au gratin)	Gnocchis à la parisienne (gnocchis de farine gratinés)	Ñoquis a la parisina (ñoquis de harina gratinados)	Pariser Klößchen (überbackene Mehlklößchen)

PASTA E RISO	PASTA & RICE	PÂTES ET RIZ	PASTA Y ARROZ	NUDELN UND REIS
Gnocchi alla romana (gnocchi di semolino al forno)	Roman dumplings (baked semolina dumplings)	Gnocchis à la romaine (gnocchis de semoule au four)	Ñoquis a la romana (ñoquis de sémola al horno)	Römische Klößchen (im Ofen überbackene Grießklößchen)
- di farina	Flour dumplings	Gnocchis de farine	Ñoquis de harina	Mehlklößchen
- di farina gratinati con formaggio	Flour dumplings broiled with cheese	Gnocchis de farine gratinés au fromage	Ñoquis de harina gratinados con queso	Mehlklößchen, mit Käse überbacken
- di grano saraceno con ragù di daino	Buckwheat dumplings with venison ragoût	Gnocchis de sarrasin au ragoût de daim	Ñoquis de trigo sarraceno con salsa de gamo	Buchweizenklößchen mit Damhirschragout
- di ortiche	Nettle dumplings	Gnocchis aux orties	Ñoquis de ortigas	Brennesselklößchen
- di pane	Bread dumplings	Gnocchis de pain	Ñoquis de pan	Semmelknödel
- di patate	Potato dumplings	Gnocchis de pommes de terre	Ñoquis de patatas	Kartoffelklößchen
- di patate farciti	Filled potato dumplings	Gnocchis de pommes de terre farcis	Ñoquis de patatas rellenos	Gefüllte Kartoffelklößchen
- di ricotta	Ricotta-cheese dumplings	Gnocchis de ricotta	Ñoquis de requesón	Ricotta-Klößchen
- di semolino	Semolina dumplings	Gnocchis de semoule	Ñoquis de sémola	Grießklößchen
- di zucca	Pumpkin dumplings	Gnocchis de potiron	Ñoquis de calabaza	Kürbisklößchen
Gratin di pasta ai frutti di mare	Pasta with seafood au gratin	Gratin de pâtes aux fruits de mer	Gratén de pasta con mariscos	Nudelgratin mit Meeresfrüchten
Lasagne	Lasagne	Lasagnes	Lasaña, *inv*	Lasagne
- rustiche	Farmhouse lasagne	Lasagnes rustiques	Lasaña rústica	Rustikale Lasagne
- vegetariane	Vegetarian lasagne	Lasagnes végétariennes	Lasaña vegetariana	Vegetarische Lasagne
- verdi	Green lasagne	Lasagnes vertes	Lasaña verde	Grüne Lasagne
Linguine	Flat spaghetti	Spaghettis plats	Espaguetis planos	Flache Spaghetti
Maccheroni	Macaroni	Macaronis	Macarrones	Makkaroni
- gratinati	Macaroni au gratin	Macaronis gratinés	Macarrones gratinados	Gratinierte Makkaroni
- in crosta di pane	Macaroni in a pastry crust	Macaronis en croûte	Macarrones en costra de pan	Makkaroni in Teigkruste
Mezzelune farcite di melanzane con salsa di pesce	Pasta crescents with aubergine[1] filling & fish sauce	Demi-lunes farcies aux aubergines en sauce de poisson	Mediaslunas de pasta rellenas de berenjenas con salsa de pescado	Halbmondnudeln mit Auberginenfüllung in Fischsauce
Orecchiette	Fresh pasta from Apulia	Pâtes fraîches des Pouilles	Pasta fresca de la región Puglia	Frische Nudeln aus Apulien
Paglia e fieno	Yellow & green tagliatelle	Tagliatelles blanches et vertes	Tallarines blancos y verdes	Weiße u. grüne Bandnudeln
Pappardelle	Large tagliatelle	Tagliatelles larges	Tallarines anchos	Breite Bandnudeln

[1] USA: eggplant

PASTA E RISO	PASTA & RICE	PÂTES ET RIZ	PASTA Y ARROZ	NUDELN UND REIS
Pappardelle alla lepre	Large tagliatelle with hare ragout	Tagliatelles larges au lièvre	Tallarines anchos con liebre	Bandnudeln mit Hasenragout
Pasta	Pasta	Pâtes, *pl*	Pasta	Nudeln, *pl*
- al forno	Baked pasta	Pâtes au four	Pasta al horno	Im Ofen überbackene Nudeln
- all'uovo	Egg pasta	Pâtes à l'œuf	Pasta de huevos	Eiernudeln
- biologica	Organic pasta	Pâtes biologiques	Pasta biológica	Bio-Nudeln
- di castagne con spinaci e speck	Chestnut pasta with spinach & smoked ham	Pâtes de châtaignes, aux épinards et au speck	Pasta de castañas con espinacas y speck	Kastaniennudeln mit Spinat u. Speck
- di grano duro	Durum-wheat pasta	Pâtes de blé dur	Pasta de trigo duro	Hartweizennudeln
- di semola	Semolina pasta	Pâtes de semoule	Pasta de sémola	Grießnudeln
- fredda alle verdure	Cold pasta with vegetables	Pâtes froides aux légumes	Pasta fría con verduras	Kaltes Nudelgericht mit Gemüse
- fresca	Fresh pasta	Pâtes fraîches	Pasta fresca	Frische Nudeln
- fresca fatta in casa	Fresh home-made pasta	Pâtes fraîches maison	Pasta fresca casera	Hausgemachte Frische Nudeln
- gratinata	Pasta au gratin	Pâtes gratinées	Pasta gratinada	Überbackene Nudeln
- integrale	Whole-wheat pasta	Pâtes intégrales	Pasta integral	Vollkornnudeln
- ripiena	Filled pasta	Pâtes farcies	Pasta rellena	Nudeln mit Füllung
Pasticcio	Baked pasta	Timbale de pâtes	Pastel de pasta	Nudeltimbale, *f*
- al radicchio	Baked pasta with red chicory	Timbale de pâtes à la salade de Trévise	Pastel de pasta con achicoria roja	Radicchio-Timbale
- di maccheroni	Baked macaroni	Timbale de macaronis	Pastel de macarrones	Makkaroni-Timbale
- di tortellini	Baked tortellini	Timbale de tortellinis	Pastel de tortellini	Tortellini-Timbale
- in crosta con salsa di pesce	Pasta pie with fish sauce	Timbale de pâtes en croûte à la sauce de poisson	Pastel de pasta en costra con salsa de pescado	Nudeltimbale in Kruste mit Fischsauce
Penne	Pasta quills	Pâtes courtes	Macarrones	Makkaroni
Piatto di pasta del giorno	Pasta dish of the day	Entrée de pâtes du jour	Plato de pasta del día	Tagesnudelgericht, *n*
Polenta	Polenta (cornmeal porridge)[1]	Polenta (farine de mais boulli)	Polenta (gacha de harina de maiz cocida)	Polenta (Maismehl-Brei)
- gratinata con sugo di carne	Polenta with meat sauce au gratin	Polenta gratinée au jus de viande	Polenta gratinada con salsa de carne	Gratinierte Polenta mit Fleischsauce
Ravioli	Ravioli	Raviolis	Ravioles	Ravioli
- di branzino con salsa di crostacei	Bass ravioli with shellfish sauce	Raviolis de bar en sauce de crustacés	Ravioles de lubina con salsa de crustáceos	Seebarsch-Ravioli mit Krustentierensauce

[1] USA: cornmeal mush

PASTA E RISO	PASTA & RICE	PÂTES ET RIZ	PASTA Y ARROZ	NUDELN UND REIS
Ravioli di carne	Meat ravioli	Raviolis de viande	Ravioles de carne	Fleisch-Ravioli
- di erbe	Herb ravioli	Raviolis d'herbes	Ravioles de hierbas	Kräuter-Ravioli
- di fiori di zucchine con salsa delicata	Courgette[1] flower ravioli with delicate sauce	Raviolis de fleurs de courgettes à la sauce délicate	Ravioles de flores de calabacines con salsa delicada	Zucchiniblüten-Ravioli mit delikater Sauce
- di melanzane con salsa di pomodoro fresco	Aubergine[2] ravioli with fresh tomato sauce	Raviolis d'aubergines à la sauce de tomates fraîches	Ravioles de berenjenas con salsa de tomate fresco	Auberginen-Ravioli mit Sauce aus frischen Tomaten
- di ricotta e spinaci con salsa di carne	Ricotta cheese & spinach ravioli with meat sauce	Raviolis de ricotta et épinards à la sauce de viande	Ravioles de requesón y espinacas con salsa de carne	Ricottakäse- u. Spinat-Ravioli mit Fleischsauce
- di zucca	Pumpkin ravioli	Raviolis de potiron	Ravioles de calabaza	Kürbisravioli
- in salsa di ortiche	Ravioli with nettle sauce	Raviolis en sauce d'orties	Ravioles con salsa de ortigas	Ravioli mit Brennesselsauce
- vegetali alla cannella	Vegetarian ravioli with cinnamon	Raviolis végétaux à la cannelle	Ravioles vegetales con canela	Gemüseravioli mit Zimt
- verdi	Green ravioli	Raviolis verts	Ravioles verdes	Grüne Ravioli
Raviolini ripieni di piccione	Small ravioli filled with pigeon meat	Petits raviolis farcis au pigeon	Ravioles pequeños con relleno de paloma	Kleine Ravioli mit Taubenfleischfüllung
Ravioloni	Large ravioli	Gros raviolis	Ravioles grandes	Große Ravioli
Rigatoni	Macaroni	Macaronis	Macarrones	Makkaroni
Riso	Rice	Riz	Arroz	Reis
- al curry	Rice with curry	Riz au curry	Arroz con curry	Curryreis
- alla creola (bollito e asciugato in forno con burro)	Creole rice (boiled & dried in the oven with butter)	Riz à la créole (bouilli et passé au four avec du beurre)	Arroz a la criolla (hervido y secado al horno con mantequilla)	Kreolenreis (gekochter Reis, im Ofen mit Butter getrocknet)
- pilaf (cotto in forno con brodo e condito con burro)	Rice pilaff (baked with stock & flavoured with butter)	Riz pilaf (cuit au four avec du bouillon et du beurre)	Arroz pilaf (asado al horno con caldo y mantequilla)	Pilawreis (im Ofen in Brühe gegart, mit Butter)
Risotto	Risotto	Risotto	Arroz	Risotto
- ai funghi	Risotto with mushrooms	Risotto aux champignons	Arroz con setas	Risotto mit Pilzen
- al nero di seppia	Risotto with cuttlefish ink	Risotto au jus de seiche	Arroz con tinta de jibias	Schwarzer Tintenfisch-Risotto
- alla milanese (con midollo di bue e zafferano)	Risotto Milanese style (with beef bone-marrow & saffron)	Risotto à la milanaise (à la moelle de bœuf et au safran)	Arroz a la milanesa (con médula de buey y azafrán)	Mailänder Risotto (mit Rindermark u. Safran)
- con frutti di mare	Risotto with seafood	Risotto aux fruits de mer	Arroz con mariscos	Risotto mit Meeresfrüchten

[1] USA: zucchini [2] USA: eggplant

PASTA E RISO	PASTA & RICE	PÂTES ET RIZ	PASTA Y ARROZ	NUDELN UND REIS
Rotelle di pasta alle zucchine	Pasta wheels with courgettes[1]	Rondelles de pâte aux courgettes	Rueditas de pasta con calabacines	Nudelrädchen mit Zucchini
Rotolini di pasta	Little rolls of pasta	Petits rouleaux de pâte	Rollitos de pasta	Nudelröllchen, *n*
Sacchetti di pasta farciti con salmone	Pasta parcels filled with salmon	Sachets de pâte farcis au saumon	Pastelitos rellenos de salmón	Nudelbeutel mit Lachsfüllung
Sartù	Baked rice dish	Timbale de riz	Timbal de arroz	Reistimbale, *f*
Sformato di pasta alle verdure in salsa di crostacei	Baked pasta dish with vegetables & shellfish sauce	Timbale de pâtes aux légumes et sauce de crustacés	Timbal de pasta con verduras y salsa de crustáceos	Nudelauflauf mit Gemüse in Krustentiersauce
Sformato di riso al sugo d'oca	Baked rice dish with goose sauce	Timbale de riz au jus d'oie	Timbal de arroz con salsa de ganso	Reisauflauf mit Gänsesauce
Spaghetti	Spaghetti	Spaghettis	Espaguetis	Spaghetti
- freddi con verdure	Cold spaghetti with vegetables	Spaghettis froids aux légumes	Espaguetis fríos con verduras	Kalte Spaghetti mit Gemüse
Spätzle (gnocchetti di farina)	Spätzle (small flour dumplings)	Spätzle (petits gnocchis de farine)	Spätzle (ñoquis pequeños de harina)	Spätzle
Supplì (crocchette di riso farcite con mozzarella)	Rice croquettes filled with mozzarella cheese	Croquettes de riz à la mozzarelle	Croquetas de arroz rellenas con queso mozzarella	Mit Mozzarella gefüllte Reiskroketten
Tagliatelle	Tagliatelle; noodles	Tagliatelles	Tallarines, *m*	Bandnudeln
- al sugo di pesce	Tagliatelle with fish sauce	Tagliatelles à la sauce de poisson	Tallarines con salsa de pescado	Bandnudeln mit Fischsauce
- con polpa di ricci di mare	Tagliatelle with sea urchins	Tagliatelles au corail d'oursins	Tallarines con pulpa de erizos de mar	Bandnudeln mit Seeigelfleisch
- di grano saraceno	Buckwheat tagliatelle	Tagliatelles de sarrasin	Tallarines de trigo sarraceno	Buchweizen-Bandnudeln
- di segale con funghi	Rye tagliatelle with mushrooms	Tagliatelles de seigle aux champignons	Tallarines de centeno con setas	Bandnudeln aus Roggenmehl mit Pilzen
- fatte in casa	Home-made tagliatelle	Tagliatelles maison	Tallarines caseros	Hausgemachte Bandnudeln
- fresche	Fresh tagliatelle	Tagliatelles fraîches	Tallarines frescos	Frische Bandnudeln
- in salsa di pesce e pomodoro	Tagliatelle with fish & tomato sauce	Tagliatelles à la sauce de poissons et tomate	Tallarines con salsa de pescado y tomate	Bandnudeln mit Fisch- u. Tomatensauce
- verdi	Green tagliatelle	Tagliatelles vertes	Tallarines verdes	Grüne Bandnudeln
Tagliolini	Thin tagliatelle	Tagliolinis	Tallarines finos	Dünne Bandnudeln
- con fagiolini e gamberi	Thin tagliatelle with French beans[2] & prawns	Tagliolinis aux haricots verts et aux écrevisses	Tallarines finos con judías verdes y gambas	Dünne Bandnudeln mit grünen Bohnen u. Garnelen

[1] USA: zucchini [2] USA: spring beans

PASTA E RISO	PASTA & RICE	PÂTES ET RIZ	PASTA Y ARROZ	NUDELN UND REIS
Timballo di maccheroni	Macaroni timbale	Timbale de macaronis	Timbal de macarrones	Makkaroni-Timbale, *f*
- di riso	Rice timbale	Timbale de riz	Timbal de arroz	Reis-Timbale
Tortelli	Ravioli	Raviolis	Ravioles	Ravioli
- di castagne	Chestnut ravioli	Raviolis de châtaignes	Ravioles de castañas	Kastanien-Ravioli
- di ortica al burro	Nettle ravioli with butter	Raviolis d'orties au beurre	Ravioles de ortiga con mantequilla	Brennessel-Ravioli mit Butter
- di zucca	Pumpkin ravioli	Raviolis de potiron	Ravioles de calabaza	Kürbis-Ravioli
Tortellini	Tortellini	Tortellinis	Tortellini	Tortellini
- alla bolognese	Tortellini Bolognese	Tortellinis à la bolognaise	Tortellini a la boloniesa	Tortellini nach Bologneser Art
- caserecci al sugo di carne	Home-made tortellini with meat sauce	Tortellinis maison au jus de viande	Tortellini caseros con salsa de carne	Hausgemachte Tortellini mit Fleischsauce
- vegetariani	Vegetarian tortellini	Tortellinis végétariens	Tortellini vegetarianos	Vegetarische Tortellini
Tortelloni	Large ravioli	Gros raviolis	Ravioles grandes	Große Ravioli
Tortino di pasta	Baked pasta	Galette de pâtes	Tartita de pasta	Nudeltörtchen, *n*
- di risotto	Baked risotto	Galette de risotto	Tartita de arroz	Risottotörtchen, *n*
Trenette	Flat spaghetti	Spaghettis plats	Espaguetis planos	Flache Spaghetti
Vermicelli	Vermicelli	Vermicelles	Espaguetis finos	Dünne Spaghetti
Zite [Ziti]	Long macaroni	Macaronis longs	Macarrones largos	Lange Makkaroni

PREPARAZIONI PER PASTA E RISO	WAYS TO PREPARE PASTA & RICE	PRÉPARATIONS DES PÂTES ET DES RIZ	FORMAS DE PREPARAR PASTA Y ARROZ	ZUBEREITUNG FÜR NUDELN UND REIS
aglio, olio e peperoncino, con	with garlic, oil & hot pepper	à l'aïl, huile et piment	con ajo, aceite y pimentón	mit Knoblauch, Öl u. Chilischoten
amatriciana, all' (salsa di pomodoro, pancetta e peperoncino)	amatriciana (tomato sauce, bacon & hot pepper)	à l'amatriciana (sauce tomate, lard et piment)	a la amatriciana (salsa de tomate, tocino y guindilla)	nach Amatriciana-Art (Tomatensauce, geräucherter Bauckspeck u. scharfer Paprika)
antica ricetta	old recipe	à l'ancienne	con receta tradicional	nach altem Rezept
bolognese, alla	Bolognese	à la bolognaise	a la boloniesa	nach Bologneser Art
burro, al	with butter	au beurre	con mantequilla	mit Butter
carbonara, alla (pancetta affumicata, tuorli d'uovo e parmigiano)	carbonara (bacon, egg yolks & parmesan)	à la carbonara (lard fumé, jaunes d'œuf et parmesan)	a la carbonara (tocino ahumado, yemas de huevo y parmesano)	nach Carbonara-Art (geräucherter Bauchspeck, Eigelb u. Parmesan)
carciofi, con	with artichokes	aux artichauts	con alcachofas	mit Artischocken
cartoccio, al	baked in foil	en papillote	en papillote	in Folie gebacken
casa, della	of the house	maison	de la casa	nach Art des Hauses
cozze, alle	with mussels	aux moules	con mejillones	mit Miesmuscheln
crosta, in	in a pastry crust	en croûte	en costra	in Teigkruste
erbe aromatiche, alle	with aromatic herbs	aux fines herbes	con hierbas aromáticas	mit Gewürzkräutern
fegatini di pollo, con	with chicken livers	aux foies de poulet	con higadillos de pollo	mit Geflügelleber
forno, al	baked~	au four	al horno	überbacken*
frutti di mare, ai	with seafood	aux fruits de mer	con mariscos	mit Meeresfrüchten
funghi, ai	with mushrooms	aux champignons	con setas	mit Pilzen
gratinato	au gratin; broiled~	gratiné*	gratinado*	überbacken*; gratiniert*
lepre, alla	with hare	au lièvre	con liebre	mit Hasensauce
mari e monti	with fish & mushroom sauce	en sauce de poisson et champignons	con salsa de pescado y setas	mit Fisch- u. Pilzsauce
marinara, alla	with seafood	marinière	a la marinera	nach Matrosenart
melanzane, con	with aubergines[1]	aux aubergines	con berenjenas	mit Auberginen
panna, alla	with cream	à la crème	con nata	mit Sahnesauce
panna, funghi e prosciutto, con	with cream, mushrooms & ham	à la crème, champignons et jambon	con nata, setas y jamón	mit Sahne, Pilzen u. Schinken
pescatora, alla	fisherman's style	pêcheur	a la pescadora	nach Fischerart
pesto, al (olio d'oliva, basilico, aglio e parmigiano)	with pesto sauce (olive oil, basil, garlic & parmesan)	au pistou (huile d'olive, basilic, aïl et parmesan)	con salsa pesto (aceite de oliva, albahaca, ajo y queso parmesano)	mit Pestosauce (Olivenöl, Basilikum, Knoblauch u. Parmesan)

[1] USA: eggplants

PREPARAZIONI PER PASTA E RISO	WAYS TO PREPARE PASTA & RICE	PRÉPARATIONS DES PÂTES ET DES RIZ	FORMAS DE PREPARAR PASTA Y ARROZ	ZUBEREITUNG FÜR NUDELN UND REIS
piselli, con	with peas	aux petits pois	con guisantes	mit Erbsen
pomodoro, al	with tomato sauce	à la tomate	con tomate	mit Tomatensauce
prosciutto, al	with ham	au jambon	con jamón	mit Schinken
quaglie, con le	with quails	aux cailles	con codornices	mit Wachteln
quattro formaggi, ai	with four cheeses	aux quatre fromages	con cuatro quesos	mit vier Käsesorten
radicchio, al	with red chicory	à la salade de Trévise	con achicoria roja	mit Radicchio
ragù di anatra, al	with duck ragoût	au ragoût de canard	con salsa de pato	mit Entenragout
ragù di carne, al	with meat ragoût	au ragoût de viande	con salsa de carne	mit Hackfleischsauce
ricotta e salvia, con	with ricotta cheese & sage	à la ricotta et à la sauge	con requesón y salvia	mit Ricotta-Käse u. Salbei
rigaglie di pollo, con	with chicken offal	aux abats de poulet	con menudillos de pollo	mit Hühnerklein
salsa affumicata, in	with smoked sauce	à la sauce fumée	con salsa ahumada	mit Räuchersauce
salsa di pomodoro fresco, con	with fresh tomato sauce	à la sauce de tomates fraîches	con salsa de tomate fresco	mit Sauce von rohen Tomaten
salsiccia, con	with sausage	à la saucisse	con salchicha	mit Wurst
scampi, agli	with scampi	aux langoustines	con langostinos	mit Scampi
seppie, alle	with cuttlefish	aux seiches	con jibias	mit Tintenfisch
spinaci, con	with spinach	aux épinards	con espinacas	mit Spinat
sugo d'anatra, al	with duck sauce	à la sauce de canard	con salsa de pato	mit Entensauce
sugo di carne, al	with meat sauce	à la sauce de viande	con salsa de carne	mit Fleischsauce
sugo di pesce, al	with fish sauce	à la sauce de poisson	con salsa de pescado	mit Fischsauce
tartufi, con	with truffles	aux truffes	con trufas	mit Trüffeln
tonno, al	with tuna	au thon	con atún	mit Thunfisch
tonno fresco, con	with fresh tuna	au thon frais	con atún fresco	mit frischem Thunfisch
tre sapori, ai	with three flavours	aux trois saveurs	de tres sabores	mit drei verschiedenen Saucen
vegetariano	vegetarian~	végétarien*	vegetariano*	vegetarisch*
verdure, alle	with vegetables	aux légumes	con verduras	mit Gemüse
vongole, alle	with clams	aux palourdes	con almejas	mit Venusmuscheln
zucca, alla	with pumpkin	au potiron	con calabaza	mit Kürbis
zucchine, alle	with courgettes[1]	aux courgettes	con calabacines	mit Zucchini

[1] USA: zucchini

UOVA	EGGS	ŒUFS	HUEVOS	EIERSPEISEN
Frittata	Omelette	Omelette	Tortilla	Omelett
- con prosciutto	Omelette with ham	Omelette au jambon	Tortilla de jamón	Omelett mit Schinken
Frittatina	Small omelette	Petite omelette	Tortillita	Kleines Omelett
- alle erbe aromatiche	Small omelette with aromatic herbs	Petite omelette aux fines herbes	Tortillita con hierbas aromáticas	Kleines Omelett mit Gewürzkräutern
Frittatine colorate	Small coloured omelettes	Petites omelettes colorées	Tortillitas coloradas	Kleine bunte Omeletts
Omelette	Omelette	Omelette	Tortilla	Omelett
- al formaggio	Cheese omelette	Omelette au fromage	Tortilla de queso	Käse-Omelett
- al naturale	Plain omelette	Omelette nature	Tortilla francesa	Omelett natur
- con carciofi	Omelette with artichokes	Omelette aux artichauts	Tortilla de alcachofas	Omelett mit Artischocken
- con cipolle	Omelette with onions	Omelette aux oignons	Tortilla de cebollas	Omelett mit Zwiebeln
- con funghi	Omelette with mushrooms	Omelette aux champignons	Tortilla de setas	Omelett mit Pilzen
- con patate	Omelette with potatoes	Omelette aux pommes de terre	Tortilla de patatas	Omelett mit Kartoffeln
- con pomodori	Omelette with tomatoes	Omelette aux tomates	Tortilla de tomates	Omelett mit Tomaten
- con salsa di pomodoro	Omelette with tomato sauce	Omelette à la sauce tomate	Tortilla con salsa de tomate	Omelett mit Tomatensauce
- con salsiccia	Omelette with sausage	Omelette à la saucisse	Tortilla de salchicha	Omelett mit Wurst
- con zucchine	Omelette with courgettes[1]	Omelette aux courgettes	Tortilla de calabacines	Omelett mit Zucchini
Uovo/a	Egg/s	Œuf/s	Huevo/s	Ei/Eier
Uova a piacere	Eggs cooked to order	Œufs au choix	Huevos a elección	Eier nach Geschmack
- affogate	Poached eggs	Œufs pochés	Huevos escalfados	Pochierte Eier
- affogate all'americana (con pomodoro e pancetta)	Poached eggs American style (with tomato & bacon)	Œufs pochés à l'américaine (avec tomate et lard)	Huevos escalfados a la americana (con tomate y tocino)	Pochierte Eier nach amerikanischer Art (mit Tomaten u. Bauchspeck)
- affogate alla fiorentina (con spinaci e salsa Mornay)	Poached eggs Florentine style (with spinach & Mornay sauce)	Œufs pochés à la florentine (avec épinards et sauce Mornay)	Huevos escalfados a la florentina (con espinacas y salsa Mornay)	Pochierte Eier nach Florentiner Art (mit Spinat u. Mornay-Sauce)
- affogate Joinville (con gamberetti)	Poached eggs Joinville style (with shrimps)	Œufs pochés à la Joinville (aux crevettes)	Huevos escalfados Joinville (con gambas)	Pochierte Eier Joinville (mit Krabben)
- affogate Mornay (gratinate con salsa Mornay)	Poached eggs Mornay (broiled with Mornay sauce)	Œufs pochés à la Mornay (gratinés sauce Mornay)	Huevos escalfados Mornay (gratinados con salsa Mornay)	Pochierte Eier Mornay (mit Mornay-Sauce gratiniert)

[2] USA: zucchini

UOVA	EGGS	ŒUFS	HUEVOS	EIERSPEISEN
Uova affogate su letto di spinaci	Poached eggs on a bed of spinach	Œufs pochés sur lit d'épinards	Huevos escalfados sobre hojas de espinacas	Pochierte Eier auf Spinatbett
- affogate su toast	Poached eggs on toast	Œufs pochés sur toast	Huevos escalfados sobre tostada	Pochierte Eier auf Toast
- al piatto [al tegame] ▶ *Uova fritte*				
- alla coque (bollite 3-4 min)	Soft-boiled eggs (boiled 3-4 min)	Œufs à la coque (cuits 3-4 min)	Huevos pasados por agua (hervidos 3-4 min)	Weichgekochte Eier; weiche Eier (3-4 Min)[1]
- alla russa (sode con insalata russa)	Eggs Russian style (hard boiled with Russian salad)	Œufs à la russe (durs avec salade russe)	Huevos a la rusa (duros con ensalada rusa)	Russische Eier (hartgekocht mit Russischem Salat)
- bazzotte (bollite 5-6 min)	Medium-boiled eggs (5-6 min)	Œufs mollets (cuits 5-6 min)	Huevos cocidos (hervidos 5-6 min)	Halbweich gekochte Eier (5-6 Min)
- bazzotte in gelatina di prosciutto	Medium-boiled eggs in ham jelly	Œufs mollets en gelée de jambon	Huevos cocidos en gelatina de jamón	Halbweiche Eier in Schinkengelee
- di quaglia	Quail eggs	Œufs de caille	Huevos de codorniz	Wachteleier
- farcite	Stuffed eggs	Œufs farcis	Huevos rellenos	Gefüllte Eier
- fritte	Fried eggs[2]	Œufs sur le plat	Huevos fritos	Spiegeleier
- fritte al bacon	Fried eggs with bacon	Œufs sur le plat au bacon	Huevos fritos con tocino	Spiegeleier mit geräuchertem Bauchspeck
- fritte al prosciutto	Fried eggs with ham	Œufs sur le plat au jambon	Huevos fritos con jamón	Spiegeleier mit Schinken
- in camicia ▶ *Uova affogate*				
- in cocotte	Eggs baked in oven-proof dish	Œufs cuits au four en cocotte	Huevos cocinados al horno en cocotera	Eier in Backförmchen
- in forma	Moulded eggs	Œufs en caissette	Huevos en molde	Eier in der Form
- in gelatina	Eggs in aspic	Œufs en gelée	Huevos en gelatina	Eier in Gelee
- ripiene	Stuffed eggs	Œufs farcis	Huevos rellenos	Gefüllte Eier
- sode	Hard-boiled eggs	Œufs durs	Huevos duros	Hartgekochte Eier
- strapazzate	Scrambled eggs	Œufs brouillés	Huevos revueltos	Rührei
- strapazzate con funghi	Scrambled eggs with mushrooms	Œufs brouillés aux champignons	Huevos revueltos con setas	Rührei mit Pilzen
- strapazzate su crostone	Scrambled eggs on toast	Œufs brouillés sur croûte	Huevos revueltos sobre costrón	Rührei auf Röstbrot
Uovo all'ostrica (tuorlo crudo con sale, pepe e limone)	Prairie-oyster (raw yolk with salt, pepper & lemon juice)	Œuf à l'huître (jaune cru avec sel, poivre et citron)	Huevo a la ostra (yema cruda con sal, pimienta y limón)	Ei nach Austernart (rohes Eigelb mit Salz, Pfeffer u. Zitrone gewürzt)

[1] Vengono ordinate: ein 3-4 Minuten-E. [2] USA: eggs sunny side up

PESCI	FISH	POISSONS	PESCADO	FISCHE
Acciughe	Anchovies	Anchois, *m inv*	Anchoillas	Sardellen
- sottolio	Anchovies in olive oil	Anchois à l'huile	Anchoillas en aceite	Ölsardinen
Agone	Twite shad	Alose feinte, *f*	Alosa, *f*	Maifisch
Aguglie	Gar-fish	Aiguilles de mer	Agujas	Hornhechte, *m*
Alaccia	Round sardinella	Allache	Alacha	Große Sardine
Alborelle	Bleaks	Ablettes	Albures, *m*	Ukeleien
Alici ► *Acciughe*				
Alosa	Allis shad; true alose	Grande alose	Sábalo, *m*	Alse; Maifisch, *m*
Anelli di calamari fritti	Fried squid rings	Anneaux de calmar frits	Anillos de calamares fritos	Fritierte Tintenfischringe
Anguilla	Eel	Anguille	Anguila	Aal, *m*
Aragosta	Spiny-lobster	Langouste	Langosta	Languste
- Thermidor (gratinata nel carapace)	Spiny-lobster Thermidor (broiled in its carapace)	Langouste Thermidor (gratinée dans sa carapace)	Langosta Thermidor (gratinada en el caparazón)	Languste Thermidor (in der Schale gratiniert)
Aringhe	Herrings	Harengs, *m*	Arenques, *m*	Heringe, *m*
Asià ► *Spinarolo*				
Astice	Lobster	Homard	Bogavante	Hummer
- all'americana (in salsa di pomodoro)	Lobster American style (with tomato sauce)	Homard à l'américaine (en sauce tomate)	Bogavante a la americana (con salsa de tomate)	Hummer nach amerikanischer Art (in Tomatensauce)
- alla Newburg (in salsa di panna)	Lobster Newburg style (with cream sauce)	Homard à la Newburg (en sauce à la crème)	Bogavante a la Newburg (con salsa de nata)	Hummer Newburg (in Sahnesauce)
Baccalà	Salt cod	Morue, *f*	Bacalao	In Salz konservierter Dorsch
- al forno con cipolle e patate	Baked salt cod with onions & potatoes	Morue au four, avec oignons et pommes de terre	Bacalao al horno con cebollas y patatas	In Salz konservierter Dorsch, mit Zwiebeln u. Kartoffeln im Ofen gebacken
- in umido	Stewed salt cod	Morue en sauce (à la provençale)	Bacalao guisado	In Salz konservierter Dorsch in Sauce
- mantecato	Purée of dried cod	Brandade de merluche	Crema de bacalao	Stockfischpüree, *n*
Barbo [Barbio]	Barbel	Barbeau	Barbo de mar	Barbe, *f*
Barracuda ► *Luccio di mare*				
Bastoncini di pesce	Fish fingers	Bâtonnets de poisson	Bastoncitos de pescado	Fischstäbchen, *n*
Bianchetti	Whitebait	Blanchaille, *f inv*	Jaramugos	Jungfische
Bistecca di pesce spada	Swordfish steak	Darne d'espadon	Loncha de pez espada	Schwertfisch-Steak, *n*
Bocconcini di salmone	Salmon bites	Bouchées de saumon	Bocaditos de salmón	Lachshäppchen

PESCI	FISH	POISSONS	PESCADO	FISCHE
Boga	Bogue	Bogue	Boga	Boga; Blöker, *m*
Bollito misto di pesce	Boiled mixed fish	Pot-au-feu de poisson	Mixto de pescado cocido	Gemischter Kochfisch
Bonita [Bonito] ► *Tonnetto*				
Bottatrice	Burbot; eel-pout	Lotte de mer	Lota	Quappe; Allraupe
Branzino	Bass; sea bass	Bar[1]; loup[2]	Lubina, *f*	Seebarsch
Calamari	Squids	Calmars	Calamares	Tintenfische; Calamari; Kalmare[3]
- fritti	Fried squids	Calmars frits	Calamares fritos	Fritierte Tintenfische
Calcinelli	Wedge shells	Tellines, *f*	Coquinas, *f*	Dreiecksmuscheln, *f*
Canestrelli	Pilgrim scallops	Peignes	Zamburiñas, *f*	Kammuscheln, *f*
Cannolicchi	Razor-shells; razor clams	Couteaux	Navajas, *f*	Messerscheiden, *f*
Canocchie	Mantis shrimps; squills	Squilles	Santiaguiños, *m*	Heuschreckenkrebse, *m*
Capitone (grossa anguilla femmina)	Large female eel	Grande anguille femelle	Capitón (gruesa hembra de anguila)	Großer weiblicher Aal
Capone [Cappone]	Gurnard[4]	Grondin	Rubio	Knurrhahn
Carassio	Crucian carp	Carassin	Carpín	Karausche, *f*
Carlino ► *Sarago*				
Carne secca di tonno	Dried tuna flesh	Viande de thon séchée	Carne seca de atún	Getrockneter Thunfisch
Carpa	Carp	Carpe	Carpa	Karpfen, *m*
Carpaccio di branzino	Sea bass carpaccio (raw marinated paper-thin slices)	Carpaccio de bar (fines tranches crues marinées)	Carpaccio (lonchas finas crudas marinadas) de lubina	Carpaccio (hauchdünne rohe marinierte Scheiben) vom Seebarsch
- di pesce spada affumicato	Smoked swordfish carpaccio (marinated paper-thin slices)	Carpaccio d'espadon fumé (fines tranches marineés)	Carpaccio de pez espada ahumado (lonchas finas marinadas)	Carpaccio (hauchdünne marinierte Scheiben) von geräuchertem Schwertfisch
Carpione	Lake-Garda trout	Carpion	Trucha del lago de Garda	Gardaseeforelle, *f*
Cartoccio di aragosta	Spiny lobster baked in foil	Papillote de langouste	Langosta en papillote	In Folie gebackene Languste
- di trota alle erbe	Trout with herbs baked in foil	Papillote de truite aux herbes	Trucha y hierbas en papillote	Forelle mit Kräutern, in Folie gebacken
Cavedano	Chub	Chevesne	Cacho	Döbel
Cefalo	Grey mullet	Muge	Maduro	Meeräsche, *f*
Cepola	Red bandfish	Cépole	Cinta	Bandfisch, *m*
Cernia	Grouper	Mérou, *m*	Mero, *m*	Barsch, *m*
Cheppia	Twaite shad	Alose feinte du Nil	Saboga	Alse
Cicala grande ► *Magnosa*				

[1] Nella Francia settentrionale [2] Nella Francia meridionale [3] Corretto ma poco usato [4] USA: Searobin

PESCI	FISH	POISSONS	PESCADO	FISCHE
Coda di rospo ▶ *Rana pescatrice*				
Code di gamberi	Prawn tails	Queues d'écrevisses	Colas de gambas	Garnelenschwänze, *m*
Conchiglie di San Giacomo [San Jacopo]	Pilgrim scallops	Coquilles Saint-Jacques	Conchas de peregrino	Jakobsmuscheln, *f*
Coregone ▶ *Lavarello*				
Corifena ▶ *Lampuga*				
Corvina	Corb	Corb, *m*	Corvallo, *m*	Meerrabe, *m*
Cosce di rane	Frog legs	Cuisses de grenouille	Muslos de ranas	Froschschenkel, *m*
Costardelle [Costardelli]	Sauries; skippers	Orphies	Papardas	Makrelenhechte, *m*
Cotolette impanate di palombo	Breaded smooth hound steak	Darnes panées de chien de mer	Escalopes empanadas de jurel	Panierte Glatthaikoteletts, *n*
Cozze	Mussels	Moules	Mejillones, *m*	Miesmuscheln
Crostacei	Crustaceans	Crustacés	Crustáceos	Krustentiere, *n*
Cuori di mare	Cockles	Coques, *f*	Berberechos	Herzmuscheln, *f*
Dadolata di coda di rospo	Diced monkfish	Lotte de mer en dés	Daditos de rape	Seeteufel-Würfel, *m*
Datteri di mare	Date-shells	Dattes de mer	Dátiles de mar	Meerdatteln, *f*
Dentice	Dentex	Dentex; sea bream	Dentón	Zahnbrasse, *f*
Dragoni ▶ *Tracine*				
Eglefino	Haddock	Églefin	Eglefino	Schellfisch
- affumicato	Smoked haddock	Églefin fumé	Eglefino ahumado	Geräucherter Schellfisch
Fasolari	Cockles	Clams	Almejones de sangre	Braune Venusmuscheln
Favollo	Furry crab	Crabe pinces-noires	Morano	Strandkrabbe
Fico ▶ *Musdèa*				
Filetti di anguilla affumicata	Filets of smoked eel	Filets d'anguille fumée	Filetes de anguila ahumada	Räucheraal-Filets, *n*
- di sogliola	Filets of sole	Filets de sole	Filetes de lenguado	Seezungenfilets
- di sogliola fritti	Fried sole fillets	Filets de sole frits	Filetes de lenguado fritos	Gebackene Seezungenfilets
- di trota	Filets of trout	Filets de truite	Filetes de trucha	Forellenfilets
Fòladi	Piddocks	Pholades	Fólades	Bohrmuscheln, *f*
Fritto misto di pesce	Mixed fried fish	Friture de poissons assortis	Pescado mixto frito	Gemischte Fischfritüre, *f*
Frutti di mare	Seafood	Fruits de mer	Mariscos	Meeresfrüchte, *f*
Gallinella ▶ *Capone*				
Gamberetti	Shrimps	Crevettes	Gambas, *f*	Krabben, *f*
Gamberi	Prawns	Écrevisses	Gambas, *f*	Garnelen, *f*
- di fiume	Crayfish	Écrevisses de rivière	Gambas de río	Flußgarnelen
Gamberoni	King prawns	Gambas	Camarones	Riesengarnelen

PESCI	FISH	POISSONS	PESCADO	FISCHE
Garusoli ▶ *Murici*				
Gattuccio	Dogfish	Roussette, *f*	Pintarroja, *f*	Katzenhai
Ghiozzi	Gobies	Gobies, *f*	Chaparrudos	Meergrundeln, *f*
Gianchetti ▶ *Bianchetti*				
Girella di sogliola farcita	Stuffed sole spiral	Rosette de sole farcie	Espiral de lenguado rellena	Gefüllte Seezungen-Spirale
Gô [Goati] ▶ *Ghiozzi*				
Gobioni [Gobbi]	Gudgeons	Gobies	Gobios	Gründlinge
Grancevola [Granseola]	Spider-crab	Araignée de mer	Centollo, *m*	Meerspinne
- tiepida	Lukewarm spider-crab	Araignée de mer tiède	Centollo templado	Warme Meerspinne
Granchi	Crabs	Crabes	Cangrejos	Krebse
Granciporro	Edible crab	Pagure	Buey	Taschenkrebs
Grigliata mista di pesce	Mixed fish grill	Grillade de poissons assortis	Parrillada de pescado	Gemischte Fisch-Grillplatte
Grongo	Conger eel	Congre	Congrio	Meeraal
Guazzetto di rane alle erbe aromatiche	Frog stew with aromatic herbs	Grenouilles à la nage aux fines herbes	Guiso de ranas con hierbas aromáticas	Froschschenkel in Tomatensauce mit Gewürzkräutern
Haddock ▶ *Eglefino*				
Intingolo di lumachine di mare	Whelk stew	Bigorneaux à la nage	Guiso de caracoles de mar	Tunke aus Meeresschnecken
Involtini di pesce spada	Swordfish rolls	Paupiettes d'espadon	Rollitos de pez espada	Schwertfisch-Rouladen
Ippoglosso [Halibut]	Halibut	Flétan	Halibut	Heilbutt
Lampreda	Lamprey	Lamproie	Lamprea de río	Neunauge, *n*
Lampuga	Dolphin fish	Coryphène	Llampuga	Goldmakrele
Latterini	Atherines	Blanchaille, *inv*	Pejerreyes	Ährenfische
Latticini di mare ▶ *Uova di seppia*				
Lavarello	Lavaret; whitefish	Lavaret	Lavarello	Felchen
Leccia	Amberjack	Liche	Palometón, *m*	Gabelmakrele
Limanda	Dab	Limande	Gallo, *m*	Kliesche
Linguattole	Spotted flounders	Cardines	Solletas	Einflossige Schollen
Lota ▶ *Bottatrice*				
Luccio	Pike	Brochet	Lucio	Hecht
- di mare	European barracuda	Brochet de mer	Lucio de mar	Pfeilhecht
Lucioperca	Pikeperch	Sandre	Lucioperca	Zander, *m*
Lumache	Snails	Escargots	Caracoles, *m*	Schnecken
- di mare	Whelks	Bigorneaux	Caracoles de mar	Meeresschnecken
Magnosa	Flat lobster	Coryphène	Cigarra	Bärenkrebs, *m*

PESCI	FISH	POISSONS	PESCADO	FISCHE
Masanete [Mazanete] (femmine di granchio con uova)	Female shore crabs with roe	Crabes à laitance (femelles de crabe avec œufs)	Nécoras (hembras de cangrejo con huevas)	Weibliche Krebse mit Eiern
Medaglioni di aragosta	Spiny-lobster medallions	Médaillons de langouste	Medallones de langosta	Langusten-Medaillons, *n*
- di coda di rospo	Monkfish medallions	Médaillons de lotte de mer	Medallones de rape	Medaillons vom Seeteufel
Melù	Blue whiting	Merlu	Bocaladilla, *f*	Mittelmeerdorsch
Merlano	Whiting[1]	Merlan	Merlán	Merlan
Merluzzo	Cod	Cabillaud	Merluza, *f*	Kabeljau
Mezzelune di sogliola alla crema	Sole crescents with cream sauce	Demi-lunes de sole à la crème	Mediaslunas de lenguado con crema	Seezungen-Halbmonde mit Rahmsauce
Millefoglie al salmone	Salmon in puff pastry	Mille-feuille au saumon	Milhojas de salmón	Lachs-Blätterteigschnitte
Moleche (granchi molli in muta)	Soft-shell crabs	Crabes mous en mue	Cangrejos blandos en muda	Butterkrebse (weiche Krebse nach der Häutung)
Molluschi	Molluscs	Mollusques	Moluscos	Weichtiere, *n*
Molo ► *Merlano*				
Molva	Spanish ling; Mediterranean ling	Molve	Maruca	Lengfisch, *m*
Mormora [Marmora]	Striped bream	Mourme	Herrera	Marmorbrasse
Moscardini	Curled octopus	Muscardins	Pulpos blancos	Moschuspolypen
- bolliti con olio e limone	Boiled curled octopus with oil & lemon	Muscardins bouillis à l'huile et au citron	Pulpos blancos cocidos con aceite y limón	Gekochte Moschuspolypen mit Öl u. Zitrone
Mostella ► *Musdea*				
Motella	Shore rockling	Motelle	Barbada	Meerquappe
Muggine ► *Cefalo*				
Murena	Moray eel	Murène	Morena	Muräne
Murici	Murex	Murex, *inv*	Múrices, *f*	Purpurschnecken, *f*
Musdea	Forkbeard	Phycis, *m inv*	Brótola de roca	Mittelmeertrüche
Nasello	Hake	Colin	Pescadilla, *f*	Hechtdorsch
Novellame ► *Bianchetti*				
Occhiata	Saddled bream	Oblade	Oblada	Seebrasse
Ombrina	Shi drum	Ombrine	Verrugato, *m*	Schattenfisch; Umber, *m*
- boccadoro [gialla]	Meagre	Ombrine bouche d'or	Corvina	Adlerfisch, *m*
Orata	Gilthead seabream	Daurade	Dorada	Goldbrasse
Ostriche	Oysters	Huîtres	Ostras	Austern
Paganelli ► *Ghiozzi*				

[1] USA: Silver hake

PESCI	FISH	POISSONS	PESCADO	FISCHE
Pagello	Red bream	Pagel	Pagel	Rotbrasse, *f*
Pagro	Porgy[1]	Pagre	Pargo	Meerbrasse, *f*
Palàmida ► *Tonnetto*				
Palamita	Atlantic bonito	Pélamide	Tasarte, *m*	Bonito, *m*
Palombo	Smooth hound	Chien de mer	Jurel	Glatthai
Papaline	Sprats	Petites sardines	Espadines, *m*	Sprotten
Passera [Pianuzza]	Flounder	Flet, *m*	Platija	Flunder; Scholle, *f*
Pastenula ► *Musdèa*				
Patelle	Limpets	Patelles	Lapas; lápades	Napfschnecken
Persico reale ► *Pesce persico*				
- sole	Pumpkin seed	Perche arc-en-ciel	Perca de mar, *f*	Sonnenbarsch
- trota	Black bass	Perche truitée	Perca de río, *f*	Forellenbarsch
Pesce	Fish	Poisson	Pescado	Fisch
- angelo ► *Squadro*				
- azzurro	Pelagic fish	Maquereau	Pez azul	Makrele, *f*
- balestra [porco]	Trigger fish	Baliste, *f*	Pez ballesta	Hornfisch
- bianco	White fish	Poisson blanc	Pez blanco	Weißfisch
- castagna	Ray's bream	Châtaigne de mer	Japuta	Brachsenmakrele, *f*
- chitarra	Guitar fish	Poisson-guitare	Ochavo	Glattrochen
- crudo	Raw fish	Poisson cru	Pescado crudo	Roher Fisch
- d'acqua dolce	Fresh-water fish	Poisson d'eau douce	Pescado de agua dulce	Süßwasserfisch
- di allevamento	Farm-reared fish	Poisson d'élevage	Pescado de vivero	Zuchtfisch
- di fiume	Fresh-water fish	Poisson de rivière	Pescado de río	Flußfisch
- di lago	Fresh-water fish	Poisson de lac	Pescado de lago	Seefisch
- di mare	Marine fish	Poisson de mer	Pescado marino	Meeresfisch
- lucerna	Star gazer	Uranoscope	Pez rata	Meerpfaff
- marinato	Marinated fish	Poisson mariné	Pescado marinado	Marinierter Fisch
- persico	Perch	Perche, *f*	Perca, *f*	Barsch
- pilota	Pilot fish	Poisson-pilote	Pez piloto	Lotsenfisch; Pilotfisch
- prete ► *Pesce lucerna*				
- ragno ► *Tracine*				
- sciabola	Scabbard fish	Trichiure	Pez sable	Degenfisch
- spada	Swordfish	Espadon	Pez espada	Schwertfisch
- spada affumicato	Smoked swordfish	Espadon fumé	Pez espada ahumado	Geräucherter Schwertfisch
- spatola ► *Pesce sciabola*				
- volpe	Thresher shark; bigeye thresher	Poisson-renard; faucheur	Pez zorro	Seefuchs
Pescecane ► *Squalo*				

[1] USA: Red porgy

PESCI	FISH	POISSONS	PESCADO	FISCHE
Pettini ► *Conchiglie di San Giacomo* o *Canestrelli*				
Piatto unico di pesce	Single course of fish	Plat de poissons	Plato único de pescado	Fischgericht als einziger Gang
Pinne di squalo	Shark fins	Ailerons de requin	Aletas de escualo	Haifischflossen
Platessa	Plaice	Carrelet, *m*	Solla	Flunder
Polipetti tiepidi all'olio e limone	Small lukewarm octopus with oil & lemon	Petits poulpes tièdes à l'huile et au citron	Pulpitos templados con aceite y limón	Lauwarme kleine Kraken mit Öl u. Zitrone
Pollak	Pollock	Pollack	Abadejo	Pollack
Polpa di granchio	Crab meat	Chair de crabe	Pulpa de cangrejo	Krebsfleisch, *n*
Polpessa	White-spotted octopus	Grand poulpe	Pulpo blanco, *m*	Krake
Polpette di pesce	Fish balls	Boulettes de poisson	Albóndigas de pescado	Fischfrikadellen
Polpo [Polipo]	Octopus	Poulpe	Pulpo	Krake, *f*
Rana pescatrice	Angler fish; monkfish	Baudroie	Rape; pejesapo, *m*	Seeteufel, *m*
Rane	Frogs	Grenouilles	Ranas	Froschschenkel, *m*
Razza	White skate; ray	Raie	Raya	Rochen, *m*
Ricci di mare	Sea-urchins	Oursins	Erizos de mar	Seeigel
Ricciola	Amberjack	Liche	Pez limón, *m*	Adlerfisch, *m*
Rombo chiodato	Turbot	Turbot	Rodaballo	Steinbutt
- liscio	Brill	Barbue, *f*	Remol	Glattbutt
Rossetti	Transparent goby	Carides, *f*	Chanquetes	Rotbrassen, *f*
Rotolini di merluzzo	Hake rolls	Rouleaux de morue	Rollitos de merluza	Kabeljauröllchen
Rotolo di salmone alle erbe aromatiche	Salmon roll with aromatic herbs	Roulé de saumon aux fines herbes	Rollo de salmón con hierbas aromáticas	Lachsrolle mit Gewürzkräutern
Salmerino	Char	Omble-chevalier	Salema, *f*	Saibling
Salmone	Salmon	Saumon	Salmón	Lachs; Salm
- affumicato	Smoked salmon	Saumon fumé	Salmón ahumado	Geräucherter Lachs
- avvolto in foglie di spinaci	Salmon in a spinach blanket	Saumon enrobé de feuilles d'épinards	Salmón envuelto en hojas de espinacas	Lachs in Blattspinat-Mantel
- marinato	Marinated salmon	Saumon mariné	Salmón marinado	Marinierter Lachs
- selvaggio	Wild salmon	Saumon sauvage	Salmón salvaje	Wildwasserlachs
Salpa ► *Boga*				
Salsicce di pesce	Fish sausages	Saucisse de poisson	Salchichas de pescado	Fischwürstchen, *n*
San Pietro	John Dory; Dory	Saint-pierre	Pez de San Pedro	St. Peterfisch
Sandra ► *Lucioperca*				
Sarago [Sargo]	White seabream	Sargue, *f*	Sargo	Brasse; Brachse, *f*
Sarde ► *Sardine*				
Sardelline ► *Papaline*				
Sardine	Sardines	Sardines	Sardinas	Sardinen

PESCI	FISH	POISSONS	PESCADO	FISCHE
Scaloppa di branzino	Bass steak	Darne de bar	Roncha de lubina	Seebarschscheibe
Scampi	Scampi	Langoustines	Langostinos	Scampi
- crudi marinati in aceto	Raw scampi marinated in vinegar	Langoustines crues marinées dans le vinaigre	Langostinos crudos marinados en vinagre	Rohe Scampi, in Essig mariniert
Scardola	Rudd; red-bye	Rotengle	Pez ciprínido, *m*	Rotfeder
Scorfano	Scorpion fish	Rascasse, *f*	Cabracho; gallineta	Drachenkopf
Seppie	Cuttlefish	Seiches	Jibias; chipirones, *m*	Tintenfische, *m*
Sgombro	Mackerel	Maquereau	Caballa, *f*	Makrele, *f*
Siluro	Sheat; sheatfish; wels	Poisson-torpille	Siluro; torpedo	Wels; Waller
Smeriglio	Porbeagle shark	Lamie, *f*	Cailón	Heringshai
Sogliola	Sole	Sole	Lenguado, *m*	Seezunge
Sparaglione [Sparetto] ▶ *Sarago*				
Spiedini di pesce	Fish kebabs	Brochettes de poisson	Broquetas de pescado	Fischspieße
- di scampi	Scampi kebabs	Brochettes de langoustines	Broquetas de langostinos	Scampi-Spieße
Spigola ▶ *Branzino*				
Spinarolo	Spur dog	Aiguillat	Mielga, *f*	Dornhai
Spratti	Sprats	Sprats	Arenques	Sprotten, *f*
Squadro	Angelshark	Squatine, *f*	Pez ángel	Engelfisch
Squalo	Shark	Requin	Escualo; tiburón	Hai
Stoccafisso	Dried cod	Merluche	Pejepalo	Stockfisch
Storione	Sturgeon	Esturgeon	Esturión	Stör
- affumicato	Smoked sturgeon	Esturgeon fumé	Esturión ahumado	Geräucherter Stör
- selvaggio	Wild sturgeon	Esturgeon sauvage	Esturión salvaje	Wildwasserstör
Suàcie	Scaldfishes	Cithares	Peludas	Kleine Schollen
Suro	Horse mackerel	Chinchard	Chicharro	Stachelmakrele, *f*
Tarantello (tonno pressato e salato)	Pressed & salted tuna	Thon pressé et salé	Atún prensado y salado	Gepreßter gesalzener Thunfisch
Tartara di pesce (pesce crudo tritato e aromatizzato)	Fish tartare (minced raw fish with seasoning)	Tartare de poisson (poisson cru hâché et aromatisé)	Tártara de pescado (pescado crudo triturado y aromatizado)	Fischtatar (feingehackter roher Fisch, angemacht)
Tartaruga	Sea turtle	Tortue	Tortuga	Schildkröte
Tartufi di mare	Warty venus; venus clams	Praire vénus, *f*	Escupiñas grabadas	Rauhe Venusmuscheln, *f*
Telline ▶ *Calcinelli*				
Tèmolo	Grayling; umber	Ombre	Tímalo; timo	Äsche, *f*
Terrina di pesce	Fish terrine	Terrine de poisson	Tarrina de pescado	Fischterrine
Testoni ▶ *Ghiozzi*				

PESCI	FISH	POISSONS	PESCADO	FISCHE
Tinca	Tench	Tanche	Tenca	Schleie
Tonnetto	Little tunny	Thonine, *f*	Listado	Bonito
Tonno	Tuna	Thon	Atún	Thunfisch
- affumicato	Smoked tuna	Thon fumé	Atún ahumado	Geräucherter Thunfisch
- sottolio	Tuna in olive oil	Thon à l'huile	Atún en aceite	In Öl eingelegter Thunfisch
Totani	Flying squids	Encornets	Potas, *f*	Tintenfische; Pfeilkalmare[1]
Totani ripieni	Stuffed flying squids	Encornets farcis	Potas rellenas	Gefüllte Tintenfische
Tracine	Weevers	Vives	Arañas blancas	Petermännchen, *n*
Tranci di anguilla	Large eel slices	Tranches[2] d'anguille	Tajadas de anguila	Aalscheiben, *f*
Trancio di orata	Large slice of gilthead sea bream	Darne[3] de daurade	Tajada de dorada	Goldbrassenscheibe, *f*
Trancio di salmone lardellato	Large slice of larded salmon	Briquette[4] de saumon lardé	Tajada de salmón mechado	Gespickte Lachsscheibe, *f*
Triglie	Red mullets	Rougets, *m*	Salmonetes, *m*	Seebarben
- di scoglio	Striped red mullets	Rougets de roche	Salmonetes de roca	Streifenbarben
Tronchetto di salmone con verdure	Salmon log with vegetables	Bûchette de saumon aux légumes	Rollo de salmón con verduras	Lachsstamm mit Gemüse
- di sfoglia al branzino	Bass log in puff pastry	Bûchette feuilletée au bar	Rollo de hojaldre con lubina	Seebarsch-Blätterteig-Stamm
Trota	Trout	Truite	Trucha	Forelle
- arcobaleno [iridea]	Rainbow trout	Truite irisée	Trucha arco iris	Regenbogenforelle
- di fiume	Brook trout	Truite de rivière	Trucha de río	Flußforelle
- di lago	Lake trout	Truite de lac	Trucha de lago	Seeforelle
- di vivaio	Aquaculture trout	Truite de vivier	Trucha de vivero	Zuchtforelle
- salmonata	Salmon trout	Truite saumonée	Reo, *m*	Lachsforelle
Uova di mare	Violets	Œufs de mer	Huevas de mar	Seescheiden; Aszidien
- di seppia	Cuttlefish roe	Œufs de seiche	Huevas de jibia	Tintenfischeier
Volante	Flying fish	Volant	Volandeira, *f*	Fliegender Fisch
Vongole	Clams	Palourdes; clovisses	Almejas; chirlas	Venusmuscheln
- veraci	Carpet-shells	Praires	Almejas finas	Teppichmuscheln
Zuppa di pesce	Fish chowder	Soupe de poissons	Sopa de pescado	Fischsuppe
- di pesce aromatica	Aromatic fish chowder	Soupe de poissons aromatisée	Sopa de pescado aromática	Fischsuppe mit Gewürzen
Zuppetta di gamberi di fiume	Crayfish chowder	Nage d'écrevisses de rivière	Sopa de cangrejos de río	Flußgarnelensuppe

[1] Corretto ma poco usato [2] Pezzo tagliato di piccole dimensioni [3] Pezzo di pesce di grossa taglia [4] Pezzo a forma di mattonella

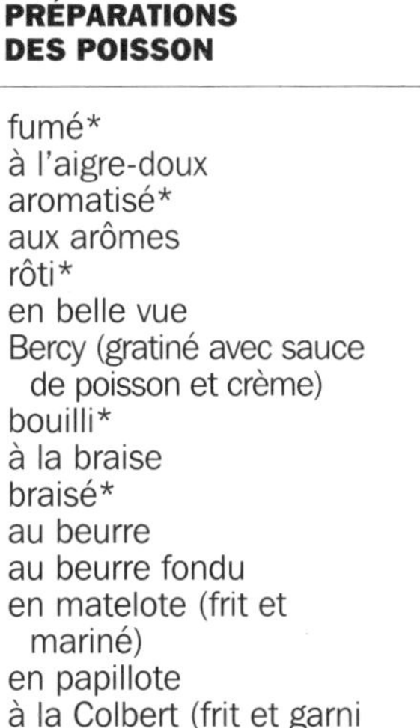

PREPARAZIONI PER PESCI	WAYS TO PREPARE FISH	PRÉPARATIONS DES POISSON	FORMAS DE PREPARAR EL PESCADO	ZUBEREITUNG FÜR FISCHE
affumicato	smoked~	fumé*	ahumado*	geräuchert*
agrodolce, in	sweet & sour~	à l'aigre-doux	agridulce	süß-sauer*
aromatico	aromatic~	aromatisé*	aromático*	würzig*; aromatisch*
aromi, agli	with aromatic herbs	aux arômes	con aromas	mit Gewürzkräutern
arrosto	roast~	rôti*	asado*	gebraten*
bellavista, in	en belle vue	en belle vue	en bellavista	Bellevue
Bercy (gratinato con salsa di pesce e panna)	Bercy (broiled with a fish & cream sauce)	Bercy (gratiné avec sauce de poisson et crème)	Bercy (gratinado con salsa de pescado y nata)	Bercy (mit Fischsauce u. Sahne gratiniert)
bollito	boiled~	bouilli*	hervido*	gekocht*
brace, alla	charcoal grilled~	à la braise	a la brasa	vom Holzkohlengrill
brasato	braised~	braisé*	braseado*	geschmort*
burro, al	with butter	au beurre	con mantequilla	mit Butter
burro fuso, al	with melted butter	au beurre fondu	con mantequilla fundida	mit zerlassener Butter
carpione, in (fritto e marinato)	fried & marinated~	en matelote (frit et mariné)	en escabeche (frito y marinado)	fritiert* u. mariniert*
cartoccio, al	baked in foil	en papillote	en papillote	in Folie gebacken*
Colbert (fritto e guarnito con burro alla maître d'hôtel)	Colbert style (fried & served with maître d'hotel butter)	à la Colbert (frit et garni de beurre maître d'hôtel)	Colbert (frito y aderezado con mantequilla a la maître de hotel)	Colbert (gebacken u. mit Butter nach Maître d'Hotel-Art serviert)
crema, alla	with cream	à la crème	con crema	mit Rahmsauce
crema di asparagi, su	on asparagus cream	sur une crème d'asperges	sobre crema de espárragos	auf Spargelcreme
crosta, in	in a pastry crust	en croûte	en costra	in Teigkruste
crosta di patate, in	in a potato crust	en croûte de pommes de terre	en costra de patatas	in Kartoffelkruste
crosta di sale, in	in a salt crust	en croûte de sel	en costra de sal	in Salzkruste
crudo	raw~	cru*	crudo*	roh*
curry, al	with curry; curry	au curry	con curry	mit Curry
erbe, alle	with herbs	aux herbes	con hierbas	mit Kräutern
erbe aromatiche, alle	with aromatic herbs	aux fines herbes	con hierbas aromáticas	mit Gewürzkräutern
essiccato	dried~	séché*	seco*	gedörrt*
ferri, ai ► *alla griglia*				
filettato	filleted~	fileté*	fileteado*	filetiert*
forno, al	baked~	au four	al horno	im Ofen gebacken
freddo	cold~	froid*	frío*	kalt*
fritto	fried~	frit*	frito*	gebraten[1]*; gebacken[2]*; fritiert[3]*

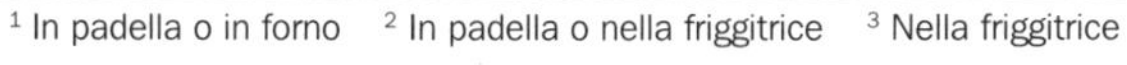

[1] In padella o in forno [2] In padella o nella friggitrice [3] Nella friggitrice

PREPARAZIONI PER PESCI	WAYS TO PREPARE FISH	PRÉPARATIONS DES POISSON	FORMAS DE PREPARAR EL PESCADO	ZUBEREITUNG FÜR FISCHE
funghi, con	with mushrooms	aux champignons	con setas	mit Pilzen
gelatina, in	jellied~; in aspic	en gelée	en gelatina	in Gelee
gratinato	au gratin; broiled~	gratiné*	gratinado*	gratiniert*; überbacken*
griglia, alla	grilled~	sur le gril	a la parrilla	gegrillt*; vom Grill
guazzetto, in	stewed with tomato sauce	en ragoût à la sauce tomate	guisado con salsa de tomate	in Tomatensauce
impanato	breaded~	pané*	rebozado*	paniert*
intingolo, in	stewed~	à la nage	con salsa	-Tunke
letto di spinaci, su	on a bed of spinach	sur lit d'épinards	sobre hojas de espinaca	auf Spinatbett
livornese, alla (in umido con salsa di pomodoro)	livornese style (stewed with tomato sauce)	à la libournaise (en ragoût à la sauce tomate)	a la livornesa (guisado con salsa de tomate)	nach Livorneser Art (in Tomatensauce geschmort)
mandorle, alle	with almonds	aux amandes	con almendras	mit Mandeln
mantecato	puréed~	travaillé* en crème	mantecoso*	-Mus; -Püree
marinara, alla	marinara style	marinière	a la marinera	nach Matrosenart
marinato	marinated~	mariné*	marinado*	mariniert*; eingelegt*
mugnaia, alla (infarinato e cotto nel burro con succo di limone)	miller's style (floured & fried in butter with lemon juice)	meunière (passé dans la farine et sauté au beurre et jus de citron)	a la molinera (rebozado con harina y cocinado con mantequilla y jugo de limón)	nach Müllerin-Art (in Mehl gewendet, mit Zitrone in Butter gebacken)
olio e limone, con	with oil & lemon juice	à l'huile et au citron	con aceite y limón	mit Öl u. Zitrone
padella, in	pan fried~	poêlé*; à la poêle	en la sartén	in der Pfanne
panna, alla	with cream	à la crème	con nata	mit Sahnesauce
piastra, alla	grilled~	sur la plaque	a la plancha	vom Grill
provenzale, alla (con pomodoro, aglio, acciughe e capperi)	Provençal style (with tomato, garlic, anchovies & capers)	à la provençale (sauce tomate, aïl, anchois et câpres)	a la provenzal (con tomate, ajo, anchoillas y alcaparras)	nach provenzalischer Art (mit Tomaten, Knoblauch, Sardellen u. Kapern)
ripieno	stuffed~	farci*	relleno*	gefüllt*; mit Füllung
salmoriglio, in (alla griglia e con salsa di olio, aglio, limone, prezzemolo e origano)	grilled & savoured with a sauce of oil, garlic, lemon, parsley & oregano	grillé* et avec sauce à base d'huile, aïl, citron, persil et origan	a la parrilla y con salsa de aceite, ajo, limón, perejil y orégano	gegrillt*, mit Sauce aus Öl, Knoblauch, Zitrone, Petersilie u. Oregano
salsa di vino bianco, in	in white wine sauce	en sauce au vin blanc	con salsa de vino blanco	in Weißweinsauce
salsa piccante, in	in a hot spicy sauce	en sauce piquante	con salsa picante	in scharfer Sauce
salsa speziata, in	in a spicy sauce	en sauce épicée	con salsa de especias	in würziger Sauce
saltato	sautéed~	sauté*	salteado*	sautiert*; geschwenkt*

PREPARAZIONI PER PESCI	WAYS TO PREPARE FISH	PRÉPARATIONS DES POISSON	FORMAS DE PREPARAR EL PESCADO	ZUBEREITUNG FÜR FISCHE
saor, in (fritto e marinato con cipolle cotte e aceto)	fried & marinated with cooked onions & vinegar	frit* et mariné* avec des oignons cuits et vinaigre	frito* y marinado* con cebollas cocidas y vinagre	fritiert* u. mariniert* mit gekochten Zwiebeln u. Essig
scapece, in (fritto e marinato con aromi)	fried & marinated with herbs	en escabèche (frit et mariné avec des arômes)	en escabeche (frito y marinado con aromas)	fritiert* u. in würziger Marinade eingelegt*
spiedini, in	skewered~	en brochettes	en broquetas	-Spieße
stufato	braised~	à l'étouffée	estofado*	geschmort*
umido, in	stewed~	en ragoût	guisado*	in Sauce
vapore, al	steamed~	à la vapeur	al vapor	in Dampf gegart*

CARNI	MEATS	VIANDES	CARNES	FLEISCH
Agnello	Lamb	Agneau	Cordero	Lamm, *n*
- alle erbe selvatiche	Lamb with wild herbs	Agneau aux herbes sauvages	Cordero con hierbas silvestres	Lamm mit Wildkräutern
- da latte	Spring lamb	Agneau de lait	Cordero lechal	Milchlamm
- in crosta di spinaci	Lamb in a spinach crust	Agneau en croûte d'épinards	Cordero en costra de espinacas	Lamm in Spinatkruste
- irlandese	Irish lamb	Agneau irlandais	Cordero irlandés	Irisches Lamm
Alette di pollo	Chicken wings	Ailes de poulet	Alitas de pollo	Hähnchenflügel, *m*
- di pollo ripiene	Stuffed chicken wings	Ailes de poulet farcies	Alitas de pollo rellenas	Gefüllte Hähnchenflügel
Ali	Wings	Ailes	Alas	Flügel, *m*
Allodole	Larks	Alouettes	Alondras	Lerchen
Alzàvola	Teal (duck)	Sarcelle	Cerceta	Krickente
Anatra	Duck	Canard, *m*	Pato, *m*	Ente
- al torchio	Pressed duck	Canard à la presse	Pato a la sangre	Gepreßtes Entenfleisch
- all'arancia	Duck with orange sauce	Canard à l'orange	Pato a la naranja	Ente mit Orangensauce
- caramellata	Duck coated in caramel	Canard caramélisé	Pato acaramelado	Mit Zucker glasierte Ente
- laccata al miele	Honey-glazed duck	Canard laqué au miel	Pato glaseado con miel	Mit Honig glasierte Ente
- muta	Musk	Canard muet	Pato mudo	Moschusente
- novella	Young duck	Canette; caneton, *m*	Patito	Jungente
- selvatica	Wild duck	Canard sauvage	Pato salvaje	Wildente
Anca di pollo	Chicken thigh	Hanche de poulet	Muslo de pollo	Hähnchenkeule
Animelle d'agnello	Lamb sweetbreads	Ris d'agneau	Mollejas de cordero	Lammbries, *n*
- di vitello	Calf sweetbreads	Ris de veau	Mollejas de ternera	Kalbsbries, *n*
Arista (carré di maiale arrosto)	Roast pork loin	Carré de porc rôti	Lomo de cerdo asado	Schweinskarree, *n*
Arrosto	Roast	Rôti	Asado	Braten
- di agnello	Roast lamb	Rôti d'agneau	Cordero asado	Lammbraten
- di maiale	Roast pork	Rôti de porc	Cerdo asado	Schweinebraten
- di manzo arrotolato e farcito	Rolled & stuffed roast beef	Roulade de bœuf farcie rôtie	Redondo de carne de vaca asada rellena	Gefüllter Rinderrollbraten
- di vitello in crosta	Roast veal in a pastry crust	Rôti de veau en croûte	Ternera asada en costra	Kalbsbraten in Teigkruste
Arrotolato di vitello	Rolled veal	Roulé de veau	Redondo de ternera	Kalbsrollbraten
Asino	Donkey	Âne	Burro	Esel
Barone d'agnello (cosce e sella) arrosto	Roast baron (legs & saddle) of lamb	Baron d'agneau rôti	Perniles y silla de cordero asados	Gebratene Lammkeule u. -Rücken
Beccaccia	Woodcock	Bécasse	Becada	Waldschnepfe
Beccaccino	Snipe	Bécassine, *f*	Becacina, *f*	Bekassine, *f*

CARNI	MEATS	VIANDES	CARNES	FLEISCH
Beccafichi	Beccaficos	Becfigues	Becafigos	Gartengrasmücken, *f*
Bianchetto	White stew	Blanquette, *f*	Fricasé	Frikassee, *n*
- di agnello	White stew of lamb	Blanquette d'agneau	Fricasé de cordero	Lammfrikassee
- di vitello	White stew of veal	Blanquette de veau	Fricasé de ternera	Kalbsfrikassee
Bistecca	Steak	Steak, *m*	Bistec, *m*	Beefsteak, *n*
- alla Bismarck (con uovo fritto sopra)	Bismarck steak (topped with a fried egg)	Steak à cheval (surmonté d'un œuf sur le plat)	Bistec a la Bismarck (con huevo frito encima)	Bismarck-Steak (mit Spiegelei darauf)
- alla fiorentina	Grilled sirloin[1] steak	Côte de bœuf grillée	Entrecot de carne de vaca a la parrilla	Rumpsteak vom Grill
- alla pizzaiola (in salsa di pomodoro)	Steak pizzaiola style (in tomato sauce)	Steak à la pizzaiola (en sauce tomate)	Bistec a la pizzaiola (con salsa de tomate)	Beefsteak nach Pizzaiola-Art (in Tomatensauce)
- alla tartara	Steak tartare	Steak tartare	Bistec a la tártara	Tatar-Steak
- di maiale affumicata alla brace	Charcoal grilled smoked pork cutlet	Tranche de longe de porc fumée, à la braise	Bistec de cerdo ahumado a la brasa	Geräuchertes Schweinegrillsteak
- di manzo	Beef steak	Steak (*m*) de bœuf	Bistec de carne de vaca	Rindersteak
- di vitello	Veal steak	Steak de veau	Bistec de ternera	Kalbssteak
- di vitello macinata	Ground-veal steak[2]	Steak de veau haché	Bistec de ternera molido	Hacksteak vom Kalb
- farcita con formaggio	Steak filled with cheese	Steak farci au fromage	Bistec relleno con queso	Steak mit Käsefüllung
Bocconcini di vitello	Veal bites	Ragoût de veau	Bocaditos de ternera	Kalbsragout, *n*
Bolliti al carrello	Mixed boiled meats from the trolley	Bouillis du chariot	Variedad de cocidos del carrito	Gekochtes Fleisch vom Servierwagen
Bollito di manzo	Boiled beef	Bouilli de bœuf	Cocido de carne de vaca	Gekochtes Rindfleisch
- misto	Mixed boiled meats	Viandes bouillies	Cocido mixto	Gemischtes Siedfleisch
Bottaggio (stufato di carne e verdure)	Hotch-potch (pork stew with savoy cabbage)	Potée	Estofado con carne y verduras	Eintopf
Braciola di maiale	Pork cutlet	Côte de porc	Chuleta de cerdo	Schweinekotelett, *n*
- di maiale affumicata	Smoked pork cutlet	Côte de porc fumée	Chuleta de cerdo ahumada	Geräuchertes Schweinekotelett
Bracioline di agnello	Lamb cutlets	Côtelettes d'agneau	Chuletillas de cordero	Lammkoteletts
Brasato di manzo	Braised beef	Bœuf braisé	Carne de vaca braseada	Rinderschmorbraten
Cacciagione ► *Selvaggina*				
Camoscio	Chamois	Chamois	Gamuza, *f*	Gemse, *f*; Gams, *f*
Cappone	Capon	Chapon	Capón	Kapaun
- farcito alle noci	Capon stuffed with walnuts	Chapon farci aux noix	Capón relleno con nueces	Kapaun mit Walnußfüllung
Capra	Goat	Chèvre	Cabra	Ziege
Capretto	Kid	Chevreau	Cabrito	Zicklein, *n*
- arrosto	Roast kid	Chevreau rôti	Cabrito asado	Zickleinbraten

[1] USA: T-bone [2] USA: ground-veal patty

CARNI	MEATS	VIANDES	CARNES	FLEISCH
Capriolo	Venison	Chevreuil	Corzo	Reh, *n*
Carne di maiale	Pork	Viande de porc	Carne de cerdo	Schweinefleisch, *n*
- di manzo	Beef	Viande de bœuf	Carne de vaca	Rindfleisch, *n*
- di vitello	Veal	Viande de veau	Carne de ternera	Kalbfleisch, *n*
- secca	Dried meat	Viande séchée	Carne seca	Luftgetrocknetes Fleisch
Carni alla brace	Charcoal grilled meats	Grillades	Carnes mixtas a la brasa	Fleisch vom Holzkohlengrill
Carpaccio (fette sottili di carne di manzo cruda)	Carpaccio (paper-thin slices of raw beef)	Carpaccio (fines tranches de viande de bœuf cru)	Carpaccio (lonchas finas de carne cruda de vaca)	Carpaccio (hauchdünne rohe Rindfleischscheiben)
- di cervo ai porcini	Deer carpaccio (raw paper-thin slices) with wild mushrooms (porcini)	Carpaccio de cerf (fines tranches crues) aux cèpes	Carpaccio de ciervo (lonchas finas de carne cruda) con hongos calabaza	Hirsch-Carpaccio (hauchdünne rohe Scheiben) mit Steinpilzen
Carré	Loin	Carré	Lomo	Karree, *n*
- di maiale	Loin of pork	Carré de porc	Lomo de cerdo	Schweinskarree
- di vitello	Loin of veal	Carré de veau	Lomo de ternera	Kalbskarree
Casœula ► *Bottaggio*				
Cassoulet (stufato d'oca e montone cotto in grasso d'oca)	Cassoulet (goose & mutton stew cooked with goose fat)	Cassoulet (oie et mouton cuits dans la graisse d'oie)	Cassoulet (estofado de ganso y carnero cocinado con grasa de ganso)	Cassoulet (Gans u. Hammel, in Gänseschmalz geschmort)
Castrato ► *Montone*				
Cavallo	Horse	Cheval	Caballo	Pferd, *n*
Cervella	Brains	Cervelle	Sesos, *m*	Hirn, *n*
- al burro nero	Brains with black butter	Cervelle au beurre noir	Sesos con mantequilla negra	Hirn mit schwarzer Butter
- alla milanese (impanate)	Brains Milanese style (breaded)	Cervelle à la milanaise (panée)	Sesos a la milanesa (rebozados)	Hirn nach Mailänder Art (paniert)
- alla Villeroy (immerse in salsa Villeroy e impanate)	Brains Villeroy style (dipped in Villeroy sauce & breaded)	Cervelle à la Villeroy (passée à la sauce Villeroy et panée)	Sesos a la Villeroy (pasados por salsa Villeroy y rebozados)	Hirn à la Villeroy (in Villeroy-Sauce gewendet u. paniert)
- di vitello	Calf brains	Cervelle de veau	Sesos de ternera	Kalbshirn
- fritte	Fried brains	Cervelle frite	Sesos fritos	Gebackenes Hirn
Cervo	Deer	Cerf	Ciervo	Hirsch
Ciccioli	Crackling[1]	Rillons	Pedacitos de carne seca de cerdo	Grieben, *f*
Cinghiale	Boar	Sanglier	Jabalí	Wildschwein, *n*

[1] USA: chitlings

CARNI	MEATS	VIANDES	CARNES	FLEISCH
Cinghialetto	Young boar	Marcassin	Jabato	Frischling
Civet o civé (stufato aromatizzato con sangue)	Civet (blood-flavoured stew)	Civet (ragoût au sang)	Civé (estofado aromatizado con sangre)	Wildpfeffer (geschmortes Wildpret, mit Blut aromatisiert)
- di capriolo	Venison civet (stew)	Civet de chevreuil	Civé de corzo	Rehpfeffer
- di lepre	Hare civet (stew)	Civet de lièvre	Civé de liebre	Hasenpfeffer
Coda di bue	Oxtail	Queue de bœuf	Cola de buey	Ochsenschwanz, *m*
Collo	Neck	Cou	Cuello	Hals
- d'oca ripieno	Stuffed goose neck	Cou d'oie farci	Cuello de ganso relleno	Gefüllter Gänsehals
Colombaccio	Wood pidgeon	Pigeon ramier	Palomo torcaz	Ringeltaube, *f*
Coniglio	Rabbit	Lapin	Conejo	Kaninchen, *n*
- selvatico	Wild rabbit	Lapin de garenne	Conejo salvaje	Wildkaninchen
Controfiletto	Entrecôte steak	Contrefilet	Solomillo	Lendensteak, *n*
Corata o coratella	Mixed offal	Fressure	Corada	Geschlinge, *n*
- di agnello	Mixed offal of lamb	Fressure d'agneau	Corada de cordero	Lammgeschlinge, *n*
Cordon bleu (fettina farcita con prosciutto e formaggio e impanata)	Escalope Cordon Bleu (filled with ham & cheese & breaded)	Escalope Cordon bleu (farcie de jambon et fromage et panée)	Escalope Cordón bleu (relleno con jamón y queso y rebozado)	Cordon bleu, *n* (paniertes Schnitzel, mit Schinken u. Käse gefüllt)
Cosce di coniglio farcite	Stuffed hare thighs	Cuisses de lapin farcies	Perniles de conejo rellenas	Gefüllte Kaninchenkeulen
- di pollo	Chicken legs	Cuisses de poulet	Muslos de pollo	Hähnchenkeulen, *m*
Coscia di capriolo al forno	Baked leg of venison	Cuissot de chevreuil au four	Pernil de corzo al horno	Im Ofen gebratene Rehkeule
- di faraona farcita	Stuffed Guinea fowl[1] leg	Cuisse de pintade farcie	Muslo de pintada relleno	Gefüllter Perlhuhnkeule, *m*
- di maiale	Leg of pork	Cuisse de porc	Pernil de cerdo	Schweinekeule
Cosciotto d'agnello	Leg of lamb	Gigot d'agneau	Pernil de cordero	Lammkeule
- di camoscio	Leg of chamois	Cuissot de chamois	Pernil de gamuza	Gamskeule
- di montone	Leg of mutton	Gigot de mouton	Pierna de carnero	Hammelkeule
Costata alla fiorentina ▶ *Bistecca*				
- di manzo	Sirloin steak	Entrecôte	Entrecot de vaca	Entrecote, *n*; Rumpsteak, *n*
- di manzo alla bernese (alla griglia e con salsa bernese)	Sirloin steak Bearnaise style (grilled, with Bearnaise sauce)	Entrecôte béarnaise (grillée à la sauce béarnaise)	Entrecot de vaca a la bearnesa (a la parrilla, con salsa bearnesa)	Entrecote Béarnaise (gegrillt, mit Sauce Béarnaise)
- di manzo alla brace	Charcoal grilled sirloin steak	Entrecôte à la braise	Entrecot de vaca a la brasa	Entrecote vom Holzkohlengrill
- di manzo doppia	Double sirloin steak	Entrecôte double	Entrecot doble de vaca	Doppeltes Entrecote

[1] USA: Guinea hen

CARNI	MEATS	VIANDES	CARNES	FLEISCH
Costata di puledro	Colt loin	Entrecôte de poulain	Entrecot de potro	Rumpsteak vom Fohlen
- di vitello	Veal loin	Entrecôte de veau	Entrecot de ternera	Entrecote vom Kalb
Costine d'agnello	Lamb ribs	Travers d'agneau	Costillas de cordero	Lammrippchen, *n*
- di maiale	Pork ribs[1]	Travers de porc	Costillas de cerdo	Schälrippchen vom Schwein
Costolette di agnello	Lamb chops	Côtelettes d'agneau	Chuletillas de cordero	Lammkoteletts, *n*
- di agnello impanate alle erbe	Breaded lamb chops with herbs	Côtelettes d'agneau panées aux herbes	Chuletillas de cordero empanadas con hierbas	Panierte Lammkoteletts mit Kräutern
- di capriolo alle erbe di montagna	Venison chops with mountains herbs	Côtelettes de chevreau aux herbes de montagne	Chuletillas de corzo con hierbas de monte	Rehkoteletts mit Gebirgskräutern
- di maiale	Pork chops	Côtelettes de porc	Chuletillas de cerdo	Schweinekoteletts
Cotechino	Boiled salami	Saucisson bouilli	Salchichón cocido	Kochsalami, *f*
- in galera (avvolto in carne di vitello)	Boiled salami wrapped in veal	Saucisson bouilli roulé dans une tranche de veau	Salchichón de cerdo cocido envuelto en carne de ternera	Kochsalami in Kalbfleischmantel
Cotenne [Cotiche] di maiale	Pig skin	Couenne de porc	Pieles de cerdo	Schweineschwarte
Cotoletta alla bolognese (impanata e gratinata con prosciutto crudo e formaggio)	Escalope Bolognese (breaded & broiled with raw ham[2] & cheese)	Escalope panée bolognaise (panée et gratinée avec jambon cru et fromage)	Escalope a la boloniesa (empanada y gratinada con jamón serrano y queso)	Bologneser Schnitzel (paniert, mit rohem Schinken u. Käse überbacken)
Cotoletta alla milanese	Milanese veal chop (breaded)	Côtelette de veau à la milanaise (panée)	Chuletilla de ternera a la milanesa (empanada)	Wiener Schnitzel
Coturnice	Rock partridge	Perdrix bartavelle	Codorniz	Steinhuhn, *n*
Creste di gallo	Rooster's combs	Crêtes de coq	Crestas de gallo	Hahnkämme, *m*
Crocchette di pollo	Chicken croquettes	Croquettes de poulet	Croquetas de pollo	Geflügelkroketten
Cuore	Heart	Cœur	Corazón	Herz, *n*
Daino	Fallow deer	Daim	Gamo	Damhirsch
Dorso di lepre	Hare back	Échine de lièvre	Lomo de liebre	Hasenrücken
Entrecôte ► *Costata*				
Fagiana	Hen pheasant	Faisane	Faisana	Fasanhenne
Fagiano	Pheasant	Faisan	Faisán	Fasan
- di monte	Blackcock	Faisan de montagne	Grigallo	Birkhahn
Faraona	Guinea fowl[3]	Pintade	Pintada	Perlhuhn, *n*
- disossata farcita con porcini	Boned Guinea-fowl stuffed with wild mushrooms (porcini)	Pintade désossée farcie aux cèpes	Pintada deshuesada rellena con hongos calabaza	Entbeintes Perlhuhn, mit Steinpilzen gefüllt

[1] USA: spare-ribs [2] Anche: Parma ham [3] USA: Guinea hen

CARNI	MEATS	VIANDES	CARNES	FLEISCH
Fegatelli (fegato di maiale al forno avvolto in rete di maiale)	Pork liver pieces wrapped in caul & baked	Haletelles (foie de porc au four en crépine)	Hígado de cerdo asado, envuelto en omento de cerdo	Im Ofen gebratene Schweineleber im Schweinenetz
Fegatini di pollo	Chicken livers	Foies de poulet	Higadillos de pollo	Hühnerleber, *f*
Fegato	Liver	Foie	Hígado	Leber, *f*
- alla veneziana (con cipolle)	Liver Venetian style (with onions)	Foie à la vénitienne (aux oignons)	Hígado a la veneciana (con cebollas)	Venezianische Leber (mit Zwiebeln)
- di vitello all'inglese (con pancetta)	Calf liver English style (with bacon)	Foie de veau à l'anglaise (au lard)	Hígado de ternera a la inglesa (con tocino)	Kalbsleber nach englischer Art (mit Bauchspeck)
- di vitello alla milanese (impanato)	Calf liver Milanese style (breaded)	Foie de veau à la milanaise (pané)	Hígado de ternera a la milanesa (empanado)	Kalbsleber nach Mailänder Art (paniert)
- (fresco) d'anatra	Duck liver	Foie de canard	Hígado de pato	Entenleber, *f*
- (fresco) d'oca	Goose liver	Foie d'oie	Hígado de ganso	Gänseleber, *f*
- grasso d'anatra	Duck foie gras	Foie gras de canard	Hígado graso de pato	Entenleberpastete, *f*
- grasso d'oca	Goose foie gras	Foie gras (d'oie)	Hígado graso de ganso	Gänseleberpastete, *f*
- grasso d'oca alla strasburghese (su crostone, con mela e salsa di carne)	Goose foie gras Strasbourg style (on toast, with apple & meat sauce)	Foie gras à la strasbourgeoise (sur croûte, avec de la pomme et au fond de viande)	Hígado graso de ganso a la estrasburguesa (sobre costrón, con manzana y salsa de carne)	Straßburger Gänseleberpastete (auf Röstbrot, mit Apfel u. Fleischsauce)
Fettina di vitello	Veal escalope	Escalope de veau	Filete de ternera	Kalbsschnitzel, *n*
Filetto di maiale	Fillet of pork	Filet de porc	Solomillo de cerdo	Schweinefilet, *n*
- di manzo	Fillet of beef; tenderloin	Filet de bœuf	Solomillo de vaca	Rinderfilet, *n*
- Chateaubriand (doppio)	Fillet Chateaubriand (double)	Chateaubriand	Solomillo Chateaubriand (doble)	Filet Chateaubriand (doppelt)
- mignon	Fillet mignon	Filet mignon	Solomillo pequeño	Filet Mignon
- Strogonoff (a pezzetti, con cetriolini, panna e funghi)	Fillet Strogonoff (cubed with gherkins, cream & mushrooms)	Filet Strogonoff (en dés, avec cornichons, crème et champignons)	Solomillo Strogonoff (a pedacitos con pepinillos, nata y setas)	Filetgulasch Strogonoff (mit Cornichons, Sahne u. Pilzen)
- Wellington (in involucro di pasta sfoglia)	Fillet Wellington (wrapped in puff pastry)	Filet Wellington (en croûte feuilletée)	Solomillo Wellington (envuelto en pasta de hojaldre)	Filet Wellington (in Blätterteigmantel)
Fòlaga	Water-hen; bald coot	Foulque	Foja	Bläßhuhn, *n*
Fonduta bourguignonne	Fondue Bourguignonne	Fondue bourguignonne	Fondue borgoñona	Fleischfondue nach Burgunder Art
Francolino di monte	Hazel hen; hazel grouse	Gélinotte, *f*	Bonasa, *f*	Haselhuhn, *n*
Frattaglie	Offal[1]	Abattis; abats, *m*	Menudillos, *m*	Innereien

[1] USA: variety meats

CARNI	MEATS	VIANDES	CARNES	FLEISCH
Fricandò (brasato di vitello lardellato)	Braised larded veal	Fricandeau (veau entrelardé braisé)	Fricandó (ternera mechada braseada)	Kalbsfrikandeau, *n* (gespickter Schmorbraten)
Fricassea d'agnello	Lamb fricassee (white stew)	Fricassée d'agneau	Fricasé de cordero	Lammfrikassee, *n*
- di pollo	Chicken fricassee (white stew)	Fricassée de poulet	Fricasé de pollo	Hühnerfrikassee, *n*
- di vitello	Veal fricassee (white stew)	Fricassée de veau	Fricasé de ternera	Kalbsfrikassee, *n*
Frittelle di fegato	Liver fritters	Beignets de foie	Buñuelos de hígado	Leber-Beignets
Fritto misto di carne	Mixed fried meats	Friture de viandes	Surtido de carnes fritas	Gemischtes fritiertes Fleisch
Galantina (carne fredda farcita)	Galantine (cold stuffed meat)	Galantine (viande froide farcie)	Galantina (carne fría rellena)	Galantine (kaltes Fleisch mit Füllung)
- di pollo (pollo freddo farcito)	Chicken galantine (cold stuffed chicken)	Galantine de poulet (poulet froid farci)	Galantina de pollo (pollo frío relleno)	Geflügel-Galantine (kaltes Hähnchen mit Füllung)
- di tacchino (tacchino freddo farcito)	Turkey galantine (cold stuffed turkey)	Galantine de dinde (dinde froide farci)	Galantina de pavo (pavo frío relleno)	Truthahn-Galantine (kalter Truthahn mit Füllung)
- di vitello (vitello freddo farcito)	Veal galantine (cold stuffed veal)	Galantine de veau (veau froid farci)	Galantina de ternera (ternera fría rellena)	Kalbs-Galantine (kaltes Kalbfleisch mit Füllung)
Galletto	Young rooster; cockerel	Coquelet	Gallito	Hähnchen, *n*
Gallina	Hen	Poule	Gallina	Huhn, *n*
- nostrana	Local hen	Poule du terroir	Gallina del país	Heimisches Huhn
- ruspante	Farm-yard hen	Poule fermière	Gallina de corral	Freilandhuhn
Gallinella d'acqua	Water-hen	Poule d'eau	Rascón, *m*	Wasserralle
Gallo al vino	Rooster in wine sauce	Coq au vin	Gallo con vino	Coq au vin; Hähnchen in Weinsauce
- cedrone	Mountain cock	Coq de bruyère	Gallo silvestre	Auerhahn
Geretto [Garretto]	Shank	Jarret	Jarrete	Haxe, *f*
- di vitello in salsa delicata	Veal shank in delicate sauce	Jarret de veau en sauce délicate	Jarrete de ternera en salsa delicada	Kalbshaxe in delikater Sauce
Germano reale ► *Anatra selvatica*				
Giovenca ► *Scottona*				
Gnocchi di carne	Meat dumplings	Gnocchis de viande	Ñoquis de carne	Fleischklößchen, *n*
Grigliata mista di carne	Mixed meat grill	Grillade de viandes	Parrillada de carne	Gemischte Grillplatte
Guancia di maiale	Pork cheek	Joue de porc	Carrillo de cerdo	Schweinebacke
Gulasch all'ungherese	Hungarian goulash	Goulasch à la hongroise	Gulasch húngaro	Ungarisches Gulasch, *n*

CARNI	MEATS	VIANDES	CARNES	FLEISCH
Gulash di vitello	Veal goulash	Goulasch de veau	Gulasch de ternera	Kalbsgulasch, *n*
Hamburger	Hamburger	Steak haché; hamburger[1]	Hamburguesa, *f*	Hamburger
- di coniglio	Rabbit hamburger	Steak haché de lapin	Hamburguesa de conejo	Kaninchen-Hamburger
- di manzo e verdure	Beef & vegetable hamburger	Steak haché de bœuf et légumes	Hamburguesa de vaca y verduras	Rind- u. Gemüse-Hamburger
- di pollo	Chicken hamburger	Steak haché de poulet	Hamburguesa de pollo	Geflügel-Hamburger
Indivia belga alla parigina (avvolta nel prosciutto e gratinata con besciamella)	Chicory[2] Parisian style (rolled in ham & broiled with bechamel)	Endives à la parisienne (enrobées de jambon et gratinées en béchamelle)	Endivia de Bruselas a la parisina (envuelta en jamón y gratinada con bechamel)	Chicoree nach Pariser Art (mit Schinken umwickelt u. mit Bechamelsauce gratiniert)
Interiora	Offal[3]	Entrailles	Asaduras	Innerereien
Intingolo	Stew	(Plat) en sauce	Guisado	Tunke, *f*
- d'oca	Duck stew	Oie en sauce	Guisado de ganso	Gänse-Tunke
Involtini di carne	Meat rolls	Paupiettes (*f*) de viande	Popietas (*f*) de carne	Fleischrouladen, *f*
- di manzo	Beef rolls	Paupiettes de bœuf	Popietas de carne de vaca	Rinderrouladen, *f*
- di vitello in foglie di vite	Veal rolls in vine leaves	Paupiettes de veau en feuilles de vigne	Popietas de ternera en hojas de vid	Kalbsrouladen in Weinblättern
Lepre	Hare	Lièvre	Liebre	Hase, *m*
Lingua	Tongue	Langue	Lengua	Zunge
- di manzo salmistrata	Cured beef tongue	Langue de bœuf à l'écarlate	Lengua de vaca salobreña	Gepökelte Rinderzunge
Lombata	Loin	Longe	Lomo, *m*	Lendenbraten, *m*
- di agnello disossata	Boned loin of lamb	Longe d'agneau désossée	Lomo deshuesado de cordero	Entbeinter Lendenbraten vom Lamm
- di maiale	Pork loin	Longe de porc	Lomo de cerdo	Lendenbraten vom Schwein
- di manzo	Sirloin	Aloyau de bœuf	Lomo de vaca	Lendenbraten vom Rind
- di vitello	Loin of veal	Longe de veau	Lomo de ternera	Lendenbraten vom Kalb
Lombo di camoscio in crosta di funghi	Loin of chamois in a mushroom crust	Longe de chamois en croûte aux champignons	Lomo de gamuza en costra de setas	Gams-Lendenbraten in Pilzkruste
Maiale	Pork	Porc	Cerdo	Schwein, *n*
Maialino arrosto	Roast suckling pig	Cochon de lait rôti	Lechón asado	Spanferkel, *n*
Manzo	Beef	Bœuf	Vaca, *f*	Rind, *n*
Medaglioni di capriolo	Venison medallions	Médaillons de chevreuil	Medallones de corzo	Rehmedaillons, *n*
- di cervella di vitello	Calf brain medallions	Médaillons de cervelle de veau	Medallones de sesos de ternera	Kalbshirn-Medaillons, *n*
- di fegato grasso d'oca	Goose foie gras medallions	Médaillons de foie gras	Medallones de hígado graso de ganso	Gänseleberpastete-Medaillons, *n*

[1] Se è servito nel pane o con l'uovo sopra [2] USA: Belgian endive [3] USA: variety meats

8 CARNI

CARNI	MEATS	VIANDES	CARNES	FLEISCH
Medaglioni di vitello	Veal medallions	Médaillons de veau	Medallones de ternera	Kalbsmedaillons, *n*
Merli	Blackbirds	Merles	Mirlos	Amseln, *f*
Midollo	Bone marrow	Moelle, *f*	Médula, *f*; tuétano	Mark, *n*
- di manzo	Beef bone marrow	Moelle de bœuf	Médula de vaca	Rindermark
Montone	Mutton	Mouton	Carnero	Hammel
Noce di vitello	Veal rump	Noix de veau	Nuez de ternera	Kalbsnuß
Nocette di agnello	Lamb noisettes	Noisettes d'agneau	Nueces de cordero	Lammnüßchen, *n*
- di capriolo	Venison noisettes	Noisettes de chevreuil	Nueces de corzo	Rehnüßchen, *n*
Nodino di vitello alla Sassi (con salvia)	Veal loin Sassi style (with sage)	Entrecôte de veau Sassi (à la sauge)	Entrecot de ternera a la Sassi (con salvia)	Kalbskotelett Sassi (mit Salbei)
Oca	Goose	Oie	Ganso, *m*	Gans
- all'alsaziana (farcita con salsiccia e guarnita con crauti)	Goose Alsatian style (stuffed with sausage & served with sauerkraut)	Oie à l'alsacienne (farcie à la saucisse et servie sur de la choucroute)	Ganso a la alsaciana (relleno con salchicha y guarnecido con chucruta)	Gans nach elsässischer Art (mit Wurstfarce u. Sauerkraut als Beilage)
- novella	Young goose	Oiselle; oison, *m*	Ganso joven	Junge Gans
- selvatica	Wild goose	Oie sauvage	Ganso silvestre	Wildgans
Orecchi	Ears	Oreilles, *f*	Orejas, *f*	Ohren, *n*
Orso	Bear	Ours	Oso	Bär
Ortolani	Ortolan	Ortolans	Hortelanos	Gartenammern, *f*
Ossibuchi di tacchino (fette di coscia di tacchino)	Turkey ossibuchi (sliced turkey leg)	Ossibuchi de dinde (tranches de cuisse de dinde)	Ossibuchi de pavo (rodajas de muslo de pavo)	Truthahn-Ossibuchi (Truthahnschlegel in Scheiben)
Ossobuco (fetta di geretto di vitello brasato)	Ossobuco (braised veal shank slice)	Ossobuco (tranche de jarret de veau braisée)	Ossobuco (rodaja de jarrete de ternera braseada)	Ossobuco (geschmorte Kalbshaxenscheibe)
Padellata di coniglio con funghi	Pan-fried rabbit with mushrooms	Poêlée de lapin aux champignons	Guiso de conejo con setas	Kaninchenpfanne mit Pilzen
Paillard	Grilled veal escalope	Escalope de veau grillée	Filete de ternera a la parrilla	Kalbsschnitzel vom Grill
Pajata (budella di vitello da latte)	Offal of milk-fed calves	Tripes de veau de lait	Tripas de ternero recental	Milchkalbskaldaunen
Pancia	Belly	Panse	Barriga	Bauch, *m*
Pasticcio	Terrine[1]	Terrine	Pastel	Pastete, *f*
- di cacciagione	Game terrine	Terrine de gibier	Pastel de caza	Wildpastete
- di lepre	Hare terrine	Terrine de lièvre	Pastel de liebre	Hasenpastete
Pâté di vitello	Veal paté	Pâté de veau	Paté de ternera	Kalbspastete; Kalbspaté

[1] Se è in crosta: pie

CARNI	MEATS	VIANDES	CARNES	FLEISCH
Pavoncella	Lapwing; pewit	Vanneau, *m*	Avefría	Kiebitz, *m*
Pernice	Partridge	Perdrix	Perdiz	Rebhuhn, *n*
Petto	Breast	Poitrine	Pechuga, *f*	Brust, *f*; Brüstchen, *n*
- d'anatra	Duck breast	Magret de canard	Pechuga de pato	Entenbrust
- d'oca farcito	Stuffed goose breast	Poitrine d'oie farcie	Pechuga de ganso rellena	Gefüllte Gänsebrust
- di pollo	Chicken breast	Blanc de poulet	Pechuga de pollo	Hähnchenbrust
- di tacchino	Turkey breast	Blanc de dinde	Pechuga de pavo	Truthahnbrust
- di vitello arrotolato	Rolled veal breast	Poitrine de veau roulée	Rollo de pechuga de ternera	Kalbsbrustrollbraten
- di vitello farcito	Stuffed veal breast	Poitrine de veau farcie	Pechuga de ternera rellena	Gefüllte Kalbsbrust
Piatto freddo	Cold platter	Assiette froide	Surtido de fiambres	Kalte Platte, *f*
- unico di carne	Single-course meal of meat	Plat unique de viande	Plato único de carne	Fleischgericht als einziger Gang
Piccate al limone	Veal escalopes with lemon sauce	Escalopes de veau au citron	Escalopes de ternera con limón	Kalbsschnitzel mit Zitrone
Piccione	Pigeon	Pigeon	Pichón	Taube, *f*
- novello	Young pigeon; squab	Pigeonneau	Pichón joven	Junge Taube
- selvatico	Wild pigeon	Pigeon sauvage	Pichón salvaje	Wildtaube
Piedini di maiale	Pig trotters	Pieds de porc	Pies de cerdo	Schweinefüßchen, *n*
Piedino di vitello	Calf feet	Pied de veau	Pie de ternera	Kalbsfüßchen, *n*
Piviere	Plover	Pluvier	Chorlito, *m*	Regenpfeifer, *m*
Pollame	Poultry	Volaille, *f*	Aves	Geflügel, *n*
Pollanca [Pollastra]	Fattened hen	Poularde	Pularda	Masthenne
- in casseruola	Casserole of fattened hen	Poularde à la casserole	Pularda en puchero	Masthenne im Schmortopf
Pollo	Chicken	Poulet	Pollo	Hähnchen, *n*
- al curry	Chicken curry	Poulet au curry	Pollo con curry	Curry-Hähnchen
- all'americana (alla griglia, con pancetta e pomodori)	Chicken American style (grilled with bacon & tomatoes)	Poulet à l'américaine (grillé au lard et à la tomate)	Pollo a la americana (a la parrilla con tocino y tomates)	Hähnchen nach amerikanischer Art (gegrillt, mit Bauchspeck u. Tomaten)
- alla diavola (battuto e cotto alla griglia)	Chicken devilled style (flattened & grilled)	Poulet à la diable (battu et cuit sur le gril)	Pollo a la diabla (aplastado y hecho a la parrilla)	Hähnchen nach Teufelsart (geklopft, vom Rost)

CARNI	MEATS	VIANDES	CARNES	FLEISCH
Pollo alla provenzale (con salsa di pomodoro, acciughe, aglio e olive)	Provençal chicken (with tomato sauce, anchovies, garlic & olives)	Poulet à la provençale (en sauce tomate, anchois, aïl et olives)	Pollo a la provenzal (con salsa de tomate, anchoillas, ajo y aceitunas)	Provenzalisches Hähnchen (mit Tomatensauce, Sardellen, Knoblauch u. Oliven)
- e patatine fritte	Fried chicken with chips	Poulet-frites	Pollo y patatas fritas	Hähnchen mit Pommes frites
- in casseruola bonne femme (con cipolline e pancetta)	Chicken casserole bonne femme (with silverskin onions & bacon)	Poulet en casserole bonne femme (aux petits oignons et au lard)	Pollo en puchero bonne femme (con cebollas tiernas y tocino)	Hähnchen im Schmortopf Bonne Femme (mit Zwiebelchen u. Bauchspeck)
- nostrano	Local chicken	Poulet du terroir	Pollo del país	Heimisches Hähnchen
- novello	Spring chicken	Poulet nouveau	Pollo joven	Junges Hähnchen
- ruspante	Farm-yard chicken	Poulet fermier	Pollo de corral	Freilandhähnchen
Polmone	Lung	Mou	Pulmón	Lunge, *f*
Polpette di manzo	Beef meatballs	Boulettes de bœuf	Albóndigas de carne de vaca	Rindfrikadellen
- di pollo	Chicken meatballs	Boulettes de poulet	Albóndigas de pollo	Geflügelfrikadellen
Polpettone	Meatloaf	Roulade de viande hachée	Guiso de carne picada	Hackbraten; falscher Hase
Porchetta (maiale intero arrosto)	Porchetta (roast whole pig)	Porchetta (cochon entier rôti)	Porchetta (cerdo entero asado)	Porchetta (ganzes gebratenes Schwein)
Pot-au-feu (manzo bollito con verdure e brodo)	Pot-au-feu (beef boiled with vegetables & stock)	Pot-au-feu (viandes de bœuf et légumes cuits au bouillon)	Pot-au-feu (cocido de carne de vaca con verduras y caldo)	Pot-au-feu (gekochtes Rindfleisch mit Gemüse in Brühe)
Pot-pourri ► *Bottaggio*				
Prosciutto brasato	Braised ham	Jambon braisé	Jamón braseado	Schmorschinken
- in crosta	Ham in a pastry crust	Jambon en croûte	Jamón en costra	Schinken in Teigkruste
Pulcini	Poussins; chicks	Poussins	Polluelos	Küken, *n*
Puledro	Colt	Poulain	Potro	Fohlen, *n*
Puntine ► *Costine*				
Quaglie	Quails	Cailles	Codornices	Wachteln
- al forno avvolte con pancetta	Baked quails in bacon	Cailles bardées au four	Codornices al horno envueltas con tocino	Wachteln im Speckmantel, im Ofen gebraten
Quarto di pollo	Quarter of chicken	Quart de poulet	Un cuarto de pollo	Ein viertel Hähnchen
Ragù d'oca	Goose ragoût	Ragoût d'oie	Guiso de ganso	Gänseragout, *n*
Renna	Reindeer	Renne	Reno, *m*	Rentier, *n*

CARNI	MEATS	VIANDES	CARNES	FLEISCH
Rete (omento) di maiale	Pig caul	Crépine de porc	Omento; redaño de cerdo	Schweinenetz, *n*
Rigaglie di pollo	Chicken giblets	Abats de poulet	Menudillos (*m*) de pollo	Hühnerklein, *n*
Roastbeef	Roast beef	Roastbeef	Rosbif	Roastbeef, *n*
- freddo	Cold roast beef	Roastbeef froid	Rosbif frío	Kaltes Roastbeef
Rognoni	Kidneys	Rognons	Riñones	Nieren, *f*
- d'agnello	Lamb kidneys	Rognons d'agneau	Riñones de cordero	Lammnieren
- di vitello	Calf kidneys	Rognons de veau	Riñones de ternera	Kalbsnieren
Rollé di vitello arrosto	Roast veal roll	Roulé de veau rôti	Rollo de ternera asada	Kalbsrollbraten
Rotolini di petto d'anatra	Rolls of duck breast	Cornets de magret de canard	Rollitos de pechuga de pavo	Entenbruströllchen, *n*
Rotolo	Roll	Roulade	Rollo	Rollbraten
- di fagiano	Pheasant roll	Roulade de faisan	Rollo de faisán	Fasanenrollbraten
- di vitello alle erbe	Veal roll with herbs	Roulade de veau aux herbes	Rollo de ternera con hierbas	Kalbsrollbraten mit Kräutern
- di vitello farcito con porcini	Veal roll filled with wild mushrooms (porcini)	Roulade de veau farci aux cèpes	Rollo de ternera relleno con hongos calabaza	Kalbsrollbraten mit Steinpilzfüllung
Salmì ► *Civet*				
Salsicce	Sausages	Saucisses	Salchichas	Würste[1]
- di tacchino	Turkey sausages	Saucisses de dinde	Salchichas de pavo	Truthahnwürste
- di vitello	Veal sausages	Saucisses de veau	Salchichas de ternera	Kalbswürste
Salsiccia di fegato	Liver sausage	Saucisse de foie	Salchicha de hígado	Leberwurst
Saltimbocca alla romana	Escalopes with ham & sage	Escalopes de veau avec jambon et sauge	Escalopes de ternera con jamón y salvia	Schnitzel mit Schinken u. Salbei
Sanguinaccio (sangue di maiale cotto con aromi)	Pig blood cooked with herbs	Sang de porc cuit aux arômes	Sangre de cerdo cocida con aromas	Gekochtes Schweineblut mit Gewürzen
Sauté ► *Spezzatino*				
Scaloppina	Escalope	Escalope	Escalope; filetito[2]	Schnitzel, *n*
- ai funghi	Escalope with mushrooms	Escalope aux champignons	Escalope con setas	Schnitzel mit Pilzen
- al marsala	Escalope with Marsala wine	Escalope au marsala	Escalope con vino de Marsala	Schnitzel in Marsala-Sauce
- alla valdostana (con fontina e funghi)	Escalope Valdostana style (with fontina cheese & mushrooms)	Escalope valdôtaine (au fromage fontina et champignons)	Escalope a la valdostana (con queso del Valle de Aosta y setas)	Aosta-Taler Schnitzel (mit Fontina-Käse u. Pilzen)
- di tacchino	Turkey escalope	Escalope de dinde	Escalope de pavo	Truthahnschnitzel
- di vitello	Veal escalope	Escalope de veau	Escalope de ternera	Kalbsschnitzel

[1] Salsicce macinate grosse: grobe Würste [2] Se non è infarinata o impanata

CARNI	MEATS	VIANDES	CARNES	FLEISCH
Scaloppine alla zingara (con salsa di carne, prosciutto, lingua e funghi)	Escalopes gypsy style (with meat sauce, ham, tongue & mushrooms)	Escalopes à la tsigane (en sauce de viande, avec jambon, langue et champignons)	Escalopes a la gitana (con salsa de carne, jamón, lengua y setas)	Zigeunerschnitzel (mit Fleischsauce, Schinken, Zunge u. Pilzen)
- di animelle di vitello	Calf sweetbread escalopes	Escalopes de ris de veau	Escalopes de mollejas de ternera	Kalbsbries-Schnitzel
- di fegato d'oca	Goose-liver escalopes	Escalopes de foie d'oie	Filetitos de hígado de ganso	Gänseleberschnitzel
Scottona o sorana (giovane vacca)	Young cow	Génisse	Becerra	Färse; Jungkuh
Sella	Saddle	Selle	Silla	Rücken, *m*
- di agnello	Saddle of lamb	Selle d'agneau	Silla de cordero	Lammrücken
- di coniglio alle erbe aromatiche	Saddle of rabbit with aromatic herbs	Râble de lapin aux fines herbes	Silla de conejo con hierbas aromáticas	Kaninchenrücken mit Gewürzkräutern
- di vitello brasata Orlov (con salsa di cipolle, salsa Mornay, tartufo e fegato d'oca)	Braised saddle of veal Orlov (with onion sauce, Mornay sauce, truffle & goose foie gras)	Selle de veau braisée Orlov (en sauce aux oignons, sauce Mornay, truffe et foie gras)	Silla de ternera braseada Orlov (con salsa de cebollas, salsa Mornay, trufas e hígado de ganso)	Geschmorter Kalbsrücken Orlow (mit Zwiebelsauce, Mornay-Sauce, Trüffeln u. Gänseleberpastete)
Selvaggina	Game	Gibier	Caza	Wild, *n*; Wildbret, *n*
Spalla	Shoulder	Épaule	Espaldilla	Schulter
- d'agnello al forno	Baked shoulder of lamb	Épaule d'agneau au four	Espaldilla de cordero al horno	Im Ofen gebratene Lammschulter
- di montone	Shoulder of mutton	Épaule de mouton	Espaldilla de carnero	Hammelschulter
- di vitello farcita	Stuffed shoulder of veal	Épaule de veau farcie	Espaldilla de ternera rellena	Gefüllte Kalbsschulter
Spezzatino	Stew	Ragoût	Estofado	Ragout, *n*
- d'agnello	Lamb stew	Ragoût d'agneau	Estofado de cordero	Lammragout
- di lepre	Hare stew	Ragoût de lièvre	Estofado de liebre	Hasenragout
- di montone al coccio	Mutton stew in earthenware pot	Ragoût de mouton en pot de terre	Estofado de carnero en cazuela de barro	Hammelragout im Tontopf
- di tacchino	Turkey stew	Ragoût de dinde	Estofado de pavo	Truthahnragout
- di vitello al curry	Curry veal stew	Ragoût de veau au curry	Estofado de ternera con curry	Curry-Kalbsragout
- di vitello alla cacciatora (con salsa di pomodoro e funghi)	Veal stew hunter's style (with tomato sauce & mushrooms)	Ragoût de veau chasseur (à la sauce tomate et aux champignons)	Estofado de ternera a la cazadora (con salsa de tomate y setas)	Kalbsragout nach Jägerart (mit Tomatensauce u. Pilzen)

CARNI	MEATS	VIANDES	CARNES	FLEISCH
Spiedini	Kebabs	Brochettes	Broquetas, *f*	Spieße
- di carne	Meat kebabs	Brochettes de viande	Broquetas de carne	Fleischspieße
- di fegato di maiale	Pork-liver kebabs	Brochettes de foie de porc	Broquetas de hígado de cerdo	Schweineleber-Spieße
- di pollame	Poultry kebabs	Brochettes de volaille	Broquetas de aves	Geflügel-Spieße
- di selvaggina	Game kebabs	Brochettes de gibier	Broquetas de caza	Wildbret-Spieße
Spuma di pollo	Chicken mousse	Mousse de poulet	Mousse de pollo	Geflügel-Mousse
Starna ► *Pernice*				
Stinco	Shank; shin	Jarret	Jarrete	Haxe, *f*
- di maiale	Shank of pork	Jarret de porc	Jarrete de cerdo	Schweinshaxe
- di vitello brasato con ortaggi	Shank of veal braised with vegetables	Jarret de veau braisé aux légumes	Jarrete de ternera braseado con hortalizas	Geschmorte Kalbshaxe mit Gemüse
Stracotto al vino rosso	Braised meat with red wine	Daube au vin rouge	Estofado cocinado con vino tinto	Schmorbraten mit Rotweinsauce
- d'asino	Braised donkey	Daube d'âne	Estofado de burro	Schmorbraten vom Esel
- di manzo	Braised beef	Daube de bœuf	Estofado de carne de vaca	Rinderschmorbraten
Stufato di asino	Donkey stew	Daube d'âne	Estofado de burro	Eselsschmorfleisch
- di coda di bue	Oxtail stew	Daube de queue de bœuf	Estofado de cola de buey	Geschmorter Ochsenschwanz
- di manzo	Beef stew	Daube de bœuf	Estofado de carne de vaca	Rinderschmorfleisch
Tacchina	Turkey-hen	Dinde	Pava	Truthenne; Pute
Tacchino	Turkey	Dinde, *f*; dindon[1]	Pavo	Truthahn; Puter
- giovane	Young turkey	Dindonneau	Pavo joven	Junger Truthahn
- ripieno al forno	Roast stuffed turkey	Dinde farcie au four	Pavo relleno al horno	Gefüllter Truthahn, im Ofen gebraten
- ripieno di castagne	Turkey stuffed with chestnuts	Dinde farcie aux marrons	Pavo relleno con castañas	Mit Kastanien gefüllter Truthahn
Teneroni di vitello	Veal middle-cut breast[2]	Tendrons de veau	Ternillas de ternera	Kalbsbrustknorpel
Terrina	Terrine	Terrine	Tarrina	Terrine
- di anatra	Duck terrine	Terrine de canard	Tarrina de pato	Ententerrine
- di coniglio al timo	Rabbit terrine with thyme	Terrine de lapin au thym	Tarrina de conejo con tomillo	Kaninchenterrine mit Thymian
- di fagiano	Pheasant terrine	Terrine de faisan	Tarrina de faisán	Fasanenterrine
- di fegato d'oca	Goose-foie gras terrine	Terrine de foie gras	Tarrina de hígado de ganso	Gänseleberterrine
- di vitello	Veal terrine	Terrine de veau	Tarrina de ternera	Kalbfleischterrine

8 CARNI

[1] Corretto ma non usato in gastronomia [2] USA: riblets

CARNI	MEATS	VIANDES	CARNES	FLEISCH
Testicoli di vitello	Calf testicles	Testicules de veau	Criadillas de ternero	Kalbshoden
Testina	Head	Tête	Cabeza	Kopf, *m*
- d'agnello	Head of lamb	Tête d'agneau	Cabeza de cordero	Lammkopf
- di maiale	Head of pork	Tête de porc	Cabeza de cerdo	Schweinskopf
- di vitello in salsa vinaigrette	Head of veal with vinaigrette sauce	Tête de veau vinaigrette	Cabeza de ternera a la vinagreta	Kalbskopf in Sauce Vinaigrette
Tettina di bovina	Cow udder	Tétine de génisse	Teta de bovina	Kuheuter, *m*
Tordi	Thrushes	Grives, *f*	Tordos	Singdrosseln, *f*
Toro	Bull	Taureau	Toro	Stier
Torta di carne	Meat pie	Tourte de viande	Tarta de carne	Fleischtorte
- di manzo e rognone in crosta	Steak & kidney pie	Kidney pie (bœuf et rognons en croûte)	Tarta de carne de vaca y riñón en costra	Rindfleisch u. Nieren in Teigkruste
Tortino di coniglio con peperoni	Rabbit pie with peppers	Tourte de lapin aux poivrons	Tarta de conejo con pimientos	Kaninchentorte mit Paprika
Tournedos (medaglione di filetto di manzo)	Tournedos (fillet of beef medallion)	Tournedos	Tournedos (medallón de solomillo de vaca)	Tournedos (Rinderfiletmedaillon)
- Rossini (con fegato d'oca, tartufo e salsa al Madera)	Fillet Rossini (with goose foie gras, truffle & Madeira sauce)	Tournedos Rossini (au foie gras, truffes et sauce Madère)	Solomillo Rossini (con hígado graso de ganso, trufa y salsa de vino de Madeira)	Filet Rossini (mit Gänseleberpastete, Trüffel u. Madeirasauce)
Tramezzini di carne	Meat sandwiches	Sandwich de viande	Sandwich de carne	Fleisch-Sandwiches
Trippa	Tripe	Tripes, *pl*	Callos, *m pl*	Kutteln, *pl*; Kaldaunen, *pl*
- alla fiorentina (con pomodoro e parmigiano)	Tripe Florentine style (with tomato sauce & parmesan)	Tripes à la florentine (aux tomates et au parmesan)	Callos a la florentina (con tomate y parmesano)	Kutteln nach Florentiner Art (mit Tomatensauce u. Parmesan)
- alla milanese (con fagioli bianchi)	Tripe Milanese style (with white beans)	Tripes à la milanaise (aux haricots blancs)	Callos a la milanesa (con alubias blancas)	Kutteln nach Mailänder Art (mit weißen Bohnen)
- di vitello al pomodoro	Calf tripe in tomato sauce	Tripes de veau à la tomate	Callos de ternera con tomate	Kalbskutteln in Tomatensauce
- in bianco con alloro	Tripe with bay leaves without tomato sauce	Tripes au laurier sans tomate	Callos con laurel sin tomate	Kutteln mit Lorbeer ohne Tomatensauce
Uccelletti	Small birds	Petits oiseaux	Pajaritos	Kleine Vögel
Vitello	Veal	Veau	Ternera, *f*	Kalb, *n*
- all'uccelletto (sottili fettine di vitello al burro)	Thin veal slices cooked in butter	Fines escalopes de veau sautées	Lonchas finas de ternera cocidas con mantequilla	Feine Kalbfleischscheiben, in Butter gebraten
- tonnato	Cold veal with tuna sauce	Veau froid à la sauce au thon	Ternera fría con salsa de atún	Kaltes Kalbfleisch in Thunfischsauce

CARNI	MEATS	VIANDES	CARNES	FLEISCH
Würstel con crauti	Frankfurter with sauerkraut	Saucisses de Francfort à la choucroute	Wurstel con chucruta	Würstchen mit Sauerkraut
Zampa	Hoof; trotter	Pied	Pata	Fuß, *m*
Zampetto di maiale	Pig hock	Pied de cochon	Pata de cerdo	Schweinefüßchen, *n*; Eisbein, *n*
Zampone	Zampone (pork sausage stuffed in a boned pig trotter & boiled)	Zampone (chair à saucisse bouillie dans un pied de porc évidé)	Zampone (embutido en pata de cerdo y cocido)	Zampone (Kochwurst in der Haut eines Schweinefußes)

PREPARAZIONI PER CARNI	WAYS TO PREPARE MEATS	PRÉPARATIONS DES VIANDES	FORMAS DE PREPARAR LAS CARNES	ZUBEREITUNG FÜR FLEISCH
affumicato	smoked~	fumé*	ahumado*	geräuchert*
agro, all'	sour~	à l'aigre	agrio*	sauer*
agrodolce, in	sweet & sour~	à l'aigre-doux	agridulce	süß-sauer*
americana, all' (con uovo fritto e pancetta)	American style (with fried egg & bacon)	à l'américaine (avec œuf sur le plat et lard)	a la americana (con huevos fritos y tocino)	nach amerikanischer Art (mit Spiegelei u. Bauchspeck)
aromatico	aromatic~	aromatique*	aromático*	würzig*
aromatizzato con capperi	flavoured with capers	aromatisé* aux câpres	aromatizado* con alcaparras	mit Kapern aromatisiert*
aromi, agli	with herbs	aux arômes	con aromas	mit Gewürzkräutern
arrosto	roast~	rôti*	asado*	-Braten; gebraten*
arrotolato	rolled~	roulé*	redondo de~	-Rollbraten
aspic, in	in aspic	en aspic	aspic de~	in Aspik
bellavista, in	en belle vue	en belle vue	en bellavista	Bellevue
bollito	boiled~	bouilli*	hervido*	gekocht*
bolognese, alla	Bolognese	à la bolognaise	a la boloniesa	Bologneser~
borgognona, alla (con vino rosso, funghi, cipolline e lardo)	Bourguignonne style (with red wine, mushrooms, pearl onions & lard)	bourguignonne (au vin rouge, champignons, petits oignons et lard)	a la borgoñona (con vino tinto, setas, cebollas tiernas y lardo)	nach Burgunder Art (mit Rotwein, Pilzen, Silberzwiebeln u. Speck)
brace, alla	charcoal grilled~	à la braise	a la brasa	vom Holzkohlengrill
brasato	braised~	braisé*	braseado*	geschmort*
burro, al	with butter	au beurre	con mantequilla	mit Butter
cacciatora, alla	hunter's style	chasseur	a la cazadora	nach Jägerart
cartoccio, al	baked in foil	en papillote	en papillote	in Folie gebacken
casseruola, in	casserole	à la casserole	en puchero	im Schmortopf
champagne, allo	with champagne	au champagne	con champán	mit Champagner
civet, in (stufato aromatizzato con sangue)	stew (blood flavoured)	en civet (ragoût au sang)	en civet (estofado aromatizado con sangre)	-Pfeffer (geschmort, mit Blut aromatisiert)
coccio, al	in earthenware pot	en pot de terre	en cazuela de barro	im Tontopf
crema, alla	with cream	à la crème	con crema	mit Sahnesauce
creta, alla	cooked in clay	cuit dans l'argile	en arcilla	in Tonerde gebacken
crosta, in	in a pastry crust	en croûte	en costra	in Teigkruste
crosta di patate, in	in a potato crust	en croûte de pommes de terre	en costra de patatas	in Kartoffelkruste
crosta di sfoglia, in	in a puff-pastry crust	en croûte feuilletée	en costra de hojaldre	in Blätterteigkruste
crostone, su	on toast	sur croûte	sobre costrón	auf Röstbrot

PREPARAZIONI PER CARNI	WAYS TO PREPARE MEATS	PRÉPARATIONS DES VIANDES	FORMAS DE PREPARAR LAS CARNES	ZUBEREITUNG FÜR FLEISCH
curry, al	with curry; curry	au curry	con curry	Curry-; mit Curry
erbe, alle	with herbs	aux herbes	con hierbas	mit Kräutern
erbe aromatiche, alle	with aromatic herbs	aux fines herbes	con hierbas aromáticas	mit Gewürzkräutern
farcito	stuffed~	farci*	relleno*	gefüllt*
ferri, ai ► *alla griglia*				
fiamma, alla	flambé	flambé*	flameado*	flambiert*
fornaia, alla (al forno con patate e cipolle)	baker's style (baked with potatoes & onions)	boulangère (au four avec des pommes de terre et des oignons)	a la panadera (al horno con patatas y cebollas)	nach Bäckerin-Art (im Ofen mit Kartoffeln u. Zwiebeln gebraten)
forno, al	baked~	au four	al horno	im Ofen gebacken
freddo	cold~	froid*	frío*	kalt*
fricassea, in (in umido, completato con una salsa di uova, panna e succo di limone)	in white stew; fricasseed~ (stew with a sauce of eggs, cream & lemon juice)	en fricassée (en sauce aux œufs, crème et jus de citron)	fricasé (guisado acompañado con una salsa de huevos, nata y jugo de limón)	-Frikassee (in Sauce, mit Eiern, Sahne u. Zitrone abgeschmeckt)
fritto	fried~	frit*	frito*	gebraten[1]*; fritiert[2]*
funghi, ai	with mushrooms	aux champignons	con setas	mit Pilzen
gelatina, in	jellied~	en gelée	en gelatina	in Gelee
ginepro, al	with juniper	au genièvre	con ginebra	mit Wacholder
glassato	glazed~	glacé*	glaseado*	glasiert*
griglia, alla	grilled~	sur le grill	a la parrilla	gegrillt*; vom Grill
guarnito con	garnished with	garni* avec	guarnecido* con	garniert mit
impanato	breaded~	pané*	rebozado*	paniert*
lesso	boiled~	bouilli*	cocido*	gekocht*
lionese, alla	Lyonese style	à la lyonnaise	a la lionesa	nach Lyoner Art
Madera, al	with Madeira wine	au Madère	con vino de Madeira	in Madeira-Sauce
maître d'hôtel, alla (alla griglia e con burro alla maître d'hôtel)	maître d'hotel style (grilled & with maître d'hotel butter)	maître d'hôtel (au gril et au beurre maître d'hôtel)	a la maître de hotel (a la parrilla con mantequilla a la maître de hotel)	nach Maître d'Hotel-Art (gegrillt, mit Butter nach Maître d'Hotel-Art)
marinato	marinated~	mariné*	marinado*	mariniert*; eingelegt*
Marsala, al	with Marsala wine	au Marsala	con vino de Marsala	in Marsala-Sauce
melagrane, alle	with pommegranates	aux grenades	con granadas	mit Granatäpfeln
milanese, alla (impanato)	Milanese style (breaded)	à la milanaise (pané)	a la milanesa (rebozado)	nach Mailänder Art (paniert)
padella, in	pan fried~	poêlé*; à la poêle	en la sartén	in der Pfanne
paesana, alla	peasant style	à la paysanne	a la paisana	Bauern-; nach Bauernart
panna, alla	with cream	à la crème	con nata	mit Rahmsauce
pepe, al	with pepper	au poivre	con pimienta	mit Pfeffer

[1] In padella [2] Nella friggitrice

PREPARAZIONI PER CARNI	WAYS TO PREPARE MEATS	PRÉPARATIONS DES VIANDES	FORMAS DE PREPARAR LAS CARNES	ZUBEREITUNG FÜR FLEISCH
pepe verde, al	with green pepper	au poivre vert	con pimienta verde	mit grünem Pfeffer
piastra, alla	grilled	sur la plaque; sur contre-feu	a la plancha	vom Grill; gegrillt*
piccante	spicy~	relevé*; piquant*	picante*	scharf*
piselli, con	with peas	aux petits pois	con guisantes	mit Erbsen
pizzaiola, alla (in salsa di pomodoro)	pizzaiola style (in tomato sauce)	à la pizzaiola (en sauce tomate)	a la pizzaiola (con salsa de tomate)	nach Pizzaiola-Art (in Tomatensauce)
pomodoro, al	with tomato sauce	à la tomate	con tomate	in Tomatensauce
prosciutto, al	with ham	au jambon	con jamón	mit Schinken
ribes, ai	with currants	aux groseilles	con grosellas	mit Johannisbeeren
ripieno	stuffed~; filled~	farci*	relleno*	gefüllt*
salsa di funghi, in	in mushroom sauce	en sauce aux champignons	con salsa de setas	in Pilzsauce
salsa piccante, in	in a hot spicy sauce	en sauce piquante	con salsa picante	in scharfer Sauce
saltato	sautéed~	sauté*	salteado*	sautiert*; geschwenkt*
salvia, alla	with sage	à la sauge	con salvia	mit Salbei
scapece, in (fritto e marinato)	fried & marinated~	en escabèche (frit et mariné)	en escabeche (frito y marinado)	fritiert* u. mariniert*
spezie, alle	with spices	aux épices	con especias	mit Gewürzen
spiedo, allo	on the spit	à la broche	al asador	vom Spieß
stufato	stewed~	en daube	estofado*	geschmort*
tartufato	with truffles	truffé*	trufado*	getrüffelt*
tirolese, alla (con cipolle fritte e pomodori a pezzetti)	Tyrolese style (with fried onions & cubed tomatoes)	à la tyrolienne (aux oignons frits et tomates en dés)	a la tirolesa (con cebollas fritas y tomate picado)	nach Tiroler Art (mit gebratenen Zwiebeln u. Tomatenstückchen)
trifolato	stir fried with garlic & parsley	sauté* à l'aïl et au persil	salteado* con ajo y perejil	mit Knoblauch u. Petersilie sautiert*
umido, in	stewed~	en sauce	guiso de; guisado*	geschmort*; Schmor-; in Sauce
uva, all'	with grapes	au raisin	con uvas	mit Rosinen
vapore, al	steamed~	à la vapeur	al vapor	in Dampf gegart*
veneziana, alla (con cipolle)	Venetian style (with onions)	à la vénitienne (aux oignons)	a la veneciana (con cebollas)	nach venezianischer Art (mit Zwiebeln)
vino bianco, con	with white wine	au vin blanc	con vino blanco	in Weißweinsauce
vino rosso, in salsa di	in red wine sauce	en sauce au vin rouge	con salsa de vino tinto	in Rotweinsauce

VERDURE	VEGETABLES	LÉGUMES	VERDURAS	GEMÜSE
Acetosa	Sorrel	Oseille	Acedera	Sauerampfer, *m*
Agretto ► *Crescione*[1] e *Barba di frate*[2]				
Alghe	Water-weeds	Algues	Algas	Algen
- marine	Seaweeds; kelp	Algues marines	Algas marinas	Meeresalgen
Asparagi	Asparagus	Asperges, *f*	Espárragos	Spargel
- alla milanese (con parmigiano, burro e uovo fritto)	Asparagus Milanese style (with parmesan, butter & fried egg)	Asperges à la milanaise (au beurre, œuf sur le plat et parmesan)	Espárragos a la milanesa (con parmesano, mantequilla y huevo frito)	Spargel nach Mailänder Art (mit Parmesan, Butter u. Spiegelei)
- alla parmigiana (con burro e parmigiano)	Asparagus Parmesan style (with butter & parmesan)	Asperges à la parmesane (au beurre et parmesan)	Espárragos a la parmesana (con mantequilla y parmesano)	Spargel nach Parma-Art (mit Butter u. Parmesan)
- selvatici	Wild asparagus	Asperges sauvages	Espárragos silvestres	Wilde Spargel
Aspic di verdure	Vegetables in aspic	Aspic de légumes	Aspic de verduras	Gemüse in Aspik
Avena	Oats	Avoine	Avena	Hafer, *m*
Bambù	Bamboo	Bambou	Bambú	Bambus
Barba di cappuccino ► *Barba di frate*				
- di frate[3]	Glasswort	Barbe de capucin	Barba de capuchino	Sodakraut, *n*
Barbabietole	Beetroots	Betteraves	Remolachas	Rote Beten
Barbarea ► *Rucola palustre*				
Bastoncini di zucchine fritti	Fried courgette[4] sticks	Frites de courgettes	Bastoncitos de calabacines fritos	Fritierte Zucchini-Stäbchen
Batate ► *Patate americane*				
Bavarese di verdure	Vegetable mould	Bavaroise de légumes	Bavaresa de verduras	Gemüsepudding, *m*
Bietole [Biete]	Swiss chard	Bettes	Acelgas	Mangold, *m*
Borragine	Borage	Bourrache	Borraja	Borretsch, *m*
Broccoli	Broccoli	Brocolis	Brócoles	Brokkoli
- alla romana (saltati in olio e aglio)	Broccoli Roman style (stir fried with oil & garlic)	Brocolis à la romaine (sautés à l'huile et à l'aïl)	Brócoles a la romana (salteados en aceite y ajo)	Brokkoli nach römischer Art (in Öl u. Knoblauch geschwenkt)
Bruscandoli [Germogli selvatici]	Wild sprouts	Pousses sauvages	Brotes silvestres	Wildsprossen
Calendula [Fiorrancio], fiori di	Marigold flowers	Fleurs de souci	Flores de caléndula	Ringelblumenblüten, *f*
Cappelle di funghi	Mushroom tops	Chapeaux de champignons	Sombreros de setas	Pilzhüte, *m*
- di funghi impanate	Breaded mushroom tops	Chapeaux de champignons panés	Sombreros de setas rebozados	Panierte Pilzhüte

[1] Nell'Italia settentrionale [2] Nell'Italia centrale [3] Nell'Italia centrale è usato al posto di erba stella [4] USA: zucchini

VERDURE	VEGETABLES	LÉGUMES	VERDURAS	GEMÜSE
Carciofi	Artichokes	Artichauts	Alcachofas, *f*	Artischocken, *f*
- alla giudia (fritti interi)	Artichokes Jewish style (fried whole)	Artichauts à la juive (frits entiers)	Alcachofas a la judía (fritas enteras)	Artischocken nach jüdischer Art (fritiert)
- alla greca (cotti in acqua aromatizzata)	Artichokes Greek style (cooked in aromatic water)	Artichauts à la grecque (cuits en eau aromatisée)	Alcachofas a la griega (cocidas en agua aromatizada)	Artischocken nach griechischer Art (in Wasser mit Gewürzen gekocht)
- alla romana (ripieni di aglio, menta e stufati)	Artichokes Roman style (filled with garlic, mint & stewed)	Artichauts à la romaine (étouffés à la menthe et à l'aïl)	Alcachofas a la romana (estofadas, rellenas con ajo y menta)	Artischocken nach römischer Art (mit Füllung aus Knoblauch u. Minze, geschmort)
- sottolio	Artichokes in olive oil	Artichauts à l'huile	Alcachofas en aceite	In Öl eingelegte Artischocken
Cardi	Cardoons; thistles	Cardons	Cardos	Karden, *f*
Carote	Carrots	Carottes	Zanahorias	Karotten; Möhren
- bianche ▶ *Pastinaca*				
- glassate	Glazed carrots	Carottes glacées	Zanahorias glaseadas	Glasierte Möhren
- Vichy (cotte in acqua e burro, cosparse di prezzemolo)	Carrots Vichy style (cooked in water & butter, sprinkled with parsley)	Carottes Vichy (cuites à l'eau, au beurre et persillées)	Zanahorias Vichy (cocidas en agua y mantequilla, aderezadas con perejil)	Karotten Vichy (in Wasser u. Butter gekocht, mit Petersilie bestreut)
Cartoccio di verdure invernali	Winter vegetables baked in foil	Papillote de légumes d'hiver	Verduras de invierno en papillote	Wintergemüse in Folie
Catalogna	Bitter chicory	Chicorée amère	Achicoria amarga	Bittere Zichorie
Cavolfiori	Cauliflowers	Choux-fleurs	Coliflores, *f*	Blumenkohl, *inv*
Cavolini di Bruxelles	Brussels sprouts	Choux de Bruxelles	Coles de Bruselas	Rosenkohl, *inv*
Cavolo	Cabbage	Chou	Col, *f*	Kohl, *inv*
- bianco	White cabbage	Chou blanc	Col blanca, *f*	Weißkohl
- cappuccio	Head cabbage	Chou frisé	Repollo	Spitzkohl
- cinese	Chinese cabbage	Chou chinois	Col de China	Chinakohl
- nero	Leaf cabbage	Chou noir	Col negra	Schwarzkohl
- rapa	Kohlrabi	Chou-rave	Colinabo	Kohlrabi
- rosso	Red cabbage	Chou rouge	Lombarda, *f*	Rotkohl
- verde	Green cabbage	Chou vert	Col verde	Grünkohl
Ceci	Chick peas	Pois chiches	Garbanzos	Kichererbsen, *f*
Cereali	Cereals	Céréales	Cereales	Körner, *n*
Cestini di patate	Potato nests	Nids de pommes de terre	Cestas de patatas	Kartoffelkörbchen, *n*
Cetrioli	Cucumbers	Concombres	Pepinos	Gurken, *f*

VERDURE	VEGETABLES	LÉGUMES	VERDURAS	GEMÜSE
Cetriolini sottaceto	Gherkins	Cornichons	Pepinillos en vinagre	Cornichons; Essigurken, *f*
Champignons	Champignons	Champignons de Paris	Champiñones	Zuchtchampignons
Cicèrbita	Annual sow thistle[1]	Laiteron, *m*	Cerraja	Milchlattich, *m*
Cicoria	Chicory	Chicorée	Achicoria	Zichorie
Cime di rapa	Turnip tops	Pousses de navet	Flores y hojas de nabo	Rübensprossen
Cipollaccio ► *Lampascione*				
Cipolle	Onions	Oignons, *m*	Cebollas	Zwiebeln
- fondenti	Tender creamy onions	Oignons fondants	Cebollas fundentes	Schmelzzwiebeln
- ripiene	Stuffed onions	Oignons farcis	Cebollas rellenas	Gefüllte Zwiebeln
Cipolline	Silver skin onions[2]	Petits oignons	Cebollas tiernas	Silberzwiebeln
- fresche [primavera]	Spring onions	Oignons printaniers	Cebolletas	Frühlingszwiebeln
- in agrodolce	Sweet & sour silver skin onions	Petits oignons à l'aigre-doux	Cebollas tiernas agridulce	Süß-saure Silberzwiebeln
Coste di bietola	Swiss-chard stalks	Feuilles de poirée	Pencas de acelgas	Mangoldstengel, *m*
Crauti	Sauerkraut	Choucroute, *f*	Chucruta, *f*	Sauerkraut, *n*
Cren	Horseradish	Raifort	Rábano picante	Meerrettich
Crescione	Cress	Cresson	Berro	Kresse, *f*
Crespigno ► *Cicerbita*				
Critmo	Samphire; sea fennel	Perce-pierre	Hinojo marino	Meerfenchel
Crocchette di patate	Potato croquettes	Croquettes de pommes de terre	Croquetas de patatas	Kartoffelkroketten
Crostata di porri e finocchi	Leek & fennel pie	Tarte aux poireaux et fenouils	Tarta de puerros e hinojos	Pikante Lauch- u. Fencheltorte
Cuori di lattuga	Lettuce hearts	Cœurs de laitue	Corazones de lechuga	Lattichherzen
- di palma	Palm hearts	Cœurs de palmier	Palmitos	Palmenherzen
- di sedano	Celery hearts	Cœurs de céleri	Corazones de apio	Sellerieherzen
Dadi di polenta	Polenta cubes	Dés de polenta	Dados de polenta	Polentawürfel
Dadolata di verdure	Diced vegetables	Dés de légumes	Verduras en daditos	Gemüsewürfel
Denti di cane [Denti di leone] ► *Tarassaco*				
Erba barbara ► *Rucola palustre*				
- brusca ► *Acetosa*				
- cipollina	Chives	Ciboulette	Sueldacostilla	Schnittlauch, *n*
- stella	Lady's mantle; wart-cress	Barbe de capucin	Hierba estrella	Schlitzwegerich, *m*
Fagioli	Beans	Haricots	Judías; alubias, *f*	Rote Bohnen, *f*
- all'uccelletto (saltati con aglio, salvia e salsa di pomodoro)	Stir-fried beans with garlic, sage & tomato sauce	Haricots sautés à l'aïl, sauge et sauce tomate	Alubias salteadas con ajo, salvia y salsa de tomate	Rote Bohnen, mit Knoblauch, Salbei u. Tomatensauce sautiert

[1] USA: common thistle [2] USA: pearl onions

10 VERDURE

VERDURE	VEGETABLES	LÉGUMES	VERDURAS	GEMÜSE
Fagioli bianchi alla bretone (con salsa di pomodoro, cipolle e prezzemolo)	White beans Breton style (with tomato sauce, onions & parsley)	Haricots blancs à la bretonne (en sauce tomate, oignons et persil)	Judías blancas a la bretona (con salsa de tomate, cebollas y perejil)	Weiße Bohnen nach bretonischer Art (mit Tomatensauce, Zwiebeln u. Petersilie)
- bianchi di Spagna	Large white beans	Haricots blancs d'Espagne	Judías blancas de España	Weiße spanische Bohnen
- con cotenne	Beans with pig skin	Haricots aux couennes	Alubias con pieles de cerdo	Rote Bohnen mit Speckschwarte
- di soia	Soy beans	Graines de soja	Alubias de soja	Sojabohnen
- rossi	Red kidney beans	Haricots rouges	Alubias rojas	Rote Bohnen
- secchi	Dried beans	Haricots secs	Alubias secas	Getrocknete Bohnen
Fagiolini	French beans; green beans[1]	Haricots verts	Judías verdes	Grüne Bohnen
- alla portoghese (con salsa di pomodoro, pancetta e prezzemolo)	Portuguese style French beans[1]; (with tomato sauce, bacon & parsley)	Haricots verts à la portugaise (en sauce tomate, lard et persil)	Judías verdes a la portuguesa (con salsa de tomate, tocino y perejil)	Grüne Bohnen nach portugiesischer Art (mit Tomatensauce, Bauchspeck u. Petersilie)
Farro	Spelt	Épeautre	Farro	Dinkel
Fascinette di fagiolini	Bundles of French beans[1]	Haricots verts en fagots	Manojos de judías verdes	Gebündelte grüne Bohnen
Fave	Broad beans[2]	Fèves	Habas	Saubohnen
Finocchi	Fennel	Fenouils	Hinojos	Fenchel, *inv*
Finocchio marino ► *Critmo*				
Fiocchi di avena	Oat flakes	Flocons d'avoine	Copos de avena	Haferflocken, *f*
- di grano	Wheat flakes	Flocons de blé	Copos de trigo	Getreideflocken
Fiori d'acacia	Acacia blossoms	Fleurs d'acacia	Flores de acacia	Akazienblüten, *f*
- di pesco	Peach blossoms	Fleurs de pêcher	Flores de melocotón	Pfirsichblüten
- di zucchine	Courgette[3] flowers	Fleurs de courgette	Flores de calabacines	Zucchiniblüten
Foglie di spinaci	Spinach leaves	Epinards en branches	Hojas de espinacas	Spinatblätter, *n*
Fondi di carciofo	Artichoke hearts	Fonds d'artichaut	Fondos de alcachofas	Artischockenböden
- di carciofo alla fiorentina (farciti con spinaci e gratinati con salsa Mornay)	Artichoke hearts Florentine style (filled with spinach & broiled with Mornay sauce)	Fonds d'artichaut à la florentine (farcis aux épinards et gratinés à la Mornay)	Fondos de alcachofas a la florentina (rellenos con espinacas y gratinados con salsa Mornay)	Artischocken nach Florentiner Art (mit Spinatfüllung u. mit Mornay-Sauce gratiniert)
- di carciofo Clamart (ripieni con piselli)	Artichoke hearts Clamart style (filled with peas)	Fonds d'artichaut Clamart (farcis de petits pois)	Fondos de alcachofas Clamart (rellenos con guisantes)	Artischockenböden Clamart (mit Erbsen gefüllt)

[1] USA: string beans [2] USA: fava beans [3] USA: zucchini

VERDURE	VEGETABLES	LÉGUMES	VERDURAS	GEMÜSE
Frittelle di ceci	Chick-pea fritters	Beignets de pois chiches	Buñuelos de garbanzos	Kichererbsen-Beignets
Funghi	Mushrooms	Champignons	Setas, *f*; hongos	Pilze
- agarici	Agaricus mushrooms	Agaricacées, *f*	Agáricos	Blätterpilze
- cantarelli	Chanterelle mushrooms	Chanterelles, *f*	Rebozuelos	Pfifferlinge
- chiodini	Honey fungus (mushrooms)	Armillaires de miel	Armillaria de color miel	Hallimasche
- coltivati	Cultivated mushrooms	Champignons de couche	Setas cultivadas	Zuchtpilze
- false panterine	Stout agaricus mushrooms	Amanites épaisses	Amanita junquillea	Wulstlinge, *m*
- finferli [Gallinacci] ► *Cantarelli*				
- geloni	Oyster mushrooms	Pleurotes en huître	Pleurotos en forma de ostra	Austernseitlinge
- lattaioli [Lattari deliziosi]	Saffron milk-caps (mushrooms); milky agaricus	Lactaires délicieux	Níscalos	Edelreizker
- lepiote brune	Parasol mushrooms	Lépiotes brunes	Apagadores; parasoles	Parasolpilze, *m*
- morchelle ► *Spugnole*				
- orecchioni ► *Geloni*				
- ovoli	Caesar's fungus (mushrooms); orange amanita	Amanites des Césars	Oronjas	Kaiserlinge
- parasole ► *Lepiote brune*				
- piopparelli [Pioppini]	Southern poplar mushrooms	Pholiotes, *f*	Setas de chopo	Schüpplinge
- pleuroti ► *Geloni*				
- porcini	Wild mushrooms (porcini)	Cèpes	Hongos calabaza	Steinpilze
- prataioli	Champignons; field mushrooms	Pratelles, *f*	Agáricos	Wiesenchampignons
- prugnoli	Plum agaric mushrooms	Mousserons de la saint Georges	Setas de San Jorge	Georgsraslinge
- secchi	Dried mushrooms	Champignons séchés	Setas secas	Getrocknete Pilze
- selvatici	Wild mushrooms	Champignons sauvages	Setas silvestres	Wilde Pilze
- spugnole	Morel mushrooms	Morilles	Colmenillas	Morcheln
- trombette dei morti	Horns of plenty mushrooms	Trompettes-des-morts	Trompetas de los muertos	Totentrompeten
Gallinella ► *Valerianella*				
Germogli	Shoots; sprouts	Pousses	Brotes	Sprossen, *f*
- di bambù	Bamboo shoots	Pousses de bambou	Brotes de bambú	Bambussprossen

VERDURE	VEGETABLES	LÉGUMES	VERDURAS	GEMÜSE
Germogli di soia	Soy sprouts	Germes de soja	Brotes de soja	Sojasprossen
- selvatici	Wild shoots	Pousses sauvages	Brotes silvestres	Wildsprossen
Ginestre	Broom	Genêts, *m*	Retamas; hiniestas	Ginster, *m*
Gobbi ► *Cardi*				
Grano	Wheat	Blé	Trigo	Weizen
- duro	Durum wheat	Blé dur	Trigo duro	Hartweizen
- saraceno	Buckwheat	Blé sarrasin	Trigo sarraceno	Buchweizen
- tenero	Soft wheat	Blé tendre	Trigo tierno	Weichweizen
Granoturco ► *Mais*				
Gratin dauphinois (gratin di patate)	Gratin dauphinois (potatoes au gratin)	Gratin dauphinois (gratin de pommes de terre)	Gratén dauphinois (patatas gratinadas)	Gratin dauphinois (Kartoffelgratin)
- di cantarelli	Chanterelles mushrooms au gratin	Gratin de chanterelles	Gratén de rebozuelos	Pfifferlingsgratin
- di verdure	Vegetables au gratin	Gratin de légumes	Gratén de verduras	Gemüsegratin
Indivia	Endive[1]	Chicorée	Endivia	Endivien Salat
- belga	Chicory[2]	Endive	Endivia de Bruselas	Chicoree, *m*
- riccia	Curly endive	Chicorée frisée	Escarola	Frisee, *m*
Insalata	Salad	Salade	Ensalada	Salat, *m*
- appena raccolta	Fresh salad	Salade fraîchement cueillie	Ensalada recién cogida	Salat aus frischer Ernte
- aromatica	Aromatic salad	Salade aromatique	Ensalada aromática	Würziger Salat
- di campo	Wild salad	Salades des champs	Ensalada de campo	Feldsalat
- di germogli	Sprout salad	Salade de pousses	Ensalada de brotes	Sprossensalat
- di patate	Potato salad	Salade de pommes de terre	Ensalada de patatas	Kartoffelsalat
- di stagione	Salad in season	Salade de saison	Ensalada del tiempo	Salat der Saison
- di verdure	Vegetable salad	Salade de légumes	Ensalada de verduras	Rohkostsalat
- di verdure cotte	Cooked vegetable salad	Salade de légumes cuits	Ensalada de verduras cocidas	Gemüsesalat
- esotica	Exotic salad	Salade exotique	Ensalada exótica	Exotischer Salat
- fresca dell'orto	Garden-fresh salad	Salade fraîche du potager	Ensalada fresca de la huerta	Salat, frisch aus dem Garten
- mista	Mixed salad	Salade panachée	Ensalada mixta	Gemischter Salat
- multicolore	Multicoloured salad	Salade multicolore	Ensalada multicolor	Bunter Salat
- nizzarda	Salad Nicoise	Salade niçoise	Ensalada nizarda	Nizza-Salat
- riccia	Curly salad	Salade frisée	Escarola	Frisee, *m*
- selvatica	Wild salad	Salades sauvages	Ensalada silvestre	Feldsalat

[1] USA: chicory [2] USA: Belgian endive

VERDURE	VEGETABLES	LÉGUMES	VERDURAS	GEMÜSE
Insalata tiepida di porcini	Lukewarm wild mushrooms (porcini) salad	Salade tiède de cèpes	Ensalada templada de hongos calabaza	Warmer Steinpilzsalat
- tropicale	Tropical salad	Salade tropicale	Ensalada tropical	Tropischer Salat
- verde	Green salad	Salade verte	Ensalada verde	Grüner Salat
Issopo	Hyssop	Hysope, *f*	Hisopo	Ysop
Lampascioni	Tassel hyacinths[1]	Muscaris à toupet	Cebollas de albarrana	Traubenhyazinthe, *f*
Lattuga	Lettuce	Laitue	Lechuga	Lattich, *m*
- a cappuccio	Cabbage lettuce[2]	Laitue pommée	Lechuga flamenca	Kopfsalat
- romana	Romaine; cos lettuce	Laitue romaine	Lechuga romana	Römischer Salat
Lattughella ► *Valerianella*				
Legumi	Pulses	Légumes	Legumbres	Hülsenfrüchte, *f*
Lenticchie	Lentils	Lentilles	Lentejas	Linsen
Lupini	Hops	Lupins	Altramuces	Lupinen, *f*
Macedonia di verdure	Vegetable salad	Macédoine de légumes	Macedonia de verduras	Gemüsesalat, *m*
Mais	Corn; maize	Maïs	Maiz	Mais
Melanzane	Aubergines[3]	Aubergines	Berenjenas	Auberginen
- al funghetto (con salsa di pomodoro e aglio)	Aubergines sautéed with tomato sauce & garlic	Aubergines à la sauce tomate et à l'aïl	Berenjenas con salsa de tomate y ajo	Auberginen mit Tomatensauce u. Knoblauch
- alla parmigiana ► *Parmigiana di melanzane*				
- farcite e fritte	Stuffed & fried aubergines	Aubergines farcies et frites	Berenjenas rellenas y fritas	Gefüllte Auberginen, fritiert
- sottolio	Aubergines in oil	Aubergines à l'huile	Berenjenas en aceite	In Öl eingelegte Auberginen
Miglio	Millet	Mil; millet	Mijo	Hirse, *f*
Mostardina ► *Peperella*				
Mousse di sedano	Celery mousse	Mousse de céleri	Mousse de apio	Sellerie-Mousse
Muscari ► *Lampascioni*				
Navoni	Swedes[4]	Rutabagas	Nabos	Steckrüben, *f*
Nidi di patate	Potato nests	Nids de pommes de terre	Nidos de patatas	Kartoffelnester, *n*
- di verdure	Vegetable nests	Nids de légumes	Nidos de verduras	Gemüsenester
Ortica	Nettle	Ortie	Ortiga	Brennessel
Orzo	Barley	Orge, *f*	Cebada, *f*	Gerstengraupen, *f pl*
- alle erbe profumate	Barley with aromatic herbs	Orge aux herbes parfumées	Cebada con hierbas aromáticas	Gerstengraupen mit Gewürzkräutern
Padellata di porcini	Pan-fried wild mushrooms (porcini)	Poêlée de cèpes	Hongos calabaza a la sartén	Steinpilz-Pfanne

[1] USA: tassel grape hyacinths [2] USA: butterhead [3] USA: eggplants [4] USA: rutabagas

VERDURE	VEGETABLES	LÉGUMES	VERDURAS	GEMÜSE
Pannocchia di granoturco	Corn on the cob	Épi de maïs	Mazorca de maiz	Maiskolben, *m*
Parietaria	Pellitory	Pariétaire	Parietaria	Glaskraut, *n*
Parmigiana di melanzane	Aubergine[1] casserole	Gratin d'aubergines	Pastel de berenjenas	Auberginenauflauf, *m*
Pasticcio di verdure	Vegetable casserole	Gratin de légumes	Pastel de verduras	Gemüsepastete, *f*
Pastinaca	Parsnip	Panais, *m*	Cirivía	Pastinake
Patate	Potatoes	Pommes de terre	Patatas	Kartoffeln
- al cartoccio	Potatoes baked in foil	Pommes de terre en papillote	Patatas en papillote	Kartoffeln, in Folie gebacken
- al cartoccio in camicia	Jacket potatoes	Pommes de terre en robe des champs	Patatas en papillote con pellejo	Folienkartoffeln
- al forno	Baked potatoes	Pommes de terre au four	Patatas al horno	Ofenkartoffeln
- al prezzemolo	Potatoes with parsley	Pommes de terre persillées	Patatas con perejil	Petersilienkartoffeln
- all'inglese (bollite con burro)	Potatoes English style (boiled, with butter)	Pommes de terre à l'anglaise (bouillies au beurre)	Patatas a la inglesa (cocidas, servidas con mantequilla)	Kartoffeln nach englischer Art (Salzkartoffeln mit Butter)
- alla berrichonne (con pancetta e cipolla)	Potatoes berrichonne (with bacon & onions)	Pommes de terre à la berrichonne (au lard et aux oignons)	Patatas a la berrichonne (con tocino y cebolla)	Kartoffeln Berichonne (mit Bauchspeck u. Zwiebel)
- alla crema	Creamed potatoes	Pommes de terre à la crème	Patatas a la crema	Rahmkartoffeln
- alla fiorentina (farcite con spinaci, gratinate con salsa Mornay)	Potatoes Florentine style (stuffed with spinach, broiled with Mornay sauce)	Pommes de terre à la florentine (farcies aux épinards, gratinées à la Mornay)	Patatas a la florentina (rellenas con espinacas, gratinadas con salsa Mornay)	Kartoffeln nach Florentiner Art (mit Spinatfüllung u. mit Mornay-Sauce gratiniert)
- alla fornaia (al forno con cipolle)	Baker's potatoes (baked with onions)	Pommes de terre boulangère (au four, avec des oignons)	Patatas a la panadera (al horno con cebollas)	Bäckerin-Kartoffeln (mit Zwiebeln im Ofen gebacken)
- alla lionese (con cipolle)	Potatoes Lionese style (with onions)	Pommes de terre à la lyonnaise (aux oignons)	Patatas a la lionesa (con cebollas)	Lyoner Kartoffeln (mit Zwiebeln)
- americane	Sweet potatoes[2]	Patates douces	Batatas; boniatos	Süßkartoffeln; Bataden
- Anna (tortino di patate al forno)	Potatoes Anna (baked potato mould)	Pommes de terre Anna (timbale de pommes de terre)	Patatas Ana (pastel de patatas al horno)	Kartoffeln Anna (pikante Kartoffeltorte)
- arrosto	Roast potatoes	Pommes de terre rôties	Patatas asadas	Röstkartoffeln
- Berny (crocchette con mandorle)	Potatoes Berny (croquettes with almonds)	Pommes de terre Berny (en croquettes aux amandes)	Patatas Berny (en croquetas con almendras)	Kartoffeln Berny (Kroketten mit Mandeln)

[1] USA: eggplant [2] USA: yams

VERDURE	VEGETABLES	LÉGUMES	VERDURAS	GEMÜSE
Patate bollite	Boiled potatoes	Pommes de terre bouillies	Patatas hervidas	Salzkartoffeln
- bollite in camicia	Potatoes boiled in their jackets	Pommes de terre en robe des champs	Patatas hervidas con pellejo	Pellkartoffeln
- chips	Potato crisps[1]	Pommes chips	Patatas chips	Kartoffelchips
- dauphine (soffici crocchette di patate)	Potatoes dauphine (fluffy potato croquettes)	Pommes dauphine croquettes moelleuses de pommes de terre	Patatas a la delfina (suaves croquetas de patatas)	Dauphine-Kartoffeln (zarte Kartoffelkroketten)
- dolci ► *Patate americane*				
- duchessa (rosette di purè di patate gratinate)	Potatoes duchess (moulds of potato purée au gratin)	Pommes duchesse (rosettes de purée de pommes de terre au gratin)	Patatas a la duquesa (rosetas de puré de patatas gratinadas)	Herzogin-Kartoffeln (Spritzgebackenes aus Kartoffelpüree)
- farcite	Stuffed potatoes	Pomme de terre farcies	Patatas rellenas	Gefüllte Kartoffeln
- fiammifero (fritte)	Matchstick potatoes (fried)	Pommes de terre allumettes (frites)	Patatas cerilla (fritas)	Streichholzkartoffeln (fritiert)
- fondenti (al forno con brodo)	Tender creamy potatoes (baked with stock)	Pommes de terre fondantes (au four au bouillon)	Patatas fundentes (al horno con caldo)	Schmelzkartoffeln (im Ofen mit Brühe gegart)
- fritte	French-fried potatoes; French fries; chips	Frites; pommes frites	Patatas fritas	Pommes frites
- gratinate	Potatoes au gratin	Pommes de terre gratinées	Patatas gratinadas	Gratinierte Kartoffeln
- Lorette (soffici crocchette al formaggio)	Potatoes Lorette (fluffy croquettes with cheese)	Pommes Lorette (croquettes moelleuses au fromage)	Patatas Lorette (suaves croquetas con queso)	Lorette-Kartoffeln (zarte Kroketten mit Käse)
- novelle	New potatoes	Pommes de terre nouvelles	Patatas nuevas	Neue Kartoffeln
- paglia (fritte)	Straw potatoes (fried)	Pommes paille (frites)	Patatas paja (fritas)	Strohkartoffeln (fritiert)
- rosolate	Pan-fried potatoes	Pommes de terre sautées	Patatas doradas	Bratkartoffeln
- schiacciate al forno	Mashed & baked potatoes	Pommes de terre écrasées au four	Patatas aplastadas al horno	Im Ofen gebackenes Kartoffelmus
- tonde	Round potatoes	Pommes de terre rondes	Patatas redondas	Runde Kartoffeln
- Williams (crocchette a forma di pera)	Potatoes Williams (pear-shaped croquettes)	Pommes de terre Williams (croquettes en forme de poire)	Patatas Williams (croquetas con forma de pera)	Williams-Kartoffeln (birnenförmige Kroketten)
Peperonata	Pan-fried peppers, onions & tomatoes	Poêlée de poivrons, oignons et tomates	Estofado de pimientos, cebollas y tomates	Paprika, Zwiebeln u. Tomaten in der Pfanne

[1] USA: potato chips

VERDURE	VEGETABLES	LÉGUMES	VERDURAS	GEMÜSE
Peperoni	Peppers; sweet peppers	Poivrons	Pimientos	Paprikaschoten, *f*; Paprika, *inv*
- gialli	Yellow peppers	Poivrons jaunes	Pimientos amarillos	Gelber Paprika
- rossi	Red peppers	Poivrons rouges	Pimientos rojos	Roter Paprika
- sottaceto	Pickled peppers	Poivrons au vinaigre	Pimientos en vinagre	In Essig eingelegter Paprika
- verdi	Green peppers	Poivrons verts	Pimientos verdes	Grüner Paprika
Petali di rosa	Rose petals	Pétales de rose	Pétalos de rosa	Rosenblätter, *n*
Piatto vegetariano	Vegetarian meal	Assiette végétarienne	Plato vegetariano	Vegetarierteller
Pinzimonio	Raw vegetables with dip on the side	Crudités avec sauce à part	Verduras crudas con salsa aparte	Rohkostdip
Piselli	Peas	Petits pois	Guisantes	Erbsen, *f*
- alla fiorentina (con prosciutto)	Peas Florentine style (with ham)	Petits pois à la florentine (au jambon)	Guisantes a la florentina (con jamón)	Erbsen nach Florentiner Art (mit Schinken)
- alla francese (con lattuga)	Peas French style (with lettuce)	Petits pois à la française (à la laitue)	Guisantes a la francesa (con lechuga)	Erbsen nach französischer Art (mit Lattich)
- mangiatutto ► *Taccole*				
- novelli	New peas	Petits pois primeurs	Guisantes nuevos	Junge Erbsen
- secchi	Dried peas	Pois cassés	Guisantes secos	Getrocknete Erbsen
Polenta (farina di mais bollita)	Polenta (corn-meal porridge[1])	Polenta (farine de maïs bouillie)	Polenta (gacha de harina de maiz hervida)	Polenta (Maismehl-Brei)
- fritta	Fried polenta	Polenta frite	Polenta frita	Gebackene Polenta
Polpette di verdure fritte	Fried vegetable patties	Boulettes de légumes frites	Albóndigas de verduras fritas	Gebackene Gemüsebällchen, *n*
- di zucchine	Courgette[2] patties	Boulettes de courgettes	Albóndigas de calabacines	Zuchinibällchen, *n*
Pomodori	Tomatoes	Tomates, *f*	Tomates	Tomaten, *f*
- secchi sottolio	Dried tomatoes in oil	Tomates séchées à l'huile	Tomates secos en aceite	Getrocknete Tomaten, in Öl eingelegt
- sorpresa	Tomato surprise	Tomates surprise	Tomates a sorpresa	Überraschungs-Tomaten
Porcellana ► *Portulaca*				
Porri	Leeks	Poireaux	Puerros	Lauch; Porree, *inv*
Portulaca	Purslane	Pourpier, *m*	Verdolaga	Portulak, *m*
Prezzemolo	Parsley	Persil	Perejil	Petersilie, *f*
Primizie di verdure	Early vegetables	Légumes primeurs	Primicias de verduras	Frühgemüse, *n inv*
Primule	Primroses	Primevères	Velloritas	Primeln
Puntarelle	Salad of chicory hearts	Cœurs de chicorée en salade	Ensalada de corazones de achicoria	Zichorienherzsalat

[1] USA: corn-meal mush [2] USA: zucchini

VERDURE	VEGETABLES	LÉGUMES	VERDURAS	GEMÜSE
Punte di asparagi	Asparagus tips	Pointes d'asperges	Puntas de espárragos	Spargelspitzen
Purè di lenticchie	Lentil pureée	Purée (*f*) de lentilles	Puré de lentejas	Linsenpüree, *n*
- di patate	Mashed potatoes	Purée de pommes de terre	Puré de patatas	Kartoffelpüree
- di piselli	Pea purée	Purée de petits pois	Puré de guisantes	Erbsenpüree
Rabarbaro	Rhubarb	Rhubarbe, *f*	Rabárbaro	Rhabarber
Radicchio	Radicchio; red chicory	Salade de Trévise	Achicoria roja	Radicchio
Radici	Roots	Racines	Raíces	Wurzeln
Rafano ► *Cren o Ramolaccio*				
Ramolaccio	Daikon radish	Radis	Rábano	Rettich
Rape	Turnips	Navets, *m*	Nabos, *m*	Rüben
- farcite con erbe aromatiche	Turnips stuffed with aromatic herbs	Navets farcis aux fines herbes	Nabos rellenos con hierbas aromáticas	Mit Gewürzkräutern gefüllte Rüben
- rosse ► *Barbabietole*				
Raperonzolo [Raponzolo]	Rampion; bellflower	Raiponce, *f*	Rapónchigo	Rapunzelrübe, *f*
Ratatouille	Ratatouille	Ratatouille	Estofado de verduras variadas	Gemüsepfanne
Ravanelli	Radishes	Radis roses	Rabanillos	Radieschen, *n*
Riscoli	Glasswort; saltwort	Kali	Barrillas	Salzkraut, *n*
Roscano ► *Barba di frate*				
Rotolo di spinaci	Spinach roll	Roulé d'épinards	Rollo de espinacas	Spinatrolle, *f*
Rucola	Rocket	Roquette	Ruca	Rauke; Gartenrauke
- palustre	Yellow rocket[1]	Roquette des marais	Jaramago, *m*	Barbarakraut, *n*
Rutabaga ► *Navoni*				
Salsèfica ► *Scorzobianche*				
Sauté di verdure	Pan-fried vegetables	Sautés de légumes	Salteado de verduras	Sautiertes Gemüse, *n*
Scarola	Batavian endive	Scarole	Escarola	Eskariol, *m*
Scorzobianche	Goats beards; oyster plants	Salsifis, *m*	Escorzoblancas	Wiesenbocksbart, *m*
Scorzonere	Black salsifies; beach salsifies	Scorsenères; salsifis noirs	Escorzonegras	Schwarzwurzeln
Scrigno di sfoglia alle verdure	Vegetable pasty	Écrin feuilleté aux légumes	Cofre de hojaldre con verduras	Blätterteigpastete mit Gemüse
Sedano	Celery	Céleri	Apio	Sellerie
- rapa	Celeriac	Céleri-rave	Apio nabo	Knollensellerie
Segale	Rye	Seigle	Centeno, *m*	Roggen
Sesamo	Sesame	Sésame	Sésamo	Sesam

[1] USA: bitter winter-cress

VERDURE	VEGETABLES	LÉGUMES	VERDURAS	GEMÜSE
Sformato di patate	Potato pudding	Timbale de pommes de terre	Pudin de patatas	Kartoffelauflauf
- di spinaci	Spinach pudding	Timbale d'épinards	Pudin de espinacas	Spinatauflauf
Silene, germogli di	Catchfly shoots	Pousses de silène	Brotes de silene	Leimkrautsprossen
Soffioni ► *Tarassaco*				
Soia	Soy	Soja	Soja	Soja
Soncino [Songino] ► *Valerianella*				
Sottaceti	Mixed pickles	Légumes au vinaigre	Encurtidos	Mixed pickles
Soufflé di patate	Potato soufflé	Soufflé de pommes de terre	Suflé de patatas	Kartoffelsoufflé, *n*
Spiedini di verdure	Vegetable kebabs	Brochettes de légumes	Broquetas de verduras	Gemüse-Spieße
Spinaci	Spinach	Épinards	Espinacas, *f*	Spinat *m*
Spuma di cavolfiori	Cauliflower mousse	Mousse de choux-fleurs	Mousse de coliflor	Blumenkohl-Mousse
Stachys	Japanese artichokes	Crosnes du Japon; épiaire, *m*	Alcachofas de Japón; stachys	Knollenziest
Strudel di verdure	Vegetable strudel	Strudel de légumes	Rollo de hojaldre con verduras	Gemüse-Strudel
Taccole	Snow peas	Mange-tout, *m inv*	Bajocas	Zuckererbsen
Tarassaco	Dandelion	Pissenlit	Diente de león	Löwenzahn
Tartufo	Truffle	Truffe, *f*	Trufa, *f*	Trüffel, *f*
- bianco	White truffle	Truffe blanche	Trufa blanca	Weiße Trüffel
- nero	Black truffle	Truffe noire	Trufa negra	Schwarze Trüffel
Terrina di verdure	Vegetable terrine	Terrine de légumes	Tarrina de verduras	Gemüseterrine
Tetragonie	New Zealand spinach	Tétragones	Tetragonias	Neuseeländer Spinat, *m*
Topinambur	Jerusalem artichokes	Topinambour	Aguaturmas	Topinambur, *f*
Tortino caldo ai funghi	Warm mushroom pie	Petite tourte chaude de champignons	Pastel caliente de setas	Warmes Pilztörtchen, *n*
- di patate	Potato mould	Galette de pommes de terre	Pastel de patatas	Pikantes Kartoffeltörtchen, *n*
- di piselli	Pea mould	Galette de petits pois	Pastel de guisantes	Erbsentörtchen
Tuberi [Carciofi] del Giappone ► *Stachys*				
Tulipani	Tulips	Tulipes, *f*	Tulipanes	Tulpen, *f*
Valerianella	Corn salad	Valérianelle	Valerianella	Rapunzelsalat, *m*
Valigette di melanzane	Aubergine parcels	Paupiettes d'aubergines	Maletines de berenjenas	Auberginen-Pastetchen, *n*
Ventaglio di verdure al vapore	Fan of steamed vegetables	Éventail de légumes à la vapeur	Abanico de verduras al vapor	Fächer aus gedämpftem Gemüse
Verdure	Vegetables	Légumes, *m*	Verduras	Gemüse, *n*
- alla piastra	Grilled vegetables	Légumes sur la plaque	Verduras a la plancha	Gemüse vom Grill

VERDURE	VEGETABLES	LÉGUMES	VERDURAS	GEMÜSE
Verdure assortite	Assorted vegetables	Légumes assortis	Verduras variadas	Gemischtes Gemüse
- bollite	Boiled vegetables	Légumes bouillis	Verduras cocidas	Gekochtes Gemüse
- crude	Raw vegetables	Crudités	Verduras crudas	Rohkost, *f*
- di campo	Wild green vegetables	Salades des champs	Verduras verdes de campo	Feldblatt-Gemüse
- di stagione	Vegetables in season	Légumes de saison	Verduras del tiempo	Gemüse der Saison
- novelle	Fresh vegetables	Légumes primeurs	Verduras nuevas	Junges Gemüse
- sottaceto	Pickled vegetables	Légumes au vinaigre	Verduras en vinagre	In Essig eingelegtes Gemüse
- sottolio	Vegetables in oil	Légumes à l'huile	Verduras en aceite	In Öl eingelegtes Gemüse
- speziate	Spiced vegetables	Légumes épicés	Verduras con especias	Gemüse mit Gewürzen
Veronica	Drug speedwell	Véronique	Verónica	Ehrenpreis, *m*
Verza	Savoy cabbage	Chou de Milan, *m*	Verza	Wirsing, *m*
Violette	Violets	Violettes	Violetas	Veilchen, *n*
Vitalba, germogli di	Traveller's joy shoots; old man's beard shoots	Pousses de clématite	Brotes de climátide	Waldreben-Sprossen
Zucca	Pumpkin	Potiron, *m*	Calabaza	Kürbis, *m*
Zucchine [Zucchini]	Courgettes[1]	Courgettes	Calabacines, *m*	Zucchini

[1] USA: zucchini

PREPARAZIONI PER VERDURE	WAYS TO PREPARE VEGETABLES	PRÉPARATIONS DES LÉGUMES	FORMAS DE PREPARAR LAS VERDURAS	ZUBEREITUNG FÜR GEMÜSE
aglio, all'	with garlic	à l'aïl	con ajo	mit Knoblauch
agro, all'	sour~	à l'aigre	agrio*	sauer*
agrodolce, in	sweet & sour~	à l'aigre-doux	agridulce*	süß-sauer*
besciamella, alla	with bechamel sauce	en béchamelle	con bechamel	in Bechamelsauce
bollito	boiled~	bouilli*	hervido*	gekocht*
bordolese, alla (brasato con midollo)	Bordeaux style (braised with bone marrow)	à la bordelaise (braisé à la moelle)	a la bordolesa (braseado con médula)	nach Bordolaiser Art (mit Mark geschmort)
brasato	braised~	braisé*	braseado*	geschmort*
burro, al	with butter	au beurre	con mantequilla	mit Butter
burro fuso, al	with melted butter	au beurre fondu	con mantequilla fundida	mit zerlassener Butter
cartoccio, al	baked in foil	en papillote	en papillote	in Folie gebacken*
crema, alla	with cream	à la crème	con crema	in Rahmsauce
crostone, su	on toast	sur croûte	sobre costrón	auf Röstbrot
dorato (immerso nell'uovo e fritto)	dipped in beaten egg & fried	frit* à l'œuf	dorado* (pasado en huevo y frito)	in Ei gewendet* u. gebacken*
erbe aromatiche, alle	with aromatic herbs	aux fines herbes	con hierbas aromáticas	mit Gewürzkräutern
farcito	stuffed~; filled~	farci*	relleno*	gefüllt*
fiorentina, alla (farcito con spinaci e gratinato con salsa Mornay)	Florentine style (stuffed with spinach & broiled with Mornay sauce)	à la florentine (farci aux épinards et gratinés sauce Mornay)	a la florentina (relleno con espinacas y gratinado con salsa Mornay)	nach Florentiner Art (mit Spinatfüllung u. mit Mornay-Sauce gratiniert)
fondenti	tender creamy~	fondants	fundentes	Schmelz-
forma, in	moulded~	en moule	en molde	in der Form
forno, al	baked~	au four	al horno	im Ofen gebacken
francese, alla (con lattuga e cipolla)	French style (with lettuce & onion)	à la française (avec oignons et laitue)	a la francesa (con lechuga y cebolla)	nach französischer Art (mit Lattich u. Zwiebel)
fritto	fried~	frit*	frito*	gebraten[1]*; fritiert[2]*
funghetto, al	with tomato sauce & garlic	à la sauce tomate aïllée	con salsa de tomate y ajo	mit Tomatensauce u. Knoblauch
glassato	glazed~	glacé*	glaseado*	glasiert*
gratinato	au gratin; broiled~	gratiné*	gratinado*	gratiniert*; überbacken*
greca, alla (bollito con olio, limone ed erbe aromatiche)	Greek style (boiled with oil, lemon & aromatic herbs)	à la grecque (bouilli à l'huile, citron et fines herbes)	a la griega (cocido con aceite, limón y hierbas aromáticas)	auf griechische Art (mit Öl, Zitrone u. Gewürzkräutern gekocht)
griglia, alla	grilled~	sur le gril	a la parrilla	vom Grill; gegrillt*
inglese, all' (bollito e guarnito con burro)	English style (boiled & served with butter)	à l'anglaise (bouilli et servi avec du beurre)	a la inglesa (hervido* y aderezado con mantequilla)	nach englischer Art (gekocht u. mit Butter garniert)

[1] In padella [2] Nella friggitrice

PREPARAZIONI PER VERDURE	WAYS TO PREPARE VEGETABLES	PRÉPARATIONS DES LÉGUMES	FORMAS DE PREPARAR LAS VERDURAS	ZUBEREITUNG FÜR GEMÜSE
insalata, in	in a salad	en salade	en ensalada	-Salat
milanese, alla (con parmigiano, burro e uovo fritto)	Milanese style (with parmesan, butter & fried egg)	à la milanaise (avec parmesan, beurre et œuf sur le plat)	a la milanesa (con parmesano, mantequilla y un huevo frito)	nach Mailänder Art (mit Parmesan, Butter u. Spiegelei)
Mornay, alla (gratinato con salsa Mornay)	Mornay style (broiled with Mornay sauce)	Mornay (gratiné à la sauce Mornay)	Mornay (gratinado con salsa Mornay)	Mornay (mit Mornay-Sauce gratiniert)
olio, con	with oil	à l'huile	con aceite	mit Öl
padella, in	pan fried~	à la poêle; poêlé*	en la sartén	in der Pfanne; gebraten*
panna, alla	with cream	à la crème	con nata	mit Rahmsauce
parmigiana, alla	parmesan style	à la parmesane	a la parmesana	nach Parma-Art
pastella, in	battered~	en pâte à frire	en pasta para freír	in Tropfteig
piastra, alla	grilled~	sur la plaque	a la plancha	gegrillt*; vom Grill
polacca, alla (spolverato con uova sode tritate, prezzemolo e pangrattato)	Polish style (sprinkled with chopped boiled eggs, parsley & breadcrumbs)	à la polonaise (saupoudré d'œufs durs hachés, persil et chapelure)	a la polaca (espolvoreado con huevos duros picados, perejil y pan rallado)	nach polnischer Art (mit feingehackten harten Eiern, Petersilie u. Semmelbrösel bestreut)
pomodoro, al	with tomato sauce	à la tomate	con tomate	in Tomatensauce
prezzemolo, al	with parsley	au persil; persillé*	con perejil	mit Petersilie
prosciutto, al	with ham	au jambon	con jamón	mit Schinken
provenzale, alla (farcito con pane, prezzemolo, aglio e gratinato)	Provençal style (stuffed with bread, parsley, garlic & broiled)	à la provençale (farci au pain, persil, aïl et gratiné)	a la provenzal (relleno con pan, perejil, ajo y gratinado)	nach provenzalischer Art (mit Füllung aus Brot, Petersilie, Knoblauch u. überbacken)
purea, in	puréed~	en purée	en puré	-Püree; püriert*
ripieno	stuffed~; filled~	farci*	relleno*	gefüllt*
salsa di carne, in	with gravy	en demi-glace	con salsa de carne	in Fleischsauce
salsa di midollo, in	in bone marrow sauce	en sauce à la moelle	en salsa de médula	in Marksauce
salsa piccante, in	in a hot spicy sauce	en sauce piquante	en salsa picante	in scharfer Sauce
saltato	stir fried~; sautéed~	sauté*	salteado*	sautiert*; Schwenk-; geschwenkt*
sottolio	in oil	à l'huile	en aceite	in Öl eingelegt*
stampo, in	in a mould	au moule	en molde	in der Form
stufato	braised~	à l'étouffée	estofado*	geschmort*
trifolato	sautéed with garlic & parsley	sauté* à l'aïl et au persil	salteado* en ajo y perejil	mit Knoblauch u. Petersilie sautiert*
umido, in	stewed~	en sauce	guisado*	in Tomatensauce; in Sauce; gedünstet*
vapore, al	steamed~	à la vapeur	al vapor	in Dampf gegart*

SALUMI	PRESERVED MEATS	CHARCUTERIE	EMBUTIDOS	WURSTWAREN
Affettato misto	Cold cuts	Assiette de charcuterie	Embutidos mixtos	Gemischter Auschnitt
Bacon	Bacon	Bacon	Tocino ahumado	Bacon
Bresaola	Dry-salted beef	Viande sèche des Grisons	Cecina curada de vaca	Bündner Fleisch
- di cavallo	Dry-salted horse meat	Viande de cheval séchée	Cecina curada de caballo	Luftgetrocknetes Pferdefleisch
Cappello del prete	Sausage stuffed in pig skin & boiled	Chair à saucisse bouillie en couenne	Embutido en piel de cerdo y hervido	Kochwurst in Schweineschwarte
Coppa di testa	Pig head sausage	Fromage de tête	Embutido de cabeza de cerdo	Schweinskopf-Preßsack
Cotechino	Boiled salami	Saucisson bouilli	Salami hervido	Kochwurst
Insaccato di maiale	Dried cured pork	Saucisse de porc	Embutido de cerdo	Schweine-Preßsack
Lonza	Dried cured pork loin	Saucisson de longe de porc	Embutido de lombo de cerdo	Schweinskarree-Wurst
Mortadella	Mortadella	Mortadelle	Mortadela	Mortadella
Pancetta	Bacon	Lard	Tocino	Bauchspeck
- affumicata	Bacon	Lard fumé	Tocino ahumado	Geräucherter Bauchspeck
- arrotolata	Rolled bacon	Lard roulé	Tocino enrollado	Gerollter Bauchspeck
- stagionata	Matured bacon	Lard séché	Tocino curado	Abgehangener Bauchspeck
Prosciutto	Ham	Jambon	Jamón	Schinken
- cotto	Ham	Jambon cuit	Jamón de York	Gekochter Schinken
- crudo	Parma ham; raw ham	Jambon cru	Jamón serrano	Roher Schinken
- crudo dolce	Less salty raw ham	Jambon cru doux	Jamón jabugo	Milder roher Schinken
- di cervo	Venison raw ham	Jambon de cerf	Jamón de ciervo	Hirschschinken
- di cinghiale	Boar raw ham	Jambon de sanglier	Jamón de jabalí	Wildschweineschinken
- di daino	Fellow-deer raw ham	Jambon de daim	Jamón de gamo	Damhirschschinken
- di montagna	Mountain ham	Jambon de montagne	Jamón de monte	Gebirgsschinken
- di Parma	Parma ham	Jambon de Parme	Jamón de Parma	Parma-Schinken
- locale	Local ham	Jambon local	Jamón del país	Heimischer Schinken
Salame	Salami	Saucisson	Salami; salchichón	Salami
- all'aglio	Garlic salami	Saucisson à l'aïl	Salami con ajo	Knoblauchsalami
- cotto	Cooked salami	Saucisson cuit	Salami cocido	Kochwurst
- d'oca	Goose salami	Saucisson d'oie	Salami de ganso	Gänsesalami
- di Milano	Salami Milano style	Saucisson de Milan	Salami de Milán	Mailänder Salami
- fresco	Fresh salami	Saucisson frais	Salami fresco	Frische Salami
- ungherese	Hungarian salami	Saucisson hongrois	Salami de Hungría	Ungarische Salami
Salamino fresco	Small fresh salami	Petit saucisson frais	Salamín fresco	Kleine frische Salami

SALUMI	PRESERVED MEATS	CHARCUTERIE	EMBUTIDOS	WURSTWAREN
Salsiccia	Sausage	Saucisse	Salchicha	Wurst
- di cavallo	Horse-meat sausage	Saucisse de cheval	Salchicha de caballo	Pferdewurst
- di cinghiale	Boar-meat sausage	Saucisse de sanglier	Salchicha de jabalí	Wildschweinewurst
- di fegato	Liver sausage	Saucisse de foie	Salchicha de hígado	Leberwurst
- secca	Dried sausage	Saucisse sèche	Salchicha curada	Luftgetrocknete Wurst
Salumi assortiti	Assortment of cured meats; cold cuts	Charcuterie assortie	Embutidos mixtos	Gemischte Wurstwaren
- di produzione propria	Home-made cured meats	Charcuterie maison	Embutidos de producción propia	Wurstwaren aus eigener Metzgerei
Sanguinaccio	Black pudding	Boudin noir	Morcilla	Blutwurst
Selezione di salumi locali	Selection of local cured meats	Choix de charcuterie locale	Variedad de embutidos del país	Auswahl an heimischen Wurstsorten
Speck	Smoked ham	Jambon fumé	Jamón ahumado, speck	Schinkenspeck
Würstel	Frankfurter; hot-dog	Saucisse de Francfort	Wurstel	Bratwurst[1]; Bockwurst oder Siedewurst[2]
- di fegato	Liver frankfurter	Saucisse de foie	Wurstel de hígado	Leberwurst
Zampone	Zampone (pork sausage stuffed in a boned pig trotter & boiled)	Zampone (chair à saucisse bouillie dans un pied de porc évidé)	Zampone (embutido en pata de cerdo y cocido)	Zampone (Kochwurst in der Haut eines Schweinefußes)

[1] Cotto in padella o alla griglia [2] Bollito

FORMAGGI	CHEESE	FROMAGES	QUESOS	KÄSE
Formaggi al carrello	Cheese from the trolley	Fromages du chariot	Quesos del carrito	Käse vom Servierwagen
- assortiti	Assorted cheese	Fromages assortis	Quesos surtidos	Gemischte Käseplatte
Formaggio	Cheese	Fromage	Queso	Käse
- a crosta fiorita	White-rind cheese	Fromage à croûte fleurie	Queso con costra florecida	Weißschimmelkäse
- affumicato	Smoked cheese	Fromage fumé	Queso ahumado	Räucherkäse
- alla piastra	Grilled cheese	Fromage sur le gril	Queso a la plancha	Käse vom Grill
- alle erbe	Herb cheese	Fromage aux herbes	Queso con hierbas	Kräuterkäse
- alle noci	Cheese with walnuts	Fromage aux noix	Queso con nueces	Walnußkäse
- da spalmare	Cheese spread	Fromage à tartiner	Queso para untar	Streichkäse
- di bufala	Buffalo's cheese	Fromage de bufflonne	Queso de búfala	Büffelkäse
- di capra	Goat's cheese	Fromage de chèvre	Queso de cabra	Ziegenkäse
- di pecora	Ewe's cheese	Fromage de brebis	Queso de oveja	Schafskäse
- duro	Hard cheese	Fromage dur	Queso duro	Hartkäse
- erborinato	Blue-cheese	Fromage persillé	Queso con mohos	Blauschimmelkäse
- fresco	Fresh cheese	Fromage frais	Queso fresco	Frischkäse
- fresco alle erbe aromatiche	Fresh cheese with herbs	Fromage frais aux fines herbes	Queso fresco con hierbas aromáticas	Frischkäse mit Gewürzkräutern
- fuso	Melted cheese	Fromage fondu	Queso fundido	Geschmolzener Käse
- grattugiato	Grated cheese	Fromage râpé	Queso rallado	Geriebener Käse
- morbido	Soft cheese	Fromage moelleux	Queso blando	Weichkäse
- semiduro	Medium hard cheese	Fromage demi-dur	Queso semiduro	Halbhartkäse
- sottolio	Cheese in oil	Fromage conservé dans l'huile	Queso en aceite	In Öl eingelegter Käse
- stagionato	Matured cheese	Fromage affiné	Queso curado	Reifer Käse
- vaccino	Cow's cheese	Fromage de vache	Queso de vaca	Käse aus Kuhmilch

Appenzeller (formaggio svizzero con gusto e profumo accentuati)	(Swiss cheese with strong taste & aroma)	(fromage suisse au goût et au parfum prononcés)	(queso suizo con sabor y olor fuertes)	(Schweizer Käse mit kräftigem Geschmack u. Geruch)
Asiago (formaggio vaccino veneto)	(cow's cheese from Veneto)	(fromage de vache de Vénétie)	(queso de vaca de la región Véneta)	(Kuhmilch-Käse aus Venetien)
Bel Paese (formaggio dolce e morbido)	(mild & soft cheese)	(fromage doux et moelleux)	(queso dulce y blando)	(milder Weichkäse)
Brie (formaggio molle con crosta fiorita)	(very soft cheese with a white rind)	(fromage mou à croûte fleurie)	(queso muy blando con costra florecida)	(sehr weicher Weißschimmelkäse)

FORMAGGI	CHEESE	FROMAGES	QUESOS	KÄSE
Brôs o brüs (crema di formaggi fermentati e aromatizzati)	(creamed fermented cheese with herbs)	(crème de fromages fermentés et aromatisés)	(crema de quesos fermentados y aromatizados)	(Käsecreme aus fermentierten u. gewürzten Käsesorten)
Caciocavallo (formaggio dell'Italia meridionale a pasta filata)	(kneaded-paste cheese from Southern Italy)	(fromage à pâte filée de l'Italie du Sud)	(queso de textura filamentosa del Sur de Italia)	(süditalienischer Käse, der Fäden zieht)
Caciotta (formaggio dolce e morbido)	(mild & soft cheese)	(fromage doux et moelleux)	(queso dulce y blando)	(milder Weichkäse)
Caprino	(fresh goat's cheese)	Chèvre frais	(queso fresco de cabra)	(frischer Ziegenkäse)
Casatella (formaggio fresco e dolce)	(fresh & mild cheese)	(fromage frais et doux)	(queso fresco y dulce)	(milder Frischkäse)
Crescenza (formaggio fresco e molle)	(very soft & fresh cheese)	(fromage frais et coulant)	(queso fresco muy blando)	(sehr weicher Frischkäse)
Fonduta di formaggio	Cheese fondue	Fondue de fromage	Queso fundido	Käsefondue
Fontal (formaggio dolce semiduro)	(mild medium hard cheese)	(fromage doux et demi-dur)	(queso dulce semiduro)	(milder halbweicher Käse)
Fontina (formaggio valdostano morbido con gusto e profumi accentuati)	(soft cheese from Aosta Valley, with strong flavour & aroma)	(fromage valdôtain moelleux au goût et au parfum prononcés)	(queso blando del Valle de Aosta con sabor y olor fuertes)	(Weichkäse aus dem Aosta-Tal, mit kräftigem Geschmack u. Geruch)
Formaggio olandese	Edam cheese	Fromage de Hollande	Queso de bola	Holländischer Käse
Gorgonzola (formaggio erborinato)	(blue-cheese)	(fromage persillé)	(queso con mohos)	(Blauschimmelkäse)
Grana (formaggio tipo parmigiano)	(type of parmesan)	(genre de parmesan)	(tipo parmesano)	(Art Parmesan)
Groviera	Gruyère cheese	Gruyère	Gruyere	Gruyère
Mascarpone (formaggio cremoso e dolce)	(creamy & mild cheese)	(fromage onctueux et doux)	(queso cremoso y dulce)	(milder, cremiger Käse)
Mozzarella	Mozzarella	Mozzarelle	Mozzarella	Mozzarella
- di bufala	Buffalo's milk mozzarella	Mozzarelle de bufflonne	Mozzarella de búfala	Mozzarella aus Büffelmilch
Parmigiano	Parmesan cheese	Parmesan	Parmesano	Parmesan
Pecorino	Ewe's cheese	Tomme de brebis	Queso de oveja	Schafskäse
- romano (piccante)	Roman sharp ewe's cheese	Tomme de brebis forte	Queso romano picante de oveja	Römischer Schafskäse (sehr kräftig)
Provolone (formaggio a pasta filata)	(kneaded-paste cheese)	(fromage à pâte filée)	(queso de textura filamentosa)	(Käse, der Fäden zieht)
Quark (formaggio molle di gusto dolce-acidulo)	(very soft cheese with a mild, slightly acid taste)	Fromage blanc	(queso muy blando con sabor dulce-acídulo)	Quark

FORMAGGI	CHEESE	FROMAGES	QUESOS	KÄSE
Quartirolo (formaggio aromatico di gusto amarognolo)	(aromatic cheese with a slightly bitter taste)	(fromage aromatisé au léger goût amer)	(queso aromático de sabor ligeramente amargo)	Würziger Käse mit leicht bitterem Geschmack
Ricotta (formaggio fresco di siero di latte)	(fresh cheese from milk whey)	(fromage blanc de petit lait)	Requesón	Quarksorte (Frischkäse aus Molke)
- affumicata	Smoked ricotta	Ricotta fumée	Requesón ahumado	Geräucherter Ricotta
- di pecora	Ewe's ricotta	Ricotta de brebis	Requesón de oveja	Schafs-Ricotta
Roquefort (formaggio ovino erborinato)	(blue-cheese from ewe's milk)	Roquefort	(queso de oveja mohoso)	(Blauschimmelkäse aus Schafsmilch)
Scamorza (formaggio a pasta filata)	(kneaded paste cheese)	(fromage à pâte filée)	(queso de textura filamentosa)	(Käse, der Fäden zieht)
- affumicata	Smoked scamorza	Scamorza fumée	Scamorza ahumada	Geräucherter Scamorza
Soufflé di formaggio	Cheese soufflé	Soufflé au fromage	Soufflé de queso	Käsesoufflé
Stracchino (formaggio fresco molto molle)	(very soft & fresh cheese)	(fromage frais très coulant)	(queso fresco muy blando)	(sehr weicher Frischkäse)

IL FORMAGGIO È...	CHEESE IS...	LE FROMAGE EST...	EL QUESO ES...	DER KÄSE IST...
affumicato	smoked	fumé	ahumado	geräuchert
aromatico	aromatic	aromatisé	aromático	würzig
conservato in olio con aromi	preserved in oil with herbs	à l'huile et aux arômes	conservado en aceite con aromas	in Öl u. mit Gewürzen eingelegt
cremoso	creamy	crémeux	cremoso	cremig
crosta fiorita, a	with white rind	à croûte fleurie	con costra florecida	Weißschimmelkäse
duro	hard	dur	duro	hart
estero	foreign	étranger	extranjero	ausländisch
fresco	fresh	frais	fresco	frisch
friabile	crumbly	friable	friable	mürbe
grasso	fat	gras	graso	fetthaltig
gusto accentuato, di	with a strong taste	au goût accentué	de sabor fuerte	mit kräftigem Geschmack
gusto acidulo, di	with a slightly acid taste	au goût acidulé	de sabor acídulo	mit säuerlichem Geschmack
gusto amarognolo, di	with a slightly bitter taste	au goût légèrement amer	de sabor ligeramente amargo	mit leicht bitterem Geschmack
gusto delicato, di	with a delicate taste	au goût délicat	de sabor delicado	mit dezentem Geschmack
gusto dolce, di	with a mild taste	au goût doux	de sabor dulce	mit mildem Geschmack
gusto piccante, di	with a sharp taste	au goût fort	de sabor picante	mit sehr kräftigem Geschmack
gustoso	tasty	savoureux	sabroso	schmackhaft
latte di bufala, di	from buffalo's milk	de lait de bufflonne	de leche de búfala	aus Büffelmilch
latte di capra, di	from goat's milk	de lait de chèvre	de leche de cabra	aus Ziegenmilch
latte di pecora, di	from ewe's milk	de lait de brebis	de leche de oveja	aus Schafsmilch
latte di vacca, di	from cow's milk	de lait de vache	de leche de vaca	aus Kuhmilch
locale	local	local	del país	heimisch
magro	low fat	maigre	magro	mager
molle	very soft	mou; coulant	muy blando	sehr weich
morbido	soft	moelleux	blando	weich
muffa, con	with mould	à moisissure	mohoso	Schimmelkäse
nazionale	national	de notre pays	nacional	aus unserem Land
pasta filata, a	with a kneaded paste	à pâte filée	de textura filamentosa	Käse, der Fäden zieht
pressato	pressed	pressé	prensado	gepreßt
profumo accentuato, con	with a strong aroma	au parfum accentué	con olor fuerte	mit kräftigem Geruch
profumo delicato, con	with a delicate aroma	au parfum délicat	con olor delicado	mit delikatem Geruch

IL FORMAGGIO È...	CHEESE IS...	LE FROMAGE EST...	EL QUESO ES...	DER KÄSE IST...
ricoperto di bucce d'uva	covered with grape peel	à croûte de peaux de raisin	cubierto con pellejos de uva	mit Traubenschalenbelag
ricoperto di cenere	covered with cinders	cendré	cubierto con ceniza	mit Aschenbelag
ricoperto di muffa	covered with mould	à croûte moisie	cubierto con moho	Schimmelkäse
semiduro	medium hard	demi-dur	semiduro	halbhart
semimorbido	medium soft	demi-mou	semiblando	halbweich
spalmabile	spreadable	à tartiner	para untar	Streichkäse
stagionato	mature	affiné	curado	reif
tipico	characteristic; typical	typique	típico	typisch

DOLCI	SWEETS	DESSERTS	POSTRES	SÜSSPEISEN
Amaretti	Macaroons (almond biscuits[1])	Biscuits secs aux amandes	Mostachones	Mandelmakronen
Anelli alle mandorle	Almond rings	Anneaux aux amandes	Anillos de almendras	Mandelringe
Arance ripiene	Stuffed oranges	Oranges fourrées	Naranjas rellenas	Gefüllte Orangen
Aspic di fragole	Strawberries in aspic	Aspic de fraises	Aspic de fresas	Erdbeeren in Aspik
Babà al rum (piccolo dolce lievitato a forma di fungo)	Rum baba (small leavened cake shaped like a mushroom)	Baba au rhum (gâteau de pâte levée en forme de champignon)	Borracho de ron (pequeño dulce leudado con forma de hongo)	Rum-Baba (kleines Hefeteiggebäck in Pilzform)
Baci di dama (pasticcini di pasta frolla con mandorle)	Lady's kisses (almond pastries)	Baisers de dame (petits gâteaux de pâte brisée aux amandes)	Besos de dama (pastelitos de pastaflora con almendras)	Damenküsse (Mürbeteiggebäck mit Mandeln)
Barchette alla frutta	Oval tartlets with fruit	Barquettes aux fruits	Barquitas de fruta	Fruchtschiffchen
Bastoncini al cioccolato	Chocolate-fingers	Bâtonnets au chocolat	Bastoncitos de chocolate	Schokoladenstäbchen
Bavarese (crema, panna montata e gelatina)	Bavarian cream (cold custard mixed with whipped cream & jelly)	Bavaroise (crème, crème fouettée et gélatine)	Crema bávara (crema, nata batida y gelatina)	Bayrische Creme (Creme, Schlagsahne u. Gelee)
- al cioccolato	Chocolate bavarian cream	Bavaroise au chocolat	Crema bávara de chocolate	Bayrische Creme mit Schokolade
- alla vaniglia	Vanilla Bavarian cream	Bavaroise à la vanille	Crema bávara de vainilla	Bayrische Creme mit Vanille
Berlinesi ► *Krapfen*				
Biancomangiare (budino di latte di mandorle)	Blancmange (almond-milk pudding)	Blanc-manger (crème renversée au lait d'amandes)	Manjar blanco (pudín de leche de almendras)	Blancmanger (Mandelmilch-Pudding)
Bignè	Profiteroles	Choux	Lionesas	Windbeutel
- alla crema	Custard profiteroles	Choux à la crème	Lionesas de crema	Windbeutel mit Creme
- allo zabaione	Egg-nog profiteroles	Choux au sabayon	Lionesas de sabayón	Windbeutel mit Zabaione (Eierlikörcreme)
- con mousse di torrone	Nougat-mousse profiteroles	Choux à la mousse de nougat	Lionesas con mousse de turrón	Windbeutel mit Nougat-Mousse
Biscotti	Biscuits[1]	Biscuits	Galletas; bizcochos	Kekse; Plätzchen; Gebäck
- al cucchiaio ► *Savoiardi*				
- alla cannella	Cinnamon biscuits	Biscuits à la cannelle	Bizcochos de canela	Zimtplätzchen
- alle ciliege	Cherry biscuits	Biscuits aux cerises	Bizcochos de cerezas	Kirschplätzchen
- alle mandorle	Almond biscuits	Biscuits aux amandes	Bizcochos de almendras	Mandelplätzchen
- croccanti	Crunchy biscuits	Biscuits croquants	Galletas crujientes	Knusperplätzchen
- da tè	Tea biscuits	Biscuits à thé	Galletas para el té	Teegebäck

[1] USA: cookies

DOLCI	SWEETS	DESSERTS	POSTRES	SÜSSPEISEN
Biscotti di farina biologica	Organic-flour biscuits	Biscuits à la farine biologique	Galletas de harina biológica	Bio-Kekse
- di pasta frolla	Short-pastry biscuits	Biscuits de pâte brisée	Bizcochos de pastaflora	Mürbeteigplätzchen
- integrali	Wholemeal biscuits	Biscuits à la farine intégrale	Galletas integrales	Vollkornkekse
- natalizi	Christmas biscuits	Biscuits de Noël	Bizcochos de Navidad	Weihnachtsplätzchen
- secchi	Dry biscuits	Biscuits secs	Galletas	Kekse; Gebäck
Biscottini assortiti	Assorted biscuits	Gâteaux secs assortis	Bizcochos surtidos	Gebäckmischung
Biscotto arrotolato	Swiss roll	Biscuit roulé	Brazo de gitano	Biskuitrolle
- ghiacciato	Iced biscuit	Biscuit glacé	Bizcocho helado	Gefrorener Biskuit
Bocconcini al cioccolato	Chocolate bites	Bouchées au chocolat	Bocaditos de chocolate	Schokoladenplätzchen
Bomba gelato (gelato a forma di cono)	Bombe (cone-shaped ice cream)	Bombe glacée (glace en forme de cône)	Bomba de helado (helado de forma cónica)	Eisbombe (kegelförmiges Eis)
Bombolone alla crema	Doughnut with custard filling	Pet de nonne (beignet farci à la crème)	Buñuelo de crema	Krapfen mit Cremefüllung
Brioche	Brioche	Brioche	Cruasán	Brioche
- alla crema	Cream-filled brioche	Brioche à la crème	Cruasán de crema	Brioche mit Cremefüllung
- alla marmellata	Jam-filled brioche	Brioche à la confiture	Cruasán de mermelada	Brioche mit Marmeladefüllung
Budino	Pudding	Crème renversée	Pudin	Pudding
- caramellato alle pere	Caramelized pear pudding	Crème renversée caramélisée aux poires	Pudin acaramelado de peras	Birnenpudding mit Karamel
- di cioccolato	Chocolate pudding	Crème renversée au chocolat	Pudin de chocolate	Schokoladenpudding
- di pane	Bread pudding	Flan au pain	Pudin de pan	Brotpudding
- di pesche	Peach pudding	Crème renversée aux pêches	Pudin de melocotones	Pfirsichpudding
- di riso	Rice pudding	Gâteau de riz	Pudin de arroz	Reispudding
- diplomatico (con crema inglese, frutta candita e savoiardi)	Cabinet pudding (with custard, candied fruits & sponge biscuits[1])	Diplomate (crème renversée à la crème anglaise, fruits confits, biscuits à la cuillère)	Pudin diplomático (con crema inglesa, fruta confitada y soletillas)	Diplomatenpudding (aus Englischer Creme, kandierten Früchten u. Löffelbiskuits)
Bugie ► *Cenci*				
Cannolo [Cannoncino]	Puff-pastry cornet with custard filling	Sacristain	Canuto [Canutillo] con crema	Schillerlocke (kleines kegelförmiges Blätterteiggebäck mit Cremefüllung)

[1] USA: lady-fingers

DOLCI	SWEETS	DESSERTS	POSTRES	SÜSSPEISEN
Cannoli siciliani (con ricotta e canditi)	Sicilian cornets (with ricotta cheese & candied fruit)	Cornets siciliens (à la ricotta et aux fruits confits)	Canutos sicilianos (con requesón y fruta confitada)	Sizilianische Waffelrollen (mit Füllung aus Ricotta u. kandierten Früchten)
Cantuccini (biscotti secchi con mandorle)	Cantuccini (dry biscuits with almonds)	Cantuccini (biscuits croquants aux amandes)	Cantuccini (bizcochos secos con almendras)	Cantuccini (trockenes Gebäck mit Mandeln)
Caramelle	Sweets; candies	Bonbons	Caramelos	Bonbons
- al latte	Milk sweets	Bonbons au lait	Caramelos de leche	Milchbonbons
- al miele	Honey sweets	Bonbons au miel	Caramelos de miel	Honigbonbons
- alla frutta	Fruit sweets	Bonbons aux fruits	Caramelos de fruta	Fruchtbonbons
Cassata (gelato a strati farcito con frutta candita e panna)	Cassata (layers of ice cream with a heart of candied fruit & cream)	Cassate (glace aux fruits confits et à la crème)	Cassata (helado a capas relleno con fruta confitada y nata)	Cassata (Schichteis mit kandierten Früchten u. Sahne)
- siciliana (dolce farcito con ricotta, cioccolata e frutta candita)	Sicilian cassata (sponge cake filled with ricotta, chocolate & candied fruit)	Cassate sicilienne (gâteau fourré de ricotta, chocolat et fruits confits)	Cassata siciliana (dulce relleno con requesón, chocolate y fruta confitada)	Sizilianische Cassata (Kuchen, gefüllt mit Ricotta, Schokolade u. kandierten Früchten)
Castagnaccio (dolce di farina di castagne)	Chestnut-flour cake	Galette de farine de châtaignes	Dulce de harina de castañas	Kuchen aus Kastanienmehl
Cenci (dolci di Carnevale fritti, sottili e friabili)	Carnival knots (light & crumbly fried dough ribbons)	Conversations(gâteaux de carnaval frits et légers)	Charlas (dulces de carnaval fritos, delgaditos y friables)	Scherben (fritiertes Karnevalsgebäck, sehr fein u. mürbe)
Cestini di pasta frolla con frutta secca	Short-pastry baskets with dried fruit	Nids sablés aux fruits secs	Cestitas de pasta flora con fruta seca	Mürbeteig-Körbchen mit Dörrobst
- di sfoglia alla frutta	Puff-pastry baskets with fruit	Nids feuilletés aux fruits	Cestitas de hojaldre con fruta	Blatterteig-Körbchen mit Früchten
Charlotte (bavarese ricoperta con savoiardi)	Charlotte (Bavarian cream enclosed in sponge biscuits[1])	Charlotte (bavaroise recouverte de biscuits à la cuillère)	Carlota (crema bávara cubierta con soletillas)	Charlotte (Bayrische Creme in Biskuithülle)
Chiacchere ► *Cenci*				
Cialda	Waffle	Gaufre	Barquillo	Waffel
Cialde all'uvetta	Raisin waffles	Gaufres aux raisins secs	Barquillos de pasas	Rosinen-Waffeln
- alla vaniglia	Vanilla waffles	Gaufres à la vanille	Barquillos de vainilla	Vanille-Waffeln
Ciambella	Ring cake	Savarin	Roscón	Napfkuchen
- alle mandorle	Almond ring cake	Savarin aux amandes	Roscón de almendras	Mandelnapfkuchen
Cigni alla crema	Swan-shaped profiteroles	Cygnes à la crème	Cisnes de pasta de lionesa con crema	Schwäne aus Brandteig mit Creme

[1] USA: lady-fingers

DOLCI	SWEETS	DESSERTS	POSTRES	SÜSSPEISEN
Cioccolatini	Chocolates	Chocolats	Chocolatines	Pralinen
Cioccolato	Chocolate	Chocolat	Chocolate	Schokolade
- al latte	Milk chocolate	Chocolat au lait	Chocolate de leche	Milchschokolade
- amaro	Bitter chocolate	Chocolat amer	Chocolate amargo	Bittere Schokolade
- bianco	White chocolate	Chocolat blanc	Chocolate blanco	Weiße Schokolade
- fondente	Pure chocolate[1]	Chocolat fondant	Chocolate de hacer	Kuvertüre; Schmelzschokolade
- fuso	Melted chocolate	Chocolat fondu	Chocolate derretido	Geschmolzene Schokolade
Cofanetti di sfoglia con crema di cioccolato	Puff-pastry cases with chocolate cream	Friands à la crème au chocolat	Cofres de hojaldre con crema de chocolate	Blätterteigkörbchen mit Schokoladencreme
Colomba pasquale (dolce lievitato)	Easter dove (leavened cake)	Colombe de Pâques (gâteau levé)	Paloma pascual (dulce de pasta leudada)	Ostertaube (Hefeteigkuchen)
Confetti	Sugar-coated sweets	Dragées	Confites	Dragées
- di cioccolato	Sugar-coated chocolates	Dragées au chocolat	Confites de chocolate	Schokoladendragées
- di mandorle	Sugar-coated almonds	Dragées aux amandes	Confites de almendras	Mandelkonfekt
Coppa gelato	Ice-cream sundae	Coupe de glace	Copa de helado	Eisbecher
Cornetto	Croissant	Croissant	Cruasán; medialuna	Hörnchen; Croissant
Corona di Francoforte (farcita e ricoperta di crema di burro)	Frankfurt ring (filled & covered with butter cream)	Couronne de Francfort (farcie et recouverte de crème au beurre)	Corona de Frankfurt (rellena y cubierta con crema de manteca)	Frankfurter Kranz (mit Buttercreme gefüllt u. überzogen)
- di Natale	Christmas crown	Couronne de Noël	Corona de Navidad	Weihnachtskranz
Crema	Custard; cream	Crème; coulis[2]	Crema	Creme
- al cioccolato	Chocolate custard	Crème au chocolat	Crema de chocolate	Schokoladencreme
- al mascarpone	Cheese custard	Crème au mascarpone	Crema con queso mascarpone	Mascarpone-Creme
- alla vaniglia	Vanilla custard	Crème à la vanille	Natillas	Vanillecreme
- bavarese ► *Bavarese*				
- bruciata	Broiled custard	Crème brûlée	Crema quemada	Gebrannte Creme
- chantilly	Chantilly cream (whipped cream)	Crème chantilly	Crema chantilly	Schlagsahne
- di burro	Butter cream	Crème au beurre	Crema de manteca	Buttercreme
- di burro al cioccolato	Chocolate butter cream	Crème au beurre au chocolat	Crema de manteca con chocolate	Schokoladen-Buttercreme
- di fragole	Strawberry custard	Crème aux fraises; coulis de fraises[3]	Crema de fresas	Erdbeercreme
- fritta	Custard fritters	Crème frite	Crema frita	Gebackene Creme

[1] USA: semi-sweet chocolate [2] Fatta di sola frutta fresca [3] Fatta di sole fragole

DOLCI	SWEETS	DESSERTS	POSTRES	SÜSSPEISEN
Crema gratinata con frutta	Broiled custard with fruit	Crème gratinée aux fruits	Crema gratinada con fruta	Mit Früchten gratinierte Creme
- inglese	Custard	Crème anglaise	Natillas	Englische Creme
- pasticcera	Pastry cream	Crème pâtissière	Crema pastelera	Konditorcreme
Crème caramel	Crème caramel	Crème caramel	Flan	Karamelcreme
Crêpes Suzette (cotte con succo d'arancia e liquore)	Crêpes Suzette (cooked with orange juice & liqueur)	Crêpes Suzette (cuite au jus d'orange et à la liqueur)	Crepes Suzette (cocidas con zumo de naranja y licor)	Crêpes Suzette (mit Orangensaft u. Likör gebacken)
Crespelle ai fichi	Crêpes filled with figs	Crêpes aux figues	Crepes de higos	Crêpes mit Feigen
- alla fiamma	Crêpes flambées	Crêpes flambées	Crepes flameadas	Flambierte Crêpes
- alla marmellata	Crêpes filled with jam	Crêpes à la confiture	Crepes de mermelada	Crêpes mit Marmelade
- alle pesche con salsa di ribes	Peach-filled crêpes in currant sauce	Crêpes aux pêches au coulis de groseilles	Crepes de melocotones con salsa de grosellas	Pfirsich-Crêpes mit Johannisbeersauce
- di castagne in salsa d'arancia	Chestnut-flavoured crêpes with orange sauce	Crêpes de châtaignes en sauce à l'orange	Crepes de castañas con salsa de naranja	Maronencrêpes in Orangensauce
- dolci	Sweet crêpes	Crêpes sucrées	Crepes dulces	Süße Crêpes
- soffiate	Puffed crêpes	Crêpes soufflées	Crepes sufflé	Soufflé-Crêpes
Croccante	Crunchy nougat	Croquant	Crocante	Krokant
- di mandorle	Almond crunchy nougat	Croquant aux amandes	Crocante de almendras	Mandelkrokant
- di nocciole	Hazelnut crunchy nougat	Croquant aux noisettes	Crocante de avellanas	Haselnußkrokant
Crocchette di castagne	Chestnut croquettes	Croquettes de châtaignes	Croquetas de castañas	Kastanienkroketten
- di riso	Rice croquettes	Croquettes de riz	Croquetas de arroz	Reiskroketten
Crostata	Tart	Tarte	Tarta	Mürbeteigkuchen
- di farina di castagne con salsa di mele	Chestnut-flour tart with apple sauce	Tarte de farine de châtaignes à la purée de pommes	Tarta de harina de castañas con salsa de manzanas	Kuchen aus Kastanienmehl mit Apfelsauce
- di frutta	Fruit tart	Tarte aux fruits	Tarta de frutas	Obstkuchen
- di mele	Apple tart	Tarte aux pommes	Tarta de manzanas	Apfelkuchen
- Tatin (crostata calda di mele coperta di caramello e guarnita con panna)	Tart Tatin (warm apple tart covered with caramel & garnished with cream)	Tarte Tatin (aux pommes, caramélisée, servie chaude avec de la crème fraîche)	Tarta Tatin (torta caliente de manzanas acaramelada con guarnición de nata)	Tatin-Mürbeteigkuchen (warmer Apfelkuchen, mit Karamel überzogen u. mit Schlagsahne garniert)
- tiepida di albicocche	Warm apricot tart	Tarte tiède aux abricots	Tarta templada de albaricoques	Warmer Aprikosenkuchen
Crostatina al rabarbaro	Rhubarb tartlet	Tartelette à la rhubarbe	Tartita de rabárbaro	Kleiner Rhabarberkuchen
Cubetti al caffè	Coffee cubes	Petits cubes au café	Cubitos de café	Mokkawürfel

DOLCI	SWEETS	DESSERTS	POSTRES	SÜSSPEISEN
Cuori di cioccolato	Chocolate hearts	Cœurs en chocolat	Corazones de chocolate	Schokoladenherzen
Dadi al cacao	Cocoa squares	Dés au cacao	Dados de cacao	Kakaowürfel
Dolce	Cake; dessert	Gâteau	Dulce	Süßspeise; Torte; Dessert; Kuchen
- di farina di grano e mais	Flour & cornmeal cake	Gâteau de farine de blé et maïs	Dulce de harina de trigo y maíz	Weizen- u. Maismehlkuchen
- di pasta lievitata	Leavened cake	Gâteau de pâte levée	Dulce de pasta leudada	Hefekuchen
- dietetico	Low calory cake	Gâteau diététique	Dulce dietético	Diät-Süßspeise
- ipocalorico	Low-calory cake	Gâteau allégé	Dulce hipocalórico	Kalorienarme Süßspeise
Dolci al carrello	Dessert trolley	Desserts du chariot	Dulces del carrito	Desserts vom Servierwagen
Éclairs (bignè allungati)	Eclairs (oblong profiteroles)	Éclairs	Eclairs (lionesas de forma alargada)	Eclairs (längliche Windbeutel)
- al caffè	Coffee eclairs	Éclairs au café	Eclairs de café	Eclairs mit Mokka-Füllung
Fagottini di albicocche	Apricot turnovers	Aumonières aux abricots	Pastelitos de albaricoque	Aprikosentaschen
Fagottino alle mele	Apple turnover	Aumonière aux pommes	Pastelito con manzanas	Apfeltasche
Fetta di torta	Slice of cake	Tranche de gâteau	Trozo de tarta	Stück Torte
Fichi glassati con crema	Glazed figs with custard	Figues glacées à la crème	Higos glaseados con crema	Glasierte Feigen mit Creme
Frappe ► *Cenci*				
Frittelle	Fritters	Beignets	Buñuelos	Beignets
- di fichi con salsa di mirtilli	Fig fritters with blueberry sauce	Beignets de figues au coulis de myrtilles	Buñuelos de higos con salsa de arándanos	Feigen-Beignets mit Heidelbeersauce
- di mele	Apple fritters	Beignets aux pommes	Buñuelos de manzanas	Apfel-Beignets
- di riso	Rice fritters	Beignets de riz	Buñuelos de arroz	Reis-Beignets
Frollini	Butter biscuits[1]	Sablés	Bollitos de pastaflora	Mürbeteigplätzchen
Frutta al forno	Baked fruit	Fruits au four	Fruta al horno	Backobst
- alla fiamma	Fruits flambés	Fruits flambés	Fruta flameada	Flambierte Früchte
- glassata	Glazed fruit	Fruits glacés	Fruta glaseada	Glasierte Früchte
Galani ► *Cenci*				
Gelatina	Jelly[2]	Gelée	Gelatina; jalea	Gelee
- al porto	Port-flavoured jelly	Gelée au porto	Gelatina con Oporto	Portweingelee
- di frutta	Fruit jelly	Gelée de fruits	Gelatina de frutas	Früchtegelee
Gelato	Ice cream	Glace	Helado	Eis
- al caffè	Coffee ice cream	Glace au café	Helado de café	Mokkaeis
- al cioccolato	Chocolate ice cream	Glace au chocolat	Helado de chocolate	Schokoladeneis
- al forno	Baked ice cream	Glace au four	Helado al horno	Überbackenes Eis

[1] USA: cookies [2] USA: jello

DOLCI	SWEETS	DESSERTS	POSTRES	SÜSSPEISEN
Gelato al limone	Lemon ice cream	Glace au citron	Helado de limón	Zitroneneis
- al pistacchio	Pistachio ice cream	Glace à la pistache	Helado de pistacho	Pistazieneis
- al torrone	Nougat ice cream	Glace au nougat	Helado de turrón	Nougateis
- alla crema	Custard ice cream	Glace à la crème	Mantecado	Cremeeis
- alla fragola	Strawberry ice cream	Glace à la fraise	Helado de fresas	Erdbeereis
- alla frutta	Fruit ice cream	Glace de fruits	Helado de frutas	Früchteeis
- alla nocciola	Hazelnut ice cream	Glace aux noisettes	Helado de avellanas	Nußeis
- alla panna	Vanilla ice cream	Glace à la crème	Helado de nata	Sahneeis
- alla vaniglia	Vanilla ice cream	Glace à la vanille	Helado de vainilla	Vanilleeis
- artigianale	Home-made ice cream	Glace artisanale	Helado artesanal	Eis aus eigener Herstellung
- dietetico	Low-calory ice cream	Glace diététique	Helado dietético	Diäteis
- ipocalorico	Low-calory ice cream	Glace allégée	Helado hipocalórico	Kalorienarmes Eis
- magro	Low-fat ice cream	Glace maigre	Helado desnatado	Fettarmes Eis
- misto	Mixed ice cream	Glace panachée	Helado mixto	Gemischtes Eis
- pallina di	Ice-cream scoop	Boule de glace	Bola de helado	Kugel Eis
Ghirlanda di bigné	Profiterole ring	Guirlande de choux	Guirnalda de buñuelos	Windbeutel-Girlande
Gianduiotti (cioccolatini con crema di nocciole)	Chocolates with hazelnut cream	Chocolats à la crème de noisette	Chocolatines con crema de avellanas	Nußcreme-Pralinen
Glassa al pistacchio	Pistachio icing	Glace à la pistache	Glasa de pistacho	Pistazienglasur
Gnocchi di mele con salsa di vaniglia	Apple dumplings with vanilla sauce	Gnocchis de pommes à la sauce vanillée	Ñoquis de manzanas con crema de vainilla	Apfelklöße mit Vanillesauce
Granita	Water ice	Granité	Granizado	Gramolate; Granita
- al limone	Lemon-flavoured water ice	Granité de citron	Granizado de limón	Zitronen-Granita
- alla menta	Mint-flavoured water ice	Granité de menthe	Granizado de menta	Minze-Gramolate
Gratin di frutti di bosco	Wild berries au gratin	Gratin de fruits des bois	Gratén de frutas silvestres	Waldbeeren-Gratin
Gugelhupf o Gugelhopf (dolce lievitato con uva passa, ricoperto di mandorle)	Yeast cake with raisins, topped with almonds	Gugelhupf [Gugelhopf]	Dulce leudado con pasas, cubierto con almendras	Gugelhupf; Gugelhopf
Krapfen	Doughnuts	Krapfen; pet-de-nonne	Buñuelos de Berlín; bombas	Krapfen; Berliner Pfannkuchen
Lecca-lecca	Lolly-pop	Sucette	Chupa-chups	Lutscher
- alla fragola	Strawberry lolly-pop	Sucette à la fraise	Chupa-chups de fresa	Erdbeer-Lutscher
Lingue di gatto	Cat's tongue biscuits	Langues de chat	Lenguas de gato	Katzenzungen
Marmellata	Jam	Confiture	Mermelada	Marmelade; Konfitüre[1]

[1] Con frutta intera o pezzi di frutta

DOLCI	SWEETS	DESSERTS	POSTRES	SÜSSPEISEN
Marroni glassati	Glazed chestnuts	Marrons glacés	Castañas glaseadas	Glasierte Maronen
Marzapane	Marzipan	Massepain	Marzapán	Marzipan
Medaglioni allo zenzero	Ginger medallions	Médaillons au gingembre	Medallones de jengibre	Ingwermedaillons
Mele al forno	Baked apples	Pommes au four	Manzanas al horno	Bratäpfel
- in crosta	Apples in a pastry crust	Pommes en croûte	Manzanas en costra de pastaflora	Äpfel im Schlafrock
Meringa	Meringue	Meringue	Merengue	Meringe
- con gelato	Ice-cream meringue	Meringue glacée	Merengue con helado	Meringe mit Eis
- con panna	Meringue with whipped cream	Meringue à la crème	Merengue con nata	Meringe mit Schlagsahne
Meringhe rosa	Pink meringues	Meringues roses	Merengues rosas	Rosa Meringen
Mezzelune	Crescents	Cornes de gazelle	Mediaslunas	Halbmonde
- farcite con datteri	Date-filled crescents	Cornes de gazelle fourrées aux dattes	Mediaslunas rellenas con dátiles	Halbmonde mit Dattelfüllung
Miele	Honey	Miel	Miel	Honig
Millefoglie	Mille-feuille	Millefeuille	Milhojas	Cremeschnitte
- al cioccolato	Chocolate mille-feuille	Millefeuille au chocolat	Milhojas de chocolate	Schokoladencreme-Schnitte
Monte Bianco (puré di castagne con panna montata)	Mont Blanc (chestnut purée with whipped cream)	Mont Blanc (purée de châtaignes et crème fouettée)	Negro en camisa (puré de castañas con nata batida)	Mont Blanc (Kastanienmus mit Schlagsahne)
Mosaico di frutta in aspic	Mosaic of fruit in aspic	Mosaïque de fruits en aspic	Mosaico de frutas en aspic	Früchtemosaik in Aspik
Mousse	Mousse	Mousse	Mousse	Mousse
- di cioccolato	Chocolate mousse	Mousse au chocolat	Mousse de chocolate	Schokoladen-Mousse
- di fragole	Strawberry mousse	Mousse de fraises	Mousse de fresas	Erdbeer-Mousse
- di pere con salsa al cioccolato	Pear mousse with chocolate sauce	Mousse de poires en sauce au chocolat	Mousse de peras con salsa de chocolate	Birnen-Mousse mit Schokoladensauce
Nidi ai marroni	Chestnut nests	Nids aux marrons	Nidos de castañas	Maronennester
Omelette alla marmellata	Jam omelette	Omelette à la confiture	Tortilla de mermelada	Omelett mit Konfitüre
- alla norvegese ► *Omelette surprise*				
- dolce	Sweet omelette	Omelette sucrée	Tortilla dulce	Süßes Omelett
- soffiata	Puffed omelette	Omelette soufflée	Tortilla soufflé	Soufflé-Omelett
- surprise (gelato ricoperto di meringa e gratinato)	Baked Alaska (ice cream covered with meringue & broiled)	Omelette surprise (glace recouverte de meringue et gratinée)	Tortilla a sorpresa (helado cubierto con merengue y gratinado)	Omelette Surprise (Eis mit Baiserüberzug, überbacken)
Palle di neve	Snow balls	Boule de neige	Bolas de nieve	Schneebälle

DOLCI	SWEETS	DESSERTS	POSTRES	SÜSSPEISEN
Palle di ricotta fritte	Fried ricotta cheese balls	Boules de ricotta frites	Bolas de requesón fritas	Fritierte Ricotta-Bällchen
Palline di caffè	Coffee mini balls	Boulettes au café	Bolitas de café	Mokka-Bällchen
Pan di Spagna	Sponge cake	Pain de Gênes	Tarta de bizcocho	Biskuitkuchen
Pan di spezie	Gingerbread	Pain d'épices	Pan de especias	Gewürzkuchen
Pancakes (crespelle lievitate)	Pancakes	Pancakes (crêpes levées à l'américaine)	Pancakes (crepes leudadas)	Pancakes (Hefe-Crêpes)
Pandoro (dolce natalizio lievitato)	Pandoro (Christmas yeast cake)	Pandoro (gâteau de Noël levé)	Pandoro (dulce de Navidad)	Pandoro (Weihnachtshefekuchen)
Pane dolce	Sweet bread	Pain doux	Pan dulce	Süßes Brot
Panettone (dolce natalizio lievitato con uva passa e canditi)	Panettone (Christmas yeast cake with raisins & candied fruit)	Panettone (gâteau de Noël levé, avec fruits confits et raisins secs)	Panettone (dulce de Navidad de pasta leudada con pasas y fruta confitada)	Panettone (Weihnachtskuchen aus Hefeteig mit Rosinen u. kandierten Früchten)
Panforte (dolce di frutta secca e canditi)	Panforte (hard cake with dried & candied fruit)	Panforte (pain aux fruits secs et confits)	Panforte (dulce de fruta seca y confitada)	Panforte (Kuchen mit getrockneten u. kandierten Früchten)
Panna cotta	Cream pudding	Crème cuite	Pudin de nata	Sahnepudding
- montata	Whipped cream	Crème fouettée	Nata batida	Schlagsahne
Parfait (semifreddo)	Parfait (iced mousse)	Parfait	Parfait (tarta helada)	Parfait (Halbgefrorenes)
- al caffè	Coffee parfait	Parfait au café	Parfait de café	Mokka-Parfait
Pasta brisé	Tart pastry	Pâte brisée	Pasta brisée	Mürbeteig (ohne Zucker u. Eier)
- di mandorle	Almond pastry	Pâte d'amandes	Pasta de almendras	Mandelpaste
- frolla	Short pastry	Pâte sablée	Pastaflora	Mürbeteig
- lievitata	Yeast dough	Pâte levée	Pasta leudada	Hefeteig
- per pane	Bread dough	Pâte à pain	Pasta de pan	Brotteig
- sfoglia	Puff pastry; flaky pastry	Pâte feuilletée	Pasta de hojaldre	Blätterteig
Paste fresche	Fresh pastries	Gâteaux frais	Pasteles frescos	Frisches Gebäck
Pasticcini assortiti	Assorted pastries	Petits fours assortis	Pastelitos surtidos	Gebäckmischung
- da tè	Fancy biscuits	Petits fours	Pastelitos de té	Teegebäck
- di pasta di mandorle	Almond-paste pastries	Pâtisseries de pâte d'amandes	Pastelitos de pasta de almendras	Mandelpastegebäck
- di zucchero	Soft sugar sweets	Fondants	Pastelitos de azúcar	Zuckerplätzchen
Pasticcino	Pastry	Pâtisserie	Pastelito	Feingebäck
Pasticcio di mele con crema di nocciole	Apple pie with hazelnut cream	Terrine de pommes à la crème aux noisettes	Pastel de manzanas con crema de avellanas	Apfelpastete mit Nußcreme

DOLCI	SWEETS	DESSERTS	POSTRES	SÜSSPEISEN
Pastiera (torta di chicchi di grano con ricotta e frutta candita)	Pastiera (cake with ricotta cheese, wheat grains & candied fruit)	Pastiera (gâteau aux grains de blé, ricotta et fruits confits)	Pastiera (tarta de granos de trigo con requesón y fruta confitada)	Pastiera (Weizenkorn-Kuchen mit Ricotta u. kandierten Früchten)
Pera bella Elena (con gelato di vaniglia, panna montata e salsa al cioccolato)	Pear Helena (with vanilla ice cream, whipped cream & chocolate sauce)	Poire Belle Hélène (avec glace à la vanille, crème fouettée et sauce au chocolat)	Pera Helena (con helado de vainilla, nata batida y crema de chocolate)	Birne Hélène (mit Vanilleeis,Schlagsahne u. Schokoladensauce)
Pere al cioccolato caldo	Pears with hot chocolate sauce	Poires au chocolat chaud	Peras con chocolate caliente	Birnen mit heißer Schokoladensauce
- al vino rosso	Pears with red wine sauce	Poires au vin rouge	Peras con salsa de vino tinto	Birnen in Rotwein
Pesca Melba (con gelato vaniglia e salsa ai lamponi)	Peach Melba (with vanilla ice cream & raspberry sauce)	Pêche Melba (avec glace à la vanille et coulis de framboises)	Melocotón Melba (con helado de vainilla y crema de frambuesas)	Pfirsich Melba (mit Vanilleeis u. Himbeersauce)
Petits fours	Petit fours	Petits fours	Pastas de té	Petits fours
Piccola pasticceria	Small assorted pastries	Pâtisserie mignon	Pequeña pastelería	Kleingebäck
Plum-cake	Plum-cake	Plum-cake	Plum-cake	Plumcake
Prâlines	Pralines	Prâlines	Pralines	Pralinen
Profiteroles	Profiteroles	Profiteroles	Profiteroles	Profiteroles
- al cioccolato	Chocolate-filled profiteroles	Profiteroles au chocolat	Profiteroles de chocolate	Schokoladen-Profiteroles
Pudding ► *Budino*				
Purè di mele	Apple purée	Purée de pommes	Puré de manzanas	Apfelmus
Riso al latte	Rice pudding	Riz au lait	Arroz con leche	Milchreis
- all'imperatrice (budino di riso con frutta candita)	Rice empress style (rice pudding with candied fruit)	Riz à l'impératrice (gâteau de riz aux fruits confits)	Arroz a la imperatriz (pudín de arroz con fruta confitada)	Reis Trauttmansdorff (Reispudding mit kandierten Früchten)
Rocce di cioccolato	Chocolate rocks	Rochers au chocolat	Rocas de chocolate	Schokoladenfelsen
Rollatina di ricotta	Ricotta-cheese roulade	Roulade à la ricotta	Rollito de requesón	Ricotta-Röllchen
Rollini al limone	Lemon roulades	Roulades au citron	Rollitos de limón	Zitronen-Röllchen
Rose di zucchero	Sugar roses	Roses de sucre	Rosas de azúcar	Zuckerrosen
Rotolo alla crema	Custard cream roll	Roulé à la crème	Brazo de gitano	Creme-Rolle
Salame di cioccolato	Chocolate log	Saucisson en chocolat	Salchichón de chocolate	Schokoladensalami
Salsa	Sauce	Sauce; coulis[1]	Salsa	Sauce; Soße
- ai lamponi	Raspberry sauce	Coulis de framboises	Salsa de frambuesas	Himbeersauce
- al cioccolato	Chocolate sauce	Sauce au chocolat	Salsa de chocolate	Schokoladensauce
- alla frutta	Fruit sauce	Coulis de fruits	Salsa de fruta	Früchtesauce

[1] Fatta di sola frutta fresca

DOLCI	SWEETS	DESSERTS	POSTRES	SÜSSPEISEN
Salsa alle albicocche	Apricot sauce	Coulis d'abricots	Salsa de albaricoques	Aprikosensauce
- alle fragole	Strawberry sauce	Coulis de fraises	Salsa de fresas	Erdbeersauce
- calda alla vaniglia	Warm vanilla sauce	Sauce chaude à la vanille	Salsa caliente de vainilla	Warme Vanillesauce
Savarin (piccola ciambella)	Savarin (small ring cake)	Savarin	Savarín (roscón pequeño)	Savarin (kleiner Napfkuchen)
- al rum	Rum Savarin	Savarin au rhum	Savarín de ron	Rum-Savarin
Savoiardi	Sponge biscuits[1]	Savoyards	Soletillas	Löffelbiskuits
Sciroppo d'acero	Maple syrup	Sirop d'érable	Jarabe de arce	Ahornsirup
- di fragole	Strawberry syrup	Sirop de fraises	Jarabe de fresas	Erdbeersirup
Scrigno alle ciliege	Pastry case with cherries	Écrin feuilleté aux cerises	Cofre de pasta con cerezas	Kirschentasche
- di sfoglia ai lamponi	Puff-pastry case with raspberries	Écrin feuilleté aux framboises	Cofre de hojaldre con frambuesas	Himbeer-Blätterteigtasche
Semifreddo	Parfait; iced mousse	Parfait au café	Tarta helada	Halbgefrorenes
- al caffè	Coffee parfait	Parfait au café	Tarta helada de café	Mokka-Halbgefrorenes
Sfogliata al cioccolato	Chocolate-filled puff pastry	Feuilleté au chocolat	Hojaldre de chocolate	Blätterteiggebäck mit Schokolade
Sfogliatella (piccola pasta sfoglia con ricotta e canditi)	Puff pastry filled with ricotta cheese & candied fruit	Friand à la ricotta et aux fruits confits	Pastelito de hojaldre con requesón y fruta confitada	Blätterteigtasche mit Ricotta u. kandierten Früchten
Sfogliatina calda alle pere	Warm pear-filled puff pastry	Petit friand chaud aux poires	Pastel de hojaldre caliente con peras	Warme Birnen-Blätterteig-Tasche
Sfogliatine caramellate	Small puff pastries coated in caramel	Petit friands caramélisés	Pastelitos de hojaldre acaramelados	Karamel-Blätterteiggebäck
- di frutta	Fruit-filled puff pastries	Friands aux fruits	Pastelitos de hojaldre con fruta	Früchte-Blätterteiggebäck
Sformato di mele	Apple pudding	Flan aux pommes	Pudín de manzanas	Apfel-Auflauf
Sigarette al cioccolato	Chocolate cigarettes	Cigarettes en chocolat	Cigarrillos de chocolate	Schokoladenzigaretten
Sorbetto al limone	Lemon sorbet[2]	Sorbet au citron	Sorbete de limón	Zitronen-Sorbet
- all'arancia	Orange sorbet[2]	Sorbet à l'orange	Sorbete de naranja	Orangen-Sorbet
- allo sherry	Sherry sorbet[2]	Sorbet au sherry	Sorbete de Jerez	Sherry-Sorbet
Sorpresa di cioccolato	Chocolate surprise	Surprise au chocolat	Sorpresa de chocolate	Schokoladen-Überraschung
Soufflé al caffè	Coffee soufflé	Soufflé au café	Suflé de café	Mokka-Soufflé
- al cioccolato	Chocolate soufflé	Soufflé au chocolat	Suflé de chocolate	Schokoladen-Soufflé
- al limone	Lemon soufflé	Soufflé au citron	Suflé de limón	Zitronen-Soufflé
- all'arancia	Orange soufflé	Soufflé à l'orange	Suflé de naranja	Orangen-Soufflé
- alle ciliege	Cherry soufflé	Soufflé aux cerises	Suflé de cerezas	Kirschen-Soufflé

[1] USA: lady-fingers [2] USA: sherbet

DOLCI	SWEETS	DESSERTS	POSTRES	SÜSSPEISEN
Soufflé freddo all'arancia	Cold orange soufflé	Soufflé froid aux oranges	Suflé frío de naranja	Kaltes Orangen-Soufflé
- ghiacciato	Iced soufflé	Soufflé glacé	Suflé helado	Gefrorenes Soufflé
Specialità dolci locali	Local sweet specials	Desserts régionaux	Especialidad dulces locales	Örtliche Dessert-Spezialitäten
Spirali alle mandorle	Almond spirals	Spirales aux amandes	Espirales de almendras	Mandel-Spiralen
Spuma ► *Mousse*				
Stelle di cannella	Cinnamon stars	Étoiles à la cannelle	Estrellas de canela	Zimtsterne
Strudel di mele	Apple strudel	Strudel aux pommes	Rollo de manzanas	Apfelstrudel
Struffoli (piccole frittelle al miele)	Small fritters with honey	Petits beignets au miel	Pequeños buñuelos con miel	Kleine Beignets mit Honig
Tartellette alla crema di mandorle	Almond cream tartlets	Tartelettes à la crème aux amandes	Tartaletas con crema de almendras	Törtchen mit Mandelcreme
- di frutta	Fruit tartlets	Tartelettes aux fruits	Tartaletas de fruta	Früchte-Torteletts
Tartufi di cioccolato	Chocolate truffles	Truffes au chocolat	Trufas de chocolate	Schokolade-Trüffeln
Terrina al cioccolato	Chocolate terrine	Terrine au chocolat	Tarrina de chocolate	Schokolade-Terrine
- alle mele	Apple terrine	Terrine aux pommes	Tarrina de manzanas	Apfel-Terrine
Teste di moro (piccoli dolci farciti con panna e ricoperti di cioccolato)	Small chocolate cream-filled sweets	Têtes de nègre (gâteaux fourrés de crème et recouverts de chocolat)	Cabezas de moro (dulces pequeños rellenos con nata y cubiertos con chocolate)	Mohrenköpfe
Timballo di fragole	Strawberry pie	Timbale de fraises	Timbal de fresas	Erdbeertimbale
Torrone	White nougat	Nougat	Turrón	Weißer Nougat
- al cioccolato	Chocolate nougat	Nougat au chocolat	Turrón de chocolate	Schokoladen-Nougat
Torta	Cake	Gâteau	Tarta	Torte[1]; Kuchen
- al caffè	Coffee cake	Gâteau au café	Tarta de moca	Mokkatorte
- al cioccolato	Chocolate cake	Gâteau au chocolat	Tarta de chocolate	Schokoladentorte
- al formaggio	Cheese cake	Gâteau au fromage	Tarta de queso	Käsekuchen
- all'ananas	Pineapple cake	Gâteau à l'ananas	Tarta de piña	Ananastorte
- all'arancia	Orange cake	Gâteau à l'orange	Tarta de naranja	Orangentorte
- alla crema	Custard-cream cake	Gâteau à la crème pâtissière	Tarta de crema	Cremetorte
- alla frutta	Fruit cake	Gâteau de fruits	Tarta de frutas	Obstkuchen
- alle albicocche	Apricot cake	Gâteau aux abricots	Tarta de albaricoques	Aprikosenkuchen
- alle ciliege	Cherry cake	Gâteau aux cerises	Tarta de cerezas	Kirschtorte
- alle fragole	Strawberry cake	Gâteau aux fraises	Tarta de fresas	Erdbeertorte
- anniversario	Anniversary cake	Gâteau d'anniversaire	Tarta de aniversario	Jubiläumstorte
- "antica ricetta"	Old-fashioned cake	Gâteau à l'ancienne	Tarta con receta tradicional	Torte nach altem Rezept

[1] Per le torte elaborate (con crema, panna, glasse)

DOLCI	SWEETS	DESSERTS	POSTRES	SÜSSPEISEN
Torta casalinga	Home-made cake	Gâteau maison	Tarta casera	Kuchen nach Hausfrauenart
- della nonna	Grand-mother's cake	Gâteau de grand-mère	Tarta de la abuela	Kuchen nach Großmutters Rezept
- di compleanno	Birthday cake	Gâteau d'anniversaire	Tarta de cumpleaños	Geburtstagstorte
- di ricotta	Ricotta-cheese cake	Gâteau de ricotta	Tarta de requesón	Ricotta-Käsekuchen
- di zucca in pasta frolla	Pumpkin pie	Gâteau de potiron à la pâte brisée	Tarta de calabaza envuelta en pastaflora	Kürbiskuchen in Mürbeteig
- Foresta Nera	Black Forest cake	Forêt-Noire	Tarta de la Selva Negra	Schwarzwälder Torte
- gelato	Ice-cream cake	Gâteau glacé	Tarta helada	Eistorte
- Margherita ► *Pan di Spagna*				
- meringata	Meringue cake	Gâteau meringué	Tarta de merengue	Meringetorte
- natalizia	Christmas cake	Gâteau de Noël	Tarta de Navidad	Weihnachtskuchen
- nuziale	Wedding cake	Gâteau nuptial	Tarta nupcial; pastel de boda	Hochzeitstorte
- pasquale	Easter cake	Gâteau de Pâques	Tarta Pascual	Osterkuchen
- Sacher	Sacher cake	Sachertorte	Tarta Sacher	Sachertorte
- Saint Honoré	Saint Honoré cake	Saint-honoré	Tarta Sanhonorato	Saint-Honoré-Torte
- secca alle mandorle	Almond crumbly cake	Gâteau sec aux amandes	Tarta seca con almendras	Trockener Mandelkuchen
Torte assortite	Assorted cakes	Gâteaux assortis	Tartas surtidas	Auswahl an Torten
Treccia alle mandorle	Almond braid	Tresse aux amandes	Trenza de almendras	Mandelzopf
Tronchetto alla vaniglia	Vanilla log	Bûchette à la vanille	Tronquito de vainilla	Vanille-Baumstamm
Tronco di Natale	Yule-log	Bûche de Noël	Cepa de Navidad	Weihnachts-Baumstamm
Uova di neve con crema inglese e caramello	Snow eggs with custard & caramel sauce	Îles flottantes	Huevos de clara batida con crema inglesa y caramelo	Schnee-Eier mit Englischer Creme u. Karamel
Ventagli	Puff-pastry fans	Palmiers	Abanicos	Blätterteigfächer
Vol-au-vent ai ribes	Vol-au-vent with currants	Vol-au-vent aux groseilles	Tartaletas de hojaldre con grosellas	Vol-au-vent (Blatterteigpastetchen) mit Johannisbeeren
Wafer caldo con frutti di bosco	Warm wafer with wild berries	Gaufrette chaude aux fruits de bois	Wafer caliente con frutas silvestres	Warme Waffel mit Waldbeeren
Zabaione	Egg-nog	Sabayon	Crema sabayón	Zabaione (Eierlikörcreme)
Zuccotto (semifreddo ricoperto di pan di Spagna)	Zuccotto (sponge-cake-covered iced mousse)	Zuccotto (parfait enrobé de pain de Gênes)	Zuccotto (tarta helada cubierta con bizcocho)	Zuccotto (Halbgefrorenes in Biskuitmantel)
Zuppa inglese	Trifle	Charlotte russe	Dulce de bizcochos y natillas	Schicht-Süßspeise mit Likör u. Creme

FRUTTA	FRUIT	FRUITS	FRUTAS	OBST
Agrumi	Citrus fruits	Agrumes	Cítricos	Zitrusfrüchte
Albicocca/che	Apricot/s	Abricot/s	Albaricoque/s	Aprikose/n
Alchechengi	Cape gooseberries	Alkékenges	Alquequenjes	Blasenkirschen
Amarene	Morellos; kentish cherries	Griottes	Guindas garrafales	Sauerkirschen; Amarellen
Ananas	Pineapple	Ananas	Piña	Ananas
- sciroppata	Pineapple in syrup	Ananas au sirop	Piña en almíbar	Eingemachte Ananas
Anguria ▶ *Cocomero*				
Arachidi	Peanuts	Cacahuètes	Cacahuetes	Erdnüsse
Arancia/e	Orange/s	Orange/s	Naranja/s	Orange/n; Apfelsine/n
Avocado/i	Avocado/s	Avocat/s	Aguacate/s	Avocado/s
Banana/e	Banana/s	Banane/s	Plátano/s	Banane/n
Caco/chi	Persimmon/s	Kaki/s	Caqui/s	Kaki/s
Castagne	Chestnuts	Châtaignes	Castañas	Kastanien
Cedro/i	Citron/s	Cédrat/s	Cidra/s	Zitronatzitrone/n
Cesto di frutta	Fruit basket	Corbeille de fruits	Cesta de frutas	Früchtekorb
Ciliege	Cherries	Cerises	Cerezas	Kirschen
Clementine	Clementines	Clémentines	Clementinas	Clementinen
Cocomero	Water-melon	Pastèque	Sandía	Wassermelone
Composta di frutta	Fruit compote	Compote de fruits	Compota	Kompott
Datteri	Dates	Dattes	Dátiles	Datteln
- secchi	Dried dates	Dattes sèches	Dátiles secos	Getrocknete Datteln
Feijoa	Feijoa	Feijoa	Feijoa	Feijoa
Fichi	Figs	Figues	Higos	Feigen
- d'India	Prickly pears	Figues de Barbarie	Higos chumbo	Kaktusfeigen
- secchi	Dried figs	Figues séchées	Higos secos	Getrocknete Feigen
Fragole	Strawberries	Fraises	Fresas	Erdbeeren
- di bosco	Wild strawberries	Fraises des bois	Fresas silvestres	Walderdbeeren
Frutta	Fruit	Fruits	Fruta	Obst; Früchte
- candita	Candied fruit	Fruits confits	Fruta confitada	Kandierte Früchte
- caramellata	Caramelized fruit	Fruits caramélisés	Fruta acaramelada	Glasierte Früchte
- cotta	Stewed fruit	Fruits cuits	Fruta cocida	Kompott
- di serra	Greenhouse fruit	Fruits de serre	Fruta de invernadero	Treibhausobst
- di stagione	Fruit in season	Fruits de saison	Fruta del tiempo	Obst der Saison
- fresca	Fresh fruit	Fruits frais	Fruta fresca	Frisches Obst
- in gelatina	Jellied fruit	Fruits en gelée	Fruta en gelatina	Früchte in Gelee
- mista	Mixed fruit	Fruits assortis	Fruta variada	Mischobst
- primizia	Early fruit	Fruits primeurs	Primicias de fruta	Frühobst
- sciroppata	Fruit in syrup	Fruits au sirop	Fruta en almíbar	Eingemachtes Obst

FRUTTA	FRUIT	FRUITS	FRUTAS	OBST
Frutta secca	Dried fruit	Fruits secs	Fruta seca	Trockenobst; Dörrobst
Frutti di bosco	Wild berries	Fruits des bois	Frutas silvestres	Waldbeeren
Frutto della passione	Passion-fruit; granadilla	Fruit de la passion	Granadilla	Passionsfrucht
Giuggiole	Ju-jubes	Jujubes	Jinjoles	Brustbeeren
Granadilla ► *Frutto della passione*				
Kiwi	Kiwi/s	Kiwi/s	Kiwi/s	Kiwi/s
Kumquats [Mandarini cinesi]	Kumquats	Kumquats	Kumquats	Kumquats; chinesische Mandarinen
Lamponi	Raspberries	Framboises	Frambuesas	Himbeeren
Licci [Litchi]	Lychees	Litchis	Lichis	Lychees; Litschis
Lime [Limetta]	Lime	Citron vert	Lima	Limone; Limette
Limone/i	Lemon/s	Citron/s	Limón/es	Zitrone/n
Macedonia	Fruit salad	Salade de fruits; macédoine	Macedonia	Fruchtsalat; Obstsalat
Mandarino/i	Tangerine/s	Mandarine/s	Mandarina/s	Mandarine/n
Mandorle	Almonds	Amandes	Almendras	Mandeln
Mango	Mango	Mangues	Mango	Mango
Maracuja ► *Frutto della passione*				
Marasche	Sour cherries	Marasques	Guindas garrafales	Sauerkirschen; Weichselkirschen
Marroni	Chestnuts	Marrons	Castañas	Edelkastanien; Maronen
Mela/e	Apple/s	Pomme/s	Manzana/s	Apfel/Äpfel
Mela cotta	Stewed apple	Pomme cuite	Manzana cocida	Apfelkompott
Melagrana	Pomegranate	Grenade	Granada	Granatapfel
Mele cotogne	Quinces	Coings	Membrillos	Quitten
Melone	Melon	Melon	Melón	Melone
- invernale	Winter melon	Melon d'hiver	Melón de hinvierno	Wintermelone
Mirtilli	Blueberries	Myrtilles	Arándanos	Heidelbeeren
- rossi	Cranberries	Myrtilles rouges	Arándanos rojos	Preiselbeeren
More	Blackberries	Mûres	Moras	Brombeeren
- di gelso	Mulberries	Mûres du mûrier	Moras	Maulbeeren
- di rovo	Blackberries	Mûres de ronce	Zarzámoras	Brombeeren
Nespole	Medlars	Nèfles	Níspolas	Mispeln
- del Giappone	Loquats	Nèfles du Japon	Níspolas de Japón	Japanische Mispeln
Nettarina ► *Pesca noce*				
Nocciole	Hazelnuts; filberts	Noisettes	Avellanas	Haselnüsse
Noccioline americane ► *Arachidi*				
Noce di cocco	Coco-Nut	Noix de coco	Coco	Kokosnuß

FRUTTA	FRUIT	FRUITS	FRUTAS	OBST
Noci	Walnuts	Noix	Nueces	Walnüsse
Papaia	Papaya	Papaye	Papaya	Papaya
Passiflora ► *Frutto della passione*				
Pera/e	Pear/s	Poire/s	Pera/s	Birne/n
Pere sciroppate	Pears in syrup	Poires au sirop	Peras en almíbar	Eingemachte Birnen
Pesca/che	Peach/es	Pêche/s	Melocotón/es	Pfirsich/e
Pesche bianche	White peaches	Pêches blanches	Duraznos	Weiße Pfirsiche
- cotte al vino rosso	Stewed peaches in red wine	Pêches cuites au vin rouge	Melocotones cocidos en vino tinto	In Rotwein gedünstete Pfirsiche
- noci	Nectarines	Brugnons	Albérchigas; briñones	Nektarinen
- sciroppate	Peaches in syrup	Pêches au sirop	Melocotones en almíbar	Eingemachte Pfirsiche
Pistacchi	Pistachios	Pistaches	Pistachos	Pistazien
Pompelmo/i	Grapefruit/s	Pamplemousse/s	Pomelo/s	Pampelmuse/n; Grapefruit/s
Pompelmo rosa	Pink grapefruit	Pamplemousse rosé	Pomelo rosa	Rosa Grapefruit
Prugna/e	Plum/s	Prune/s	Ciruela/s	Pflaume/n
Prugne cotte	Stewed prunes	Prunes cuites	Ciruelas cocidas	Pflaumenkompott
- secche	Prunes	Pruneaux	Ciruelas secas	Dörrpflaumen
Purè di mele	Apple purée	Purée de pommes	Puré de manzanas	Apfelmus
Ribes	Currants	Groseilles	Grosellas	Johannisbeeren
- bianchi	White currants	Groseilles blanches	Grosellas blancas	Weiße Johannisbeeren
- neri	Black currants	Cassis	Grosellas negras	Schwarze Johannisbeeren
- rossi	Red currants	Groseilles rouges	Grosellas rojas	Rote Johannisbeeren
Susina ► *Prugna*				
Uva	Grapes	Raisins	Uva	Trauben
- bianca	White grapes	Raisins blancs	Uva blanca	Weiße Trauben
- nera	Black grapes	Raisins noirs	Uva negra	Blaue Trauben
- passa	Raisins	Raisins secs	Pasas	Rosinen
- spina	Gooseberries	Groseilles à maquereau	Uva espina	Stachelbeeren
- sultanina	Sultanas	Raisins secs de Smyrne	Pasas de Esmirna	Sultaninen

BURRI E SALSE	BUTTER & SAUCES	BEURRES ET SAUCES	MANTEQUILLAS Y SALSAS	BUTTER UND SAUCEN
Burro	Butter	Beurre	Mantequilla; manteca	Butter
- ai gamberetti	Shrimp butter	Beurre de crevettes	Manteca de gambas	Krabbenbutter
- ai gamberi	Prawn butter	Beurre d'écrevisses	Manteca de gambas	Garnelenbutter
- al crescione	Cress butter	Beurre de cresson	Mantequilla de berro	Kressebutter
- al dragoncello	Tarragon butter	Beurre d'estragon	Mantequilla de estragón	Estragonbutter
- al salmone	Salmon butter	Beurre de saumon	Manteca de salmón	Lachsbutter
- al tartufo	Truffle butter	Beurre de truffe	Mantequilla de trufas	Trüffelbutter
- all'aglio	Garlic butter	Beurre d'aïl	Mantequilla de ajo	Knoblauchbutter
- all'aragosta	Spiny-lobster butter	Beurre de langouste	Manteca de langosta	Langustenbutter
- all'astice	Lobster butter	Beurre de homard	Manteca de bogavante	Hummerbutter
- alla maître d'hôtel (con prezzemolo e succo di limone)	Maître d'hotel butter (with parsley & lemon juice)	Beurre maître d'hôtel (au persil et au jus de citron)	Mantequilla a la maître de hotel (con perejil y jugo de limón)	Maître d'Hotel-Butter (mit Petersilie u. Zitronensaft)
- alla senape	Mustard butter	Beurre à la moutarde	Mantequilla de mostaza	Senfbutter
- alle acciughe	Anchovy butter	Beurre d'anchois	Manteca de anchoillas	Sardellenbutter
- alle erbe	Herb butter	Beurre aux fines herbes	Manteca de hierbas	Kräuterbutter
- alle mandorle	Almond butter	Beurre aux amandes	Mantequilla de almendras	Mandelbutter
- alle nocciole	Hazel-nut butter	Beurre aux noisettes	Mantequilla de avellanas	Haselnußbutter
- Bercy (con midollo di bue, scalogno e prezzemolo)	Bercy butter (with beef bone-marrow, shallots & parsley)	Beurre Bercy (à la moelle de bœuf, échalote et persil)	Mantequilla Bercy (con médula de vaca, escaloña y perejil)	Bercy-Butter (mit Rindermark, Schalotten u. Petersilie)
- chiarificato (fuso e separato dal siero)	Clarified butter (melted & separated from whey)	Beurre clarifié (fondu et séparé du petit-lait)	Mantequilla clarificada (fundida y separada del suero)	Geklärte Butter (zerlassen u. von der Molke getrennt)
- Colbert (con limone, prezzemolo e glassa di carne)	Colbert butter (with lemon, parsley & meat glaze)	Beurre Colbert (au citron, persil et glace de viande)	Mantequilla Colbert (con limón, perejil y concentrado de carne)	Colbert-Butter (mit Zitrone, Petersilie u. Fleisch-Glace)
- di arachidi	Peanut butter	Beurre de cacahuètes	Mantequilla de cacahuetes	Erdnußbutter
- fuso	Melted butter	Beurre fondu	Mantequilla derretida	Zerlassene Butter
- nero	Black butter	Beurre noir	Mantequilla negra	Schwarze Butter
- nocciola	Brown butter	Beurre noisette	Mantequilla dorada	Braune Butter
- per lumache (con aglio, prezzemolo e scalogno)	Butter for snails (with garlic, parsley & shallot)	Beurre à escargots (à l'aïl, persil et échalote)	Mantequilla para caracoles (con ajo, perejil y escaloña)	Butter für Schnecken (mit Knoblauch, Petersilie u. Schalotten)
Essenza	Essence	Essence	Esencia	Essenz
Farcia	Stuffing	Farce	Farsa	Füllung; Farce

BURRI E SALSE	BUTTER & SAUCES	BEURRES ET SAUCES	MANTEQUILLAS Y SALSAS	BUTTER UND SAUCEN
Glassa a (salsa molto ristretta)	Glaze (very thick sauce)	Glace (sauce très concentrée)	Glasa (salsa muy densa)	Glace (sehr konzentrierte Sauce)
- di carne	Meat glaze	Glace de viande	Glasa de carne	Fleisch-Glace
Marinata	Marinade	Marinade	Escabeche	Marinade
Ripieno	Stuffing	Farce	Relleno	Füllung
Salamoia	Brine	Saumure	Salmuera	Lake; Salzlake
Salsa	Sauce	Sauce	Salsa	Sauce
- agrodolce	Sweet & sour sauce	Sauce aigre-douce	Salsa agridulce	Süß-saure Sauce
- ai funghi	Mushroom sauce	Sauce aux champignons	Salsa de setas	Pilzsauce
- ai mirtilli	Blueberry sauce	Sauce aux myrtilles	Salsa de arándanos	Heidelbeersauce
- aioli (maionese con aglio)	Aioli sauce (garlic mayonnaise)	Aïoli	Salsa alioli (mayonesa con ajo)	Aioli (Mayonnaise mit Knoblauch)
- al cren	Horseradish sauce	Sauce au raifort	Salsa de rábano picante	Meerrettichsauce
- al curry	Curry sauce	Sauce au curry	Salsa de curry	Currysauce
- al dragoncello	Tarragon sauce	Sauce à l'estragon	Salsa de estragón	Estragonsauce
- al limone	Lemon sauce	Sauce au citron	Salsa de limón	Zitronensauce
- al Madera (salsa di carne con vino Madera)	Madeira sauce (meat sauce with Madeira wine)	Sauce au Madère (fond de viande au Madère)	Salsa de Madeira (salsa de carne con vino de Madeira)	Madeira-Sauce (Fleischsauce mit Madeira Wein)
- al midollo	Bone-marrow sauce	Sauce à la moelle	Salsa de médula	Marksauce
- alemanna o parigina (di carne con tuorli d'uovo e panna)	Parisienne sauce (meat sauce with egg yolks & cream)	Sauce allemande ou parisienne (fond de viande, jaunes d'œuf et crème)	Salsa alemana o parisina (salsa de carne con yemas de huevo y nata)	Deutsche oder Pariser Sauce (Fleischsauce mit Eigelb u. Sahne)
- all'acciuga	Anchovy sauce	Anchoyade	Salsa de anchoillas	Sardellensauce
- all'arancia (salsa di carne con succo e scorze di arancia)	Orange sauce (meat sauce with orange juice & peel)	Sauce à l'orange (fond de viande aux jus et écorces d'orange)	Salsa de naranja (salsa de carne con zumo y cortezas de naranja)	Orangensauce (Fleischsauce mit Saft u. Schale von Orangen)
- all'astice	Lobster sauce	Sauce au homard	Salsa de bogavante	Hummersauce
- all'italiana (salsa di carne, prosciutto, funghi e salsa di pomodoro)	Italian sauce (meat sauce, ham, mushrooms & tomato sauce)	Sauce à l'italienne (fond de viande, jambon, champignons et sauce tomate)	Salsa a la italiana (salsa de carne, jamón, setas y salsa de tomate)	Italienische Sauce (Fleischsauce, Schinken, Pilze u. Tomatensauce)
- alla cacciatora (salsa di carne, funghi e pomodoro)	Hunter's sauce (meat sauce, mushrooms & tomatoes)	Sauce chasseur (fond de viande, champignons, tomates)	Salsa a la cazadora (salsa de carne, setas y tomate)	Jägersauce (Fleischsauce, Pilze u. Tomaten)
- alla crema	Cream sauce	Sauce à la crème	Salsa de nata	Rahmsauce; Sahnesauce

BURRI E SALSE	BUTTER & SAUCES	BEURRES ET SAUCES	MANTEQUILLAS Y SALSAS	BUTTER UND SAUCEN
Salsa alla diavola (salsa di carne, cerfoglio, prezzemolo e pepe di Caienna)	Devilled sauce (meat sauce, chervil, parsley & Cayenne pepper)	Sauce à la diable (fond de viande, cerfeuil, persil et poivre de Cayenne)	Salsa a la diabla (salsa de carne, perifollo, perejil y pimienta de Cayena)	Teufelssauce (Fleischsauce, Kerbel, Petersilie u. Cayennepfeffer)
- alla menta	Mint sauce	Sauce à la menthe	Salsa de menta	Minzsauce
- alla panna	Cream sauce	Sauce à la crème	Salsa de nata	Sahnesauce; Rahmsauce
- alla zingara (salsa di carne, lingua, tartufi, prosciutto e funghi)	Gypsy sauce (meat sauce, tongue, truffles, ham & mushrooms)	Sauce tsigane (fond de viande, langue, truffes, jambon et champignons)	Salsa gitana (salsa de carne, lengua, trufas, jamón y setas)	Zigeunersauce (Fleischsauce, Zunge, Trüffeln, Schinken u. Pilze)
- alle noci	Walnut sauce	Sauce aux noix	Salsa de nueces	Walnußauce
- alle ostriche	Oyster sauce	Sauce aux huîtres	Salsa de ostras	Austernsauce
- allo yogurt	Yoghurt sauce	Sauce au yaourt	Salsa de yogur	Joghurtsauce
- andalusa (maionese con purè di pomodoro e peperoni)	Andalusian sauce (mayonnaise with tomato purée & peppers)	Sauce andalouse (mayonnaise à la purée de tomate et poivrons)	Salsa andaluza (mayonesa con puré de tomate y pimientos)	Andalusische Sauce (Mayonnaise mit pürierten Tomaten u. Paprika)
- aurora (besciamella, panna e salsa di pomodoro)	Aurora sauce (bechamel, cream, tomato purée)	Sauce aurore (béchamelle, crème et sauce tomate)	Salsa aurora (bechamel, nata y salsa de tomate)	Aurora-Sauce (Bechamelsauce, Sahne u. Tomatensauce)
- Bercy (salsa di pesce, prezzemolo e succo di limone)	Bercy sauce (fish sauce, parsley & lemon juice)	Sauce Bercy (fumet de poisson, persil et jus de citron)	Salsa Bercy (salsa de pescado, perejil y jugo de limón)	Bercy-Sauce (Fischsauce, Petersilie u. Zitronensaft)
- bernese (salsa olandese con dragoncello)	Bearnaise sauce (Hollandaise sauce with tarragon)	Sauce béarnaise (sauce hollandaise à l'estragon)	Salsa bearnesa (salsa holandesa con estragón)	Béarnaise-Sauce (Holländische Sauce mit Estragon)
- besciamella	Bechamel	Béchamelle	Bechamel	Bechamelsauce
- besciamella di soia	Soy bechamel	Béchamelle de soja	Bechamel de soja	Soja-Bechamelsauce
- bianca	White sauce	Sauce blanche	Salsa blanca	Weiße Sauce
- Bigarade (salsa di carne, succo di arancia, scorze di arancia e limone)	Bigarade sauce (meat sauce, orange juice, lemon & orange peel)	Bigarade (fond de viande, jus et écorces d'orange, zeste de citron)	Salsa Bigarade (salsa de carne, jugo de naranja, cortezas de naranja y limón)	Bigarade-Sauce (Fleischsauce, Orangensaft, Orangen- u. Zitronenschale)
- bordolese (salsa di carne con midollo di manzo)	Bordelaise sauce (meat sauce with beef bone-marrow)	Sauce bordelaise (fond de viande et moelle de bœuf)	Salsa bordelesa (salsa de carne con médula de vaca)	Bordolaiser Sauce (Fleischsauce mit Rindermark)

BURRI E SALSE	BUTTER & SAUCES	BEURRES ET SAUCES	MANTEQUILLAS Y SALSAS	BUTTER UND SAUCEN
Salsa bruna o demi-glace (a base di carne, ossi, verdure e aromi)	Brown sauce (with meat, bone, vegetables & herbs)	Demi-glace (à base de viande, os, légumes et aromates)	Salsa española (con carne, huesos, verduras y aromas)	Braune Sauce oder Demi-glace (aus Fleisch, Knochen, Gemüse u. Gewürzen)
- cardinale (salsa di pesce, panna e burro d'astice)	Cardinal sauce (fish sauce, cream & lobster butter)	Sauce cardinal (fond de poisson, crème et beurre de homard)	Salsa cardenal (salsa de pescado, nata y manteca de bogavante)	Kardinalsauce (Fischsauce, Sahne u. Hummerbutter)
- Choron (bernese con purè di pomodoro)	Choron sauce (Bearnaise with tomato purée)	Sauce Choron (béarnaise à la purée de tomate)	Salsa Chorón (bearnesa con puré de tomate)	Choron-Sauce (Béarnaise-Sauce mit pürierten Tomaten)
- cocktail	Cocktail sauce	Sauce cocktail	Salsa cóctel	Cocktail-Sauce
- Colbert (salsa di carne, burro, limone, prezzemolo e dragoncello)	Colbert sauce (meat sauce, butter, lemon, parsley & tarragon)	Sauce Colbert (fond de viande, beurre, citron, persil et estragon)	Salsa Colbert (salsa de carne, mantequilla, limón, perejil y estragón)	Colbert-Sauce (Fleischsauce, Butter, Zitrone, Petersilie u. Estragon)
- demi-glace ► *Salsa bruna*				
- di carne	Meat sauce	Sauce de viande	Salsa de carne	Fleischsauce
- di mele	Apple sauce	Purée de pommes	Salsa de manzanas	Apfelsauce
- di pane	Bread sauce	Sauce au pain	Salsa de pan	Brotsauce
- di pesce	Fish sauce	Sauce de poisson	Salsa de pescado	Fischsauce
- di pomodoro	Tomato sauce	Sauce tomate	Salsa de tomate	Tomatensauce
- di pomodoro fresco	Fresh tomato sauce	Sauce à la tomate fraîche	Salsa de tomate fresco	Sauce von rohen Tomaten
- di vino bianco (salsa di pesce con panna)	White-wine sauce (fish sauce with cream)	Sauce au vin blanc (fond de poisson et crème)	Salsa de vino blanco (salsa de pescado con nata)	Weißweinsauce (Fischsauce mit Sahne)
- di vino rosso	Red-wine sauce	Sauce au vin rouge	Salsa de vino tinto	Rotweinsauce
- Diana (salsa di carne con molto pepe)	Diana sauce (meat sauce with plenty of pepper)	Sauce Diana (fond de viande très poivré)	Salsa Diana (salsa de carne con mucha pimienta)	Diana-Sauce (Fleischsauce mit viel Pfeffer)
- Duxelle (salsa di carne con verdure a cubetti)	Duxelles sauce (meat sauce with diced vegetables)	Sauce Duxelle (fond de viande et légumes en dés)	Salsa Duxelle (salsa de carne con verduras a cubitos)	Duxelle-Sauce (Fleischsauce mit Gemüsewürfelchen)
- finanziera	Financière sauce	Sauce financière	Salsa financiera	Finanzmannssauce
- Foyot (bernese con glassa di carne)	Foyot sauce (Bearnaise with meat glaze)	Sauce Foyot (béarnaise et glace de viande)	Salsa Foyot (bearnesa con glasa de carne)	Foyot-Sauce (Béarnaise-Sauce mit Fleisch-Glace)

BURRI E SALSE	BUTTER & SAUCES	BEURRES ET SAUCES	MANTEQUILLAS Y SALSAS	BUTTER UND SAUCEN
Salsa gribiche (vinaigrette, cetriolini, capperi ed erbe aromatiche)	Gribiche sauce (vinaigrette, gherkins, capers & herbs)	Sauce gribiche (vinaigrette, cornichons, câpres et fines herbes)	Salsa gribiche (vinagreta, pepinillos, alcaparras e hierbas aromáticas)	Gribiche-Sauce (Vinaigrette, Cornichons, Kapern u. Gewürzkräuter)
- indiana (salsa di carne, cipolla, panna e curry)	Indian sauce (meat sauce, onion, cream & curry)	Sauce à l'indienne (fond de viande, oignons, crème et curry)	Salsa india (salsa de carne, cebolla, nata y curry)	Indische Sauce (Fleischsauce, Zwiebeln, Sahne u. Curry)
- Joinville (salsa di pesce, panna e burro ai gamberetti)	Joinville sauce (fish sauce, cream & shrimp butter)	Sauce Joinville (fond de poisson, crème et beurre de crevettes)	Salsa Joinville (salsa de pescado, nata y manteca de gambas)	Joinville-Sauce (Fischsauce, Sahne u. Krabbenbutter)
- lionese (salsa di carne con cipolle)	Lyonnaise sauce (meat sauce with onions)	Sauce lyonnaise (fond de viande aux oignons)	Salsa Lionesa (salsa de carne con cebollas)	Lyoner Sauce (Fleischsauce mit Zwiebeln)
- maionese	Mayonnaise	Mayonnaise	Mayonesa	Mayonnaise
- maltese (salsa olandese con succo e scorze di arancia)	Maltese sauce (hollandaise sauce with peel & orange juice)	Sauce maltaise (sauce hollandaise aux jus et écorces d'orange)	Salsa maltesa (salsa holandesa con jugo y corteza de naranja)	Malteser Sauce (Holländische Sauce mit Saft u. Schale von Orangen)
- Mornay (besciamella con panna e formaggio)	Mornay sauce (bechamel with cream & cheese)	Sauce Mornay (béchamelle à la crème et au fromage)	Salsa Mornay (bechamel con nata y queso)	Mornay-Sauce (Bechamelsauce mit Sahne u. Käse)
- mostarda [Senape]	Mustard sauce	Sauce moutarde	Salsa mostaza	Senfsauce
- mousseline (salsa olandese con panna montata)	Mousseline sauce (hollandaise sauce with whipped cream)	Sauce mousseline (sauce hollandaise à la crème fouettée)	Salsa Muselina (salsa holandesa con nata batida)	Mousseline-Sauce (Holländische Sauce mit Schlagsahne)
- Nantua (besciamella, panna, burro e gamberi)	Nantua sauce (bechamel, cream, butter & prawns)	Sauce Nantua (béchamelle à la crème, beurre et écrevisses)	Salsa Nantua (bechamel, nata, manteca y gambas)	Nantua-Sauce (Bechamelsauce, Sahne, Butter u. Garnelen)
- normanna (salsa di pesce, panna e funghi)	Norman sauce (fish sauce, cream & mushrooms)	Sauce normande (fond de poisson, crème et champignons)	Salsa normanda (salsa de pescado, nata y setas)	Normannische Sauce (Fischsauce, Sahne u. Pilze)
- norvegese (vinaigrette, tuorli d'uovo sodo e acciughe)	Norwegian sauce (vinaigrette, boiled egg yolks & anchovies)	Sauce norvégienne (vinaigrette, jaune d'œuf dur et anchois)	Salsa noruega (vinagreta, yemas de huevo duro y anchoillas)	Norwegische Sauce (Vinaigrette, hartgekochtes Eigelb u. Sardellen)

BURRI E SALSE	BUTTER & SAUCES	BEURRES ET SAUCES	MANTEQUILLAS Y SALSAS	BUTTER UND SAUCEN
Salsa olandese (tuorli d'uovo, burro, aceto e succo di limone)	Hollandaise sauce (egg yolks, butter, vinegar & lemon juice)	Sauce hollandaise (jaunes d'œuf, beurre, vinaigre et jus de citron)	Salsa holandesa (yemas de huevo, mantequilla, vinagre y jugo de limón)	Holländische Sauce (Eigelb, Butter, Essig u. Zitronensaft)
- parigina ► *Salsa alemanna*				
- Périgueux (salsa di carne con vino Madera e tartufo)	Périgueux sauce (meat sauce with Madeira wine & truffle)	Sauce Périgueux (fond de viande au Madère et aux truffes)	Salsa Périgueux (salsa de carne con vino de Madeira y trufas)	Périgueux-Sauce (Fleischsauce mit Madeira u. Trüffel)
- piccante	Hot spicy sauce	Sauce piquante	Salsa picante	Scharfe Sauce
- piccante di carne	Hot meat sauce	Sauce de viande relevée	Salsa picante de carne	Scharfe Fleischsauce
- poivrade (salsa di carne, verdure, marinata e pepe)	Poivrade sauce (meat sauce, vegetables, marinade & pepper)	Sauce poivrade (fond de viande, légumes, marinade et poivre)	Salsa poivrade (salsa de carne con verduras, escabeche y pimienta)	Poivrade-Sauce (Fleischsauce, Gemüse, Marinade u. Pfeffer)
- portoghese (pomodoro, salsa di carne, cipolla, aglio e prezzemolo)	Portuguese sauce (tomato, meat sauce, onion, garlic & parsley)	Sauce portugaise (tomate, fond de viande, oignon, aïl et persil)	Salsa portuguesa (tomate, salsa de carne, cebolla, ajo y perejil)	Portugiesische Sauce (Tomaten, Fleischsauce, Zwiebeln, Knoblauch u. Petersilie)
- provenzale (salsa di pomodoro, aglio, olive e funghi)	Provençal sauce (tomato sauce, garlic, olives & mushrooms)	Sauce provençale (sauce tomate, aïl, olives et champignons)	Salsa provenzal (salsa de tomate, ajo, aceitunas y setas)	Provenzalische Sauce (Tomatensauce, Knoblauch, Oliven u. Pilze)
- Rachel (bernese, glassa di carne e puré di pomodoro)	Rachel sauce (Bearnaise, meat glaze & tomato purée)	Sauce Rachel (béarnaise à la glace de viande et à la purée de tomate)	Salsa Rachel (bearnesa, glasa de carne y puré de tomate)	Rachel-Sauce (Béarnaise-Sauce mit Fleisch-Glace u. pürierten Tomaten)
- ravigote (vinaigrette con cetriolini e capperi)	Ravigote sauce (vinaigrette with gherkins & capers)	Sauce ravigote (vinaigrette aux cornichons et aux câpres)	Salsa ravigote (vinagreta con pepinillos y alcaparras)	Ravigote-Sauce (Vinaigrette mit Cornichons u. Kapern)
- remoulade (maionese, senape, cetriolini, capperi e prezzemolo)	Remoulade sauce (mayonnaise, mustard, gherkins, capers & parsley)	Sauce rémoulade (mayonnaise à la moutarde, cornichons, câpres et persil)	Salsa remolada (mayonesa, mostaza, pepinillos, alcaparras y perejil)	Remouladensauce (Mayonnaise, Senf, Cornichons, Kapern u. Petersilie)
- ricca (salsa di pesce, panna, burro di gamberetti, tartufo e funghi)	Rich sauce (fish sauce, cream, shrimp butter, truffle & mushrooms)	Sauce riche (fond de poisson, crème, beurre de crevettes, truffes et champignons)	Salsa rica (salsa de pescado, nata, manteca de gambas, trufas y setas)	Reichhaltige Sauce (Fischsauce, Sahne, Krabbenbutter, Trüffel u. Pilze)

BURRI E SALSE	BUTTER & SAUCES	BEURRES ET SAUCES	MANTEQUILLAS Y SALSAS	BUTTER UND SAUCEN
Salsa Roberto (salsa di carne con senape)	Robert sauce (meat sauce with mustard)	Sauce Robert (fond de viande et moutarde)	Salsa Robert (salsa de carne con mostaza)	Robert-Sauce (Fleischsauce mit Senf)
- rosa	Pink sauce	Sauce rose	Salsa rosa	Rosa Sauce
- smitane (con cipolla, vino, burro, panna acida e limone)	Smitane sauce (with onion, wine, butter, sour cream & lemon)	Sauce smitane (à l'oignon, vin, beurre, crème aigre de citron)	Salsa smitane (con cebollas, vino, mantequilla, nata ácida y limón)	Smitane-Sauce (aus Zwiebeln, saurer Sahne, Wein, Butter u. Zitrone)
- Soubise (besciamella con cipolla e panna)	Soubise sauce (bechamel with onion & cream)	Sauce Soubise (béchamelle à l'oignon et à la crème)	Salsa Soubise (bechamel con cebolla y nata)	Soubise-Sauce (Bechamelsauce mit Zwiebeln u. Sahne)
- spagnola (salsa di carne)	Spanish sauce (meat sauce)	Sauce espagnole (fond de viande)	Salsa española (salsa de carne)	Spanische Sauce (Fleischsauce)
- suprema (salsa di pollo con panna e tuorli d'uovo)	Supreme sauce (chicken sauce with cream & egg yolks)	Sauce suprême (fond de poulet, crème et jaunes d'œuf)	Salsa suprema (salsa de pollo con nata e yemas de huevo)	Sauce Supreme (Hühnersauce mit Sahne u. Eigelb)
- tartara (maionese, senape, cetriolini, capperi, prezzemolo e cipolle)	Tartare sauce (mayonnaise, mustard, gerkins, capers, parsley & onions)	Sauce tartare (mayonnaise à la moutarde, cornichons, câpres, persil et oignons)	Salsa tártara (mayonesa, mostaza, pepinillos, alcaparras, perejil y cebollas)	Tatar-Sauce (Mayonnaise, Senf, Cornichons, Kapern, Petersilie u. Zwiebeln)
- verde all'italiana (olio, aglio, prezzemolo, acciughe, capperi e cetriolini)	Italian green sauce (olive, oil, garlic, parsley, anchovies, capers & gherkins)	Sauce verte à l'italienne (huile, aïl, persil, anchois, câpres et cornichons)	Salsa verde a la italiana (aceite, ajo, perejil, anchoillas, alcaparras y pepinillos)	Italienische grüne Sauce (Öl, Knoblauch, Petersilie, Sardellen, Kapern u. Cornichons)
- Villeroy (salsa di carne, panna, prosciutto, tartufo, funghi e pollo)	Villeroy sauce (meat sauce, cream, ham, truffle, mushrooms & chicken)	Sauce Villeroy (fond de viande, crème, jambon, truffe, champignons et poulet)	Salsa Villeroy (salsa de carne, nata, jamón, trufa, setas y pollo)	Villeroy-Sauce (Fleischsauce, Sahne, Schinken, Trüffel, Pilze u. Hähnchen)
- vinaigrette (con olio, sale, aceto, cipolla, pepe ed erbe aromatiche)	Vinaigrette sauce (with olive oil, salt, vinegar, onion, pepper & herbs)	Sauce vinaigrette (sel, vinaigre, oignon, poivre et fines herbes dans l'huile)	Salsa vinagreta (con aceite, sal, vinagre, cebolla, pimienta e hierbas aromáticas)	Vinaigrette-Sauce (aus Öl, Salz, Essig, Zwiebel, Pfeffer u. Gewürzkräutern)

ERBE, SPEZIE E AROMI	AROMATIC HERBS & SPICES	FINES HERBES, ÉPICES ET AROMATES	HIERBAS, ESPECIAS Y AROMAS	KRÄUTER UND GEWÜRZE
Acetosa	Sorrel	Oseille	Acedera	Sauerampfer
Aglio	Garlic	Aïl	Ajo	Knoblauch
Alghe	Water weeds	Algues	Algas	Algen
- marine	Sea weeds	Algues marines	Algas marinas	Meeresalgen
Alloro	Bay leaf	Laurier	Laurel	Lorbeer
Aneto	Dill	Aneth	Eneldo	Dill
Angelica	Angelic herb	Angélique	Angélica	Engelwurz
Anice	Aniseed	Anis	Anís	Anis
- stellato	Star anice	Anis étoilé	Anís estrellado	Sternanis
Asperula	Sweet woodruff	Aspérule	Asperilla	Waldmeister
Assenzio	Absinthe	Absinthe	Absintio	Wermut
Bacche selvatiche	Wild berries	Baies sauvages	Bayas silvestres	Wildbeeren
Barbaforte ► *Cren*				
Basilico	Basil	Basilic	Albahaca	Basilikum
Bastoncini di cannella	Cinnamon sticks	Bâton de cannelle	Palitos de canela	Zimtstangen
Borragine [Borrana]	Borage	Bourrache	Borraja	Borretsch
Calendula	Marigold	Souci	Caléndula	Ringelblume
Cannella	Cinnamon	Cannelle	Canela	Zimt
Capperi	Capers	Câpres	Alcaparras	Kapern
Cappuccina	Nasturtium; Mexican cress	Capucine	Capuchina	Kapuzinerkresse
Cardamomo	Cardamom	Cardamome	Cardamomo	Kardamom
Cartamo	Safflower; bastard safflower	Cartame	Cártamo	Saflor; Färberdistel
Cedro candito	Candied citron	Cédrat confit	Cidra confitada	Zitronat
Cedronella ► *Melissa*				
Cerfoglio	Chervil	Cerfeuil	Perifollo	Kerbel
Chiodi di garofano	Cloves	Clous de girofle	Clavos	Nelken
Coriandolo	Coriander	Coriandre	Coriandro	Koriander
Cren	Horseradish	Raifort	Rábano picante	Meerrettich; Kren
Cumino	Cumin seeds	Cumin	Comino	Kümmel
Cùrcuma	Turmeric	Curcuma	Cúrcuma	Gelbwurz; Kurkuma
Curry	Curry	Curry	Curry	Curry
Dente di leone ► *Tarassaco*				
Dragoncello	Tarragon	Estragon	Estragón	Estragon
Erba acciuga [Cèrea] ► *Santoreggia*				
- amara ► *Erba di San Pietro*				
- cipollina	Chives	Ciboulette	Sueldacostilla	Schnittlauch

ERBE, SPEZIE E AROMI	AROMATIC HERBS & SPICES	FINES HERBES, ÉPICES ET AROMATES	HIERBAS, ESPECIAS Y AROMAS	KRÄUTER UND GEWÜRZE
Erba di San Pietro [di Santa Maria]	Alecost; costmary	Balsamier	Hierba de San Pedro	Marienblatt; Frauenblatt
- pera ► *Erba di S. Pietro*				
Erbe aromatiche	Aromatic herbs	Fines herbes	Hierbas aromáticas	Gewürzkräuter
Estragone ► *Dragoncello*				
Finocchiella ► *Finocchio selvatico*				
Finocchio bastardo [fetido] ► *Aneto*				
- selvatico	Wild fennel	Fenouil sauvage	Hinojo silvestre	Wilder Fenchel
- , semi di	Fennel seeds	Graines de fenouil	Semillas de hinojo	Fenchelsamen
Genepi	Wormwood	Génépi	Genepi	Beifuß
Germogli selvatici	Wild shoots	Pousses sauvages	Brotes silvestres	Wildsprossen
Ginepro, bacche di	Juniper berries	Baies de genièvre	Bayas de enebro	Wacholderbeeren
Lauro ► *Alloro*				
Levistico	Lovage	Céleri de montagne	Levístico	Liebstöckel
Liquirizia	Licorice	Réglisse	Regaliz	Süßholz
Luppolo, germogli di	Hop; hop shoots	Pousses de houblon	Brotes de lúpulo	Hopfensprossen
Macis	Mace	Macis	Macis	Mazis
Maggiorana	Marjoram	Marjolaine	Mejorana	Majoran
Melissa	Lemon balm	Mélisse	Melisa; toronjil	Melisse
Menta	Mint	Menthe	Menta	Minze
- piperita	Peppermint	Menthe poivrée	Menta pipirita	Pfefferminze
Mentuccia	Pennyroyal	Menthe pouliot	Mastranzo	Poleiminze
Mirto	Mirtle	Myrthe	Arrayán	Myrte
Mostarda ► *Senape*				
- di Cremona (frutta candita con senape)	Cremona mustard (candied fruit with mustard)	Moutarde de Crémone (fruits confits à la moutarde)	Mostaza de Cremona (fruta confitada con mostaza)	Senffrüchte aus Cremona (kandierte Früchte mit Senf)
- di Vicenza (polpa di mele cotogne con frutta candita e senape)	Vicenza mustard (quince pulp with candied fruit & mustard)	Moutarde de Vicence (chair de coings, fruits confits et graines de moutarde)	Mostaza de Vicenza(membrillo con fruta confitada y mostaza)	Senffrüchte aus Vicenza (Quitten mit kandierten Früchten u. Senf)
Nasturzio indiano ► *Cappuccina*				
Nepetella ► *Mentuccia*				
Nepitella	Calamint	Calaminthe	Nébeda	Bergminze
Nigelia	Fennel flower; Venus' hair	Poivrette	Neguilla	Schwarzkümmel
Noce moscata	Nutmeg	Noix de muscade	Nuez moscada	Muskatnuß
Origano	Oregano	Origan	Orégano	Oregano; Origano
- fresco	Fresh oregano	Origan frais	Orégano fresco	Frischer Oregano

ERBE, SPEZIE E AROMI	AROMATIC HERBS & SPICES	FINES HERBES, ÉPICES ET AROMATES	HIERBAS, ESPECIAS Y AROMAS	KRÄUTER UND GEWÜRZE
Ortica	Nettle	Ortie	Ortiga	Brennessel
- , germogli di	Nettle shoots	Pousses d'ortie	Brotes de ortiga	Brennesselsprossen
Papavero, semi di	Poppy seeds	Graines de pavot	Semillas de adormidera	Mohn
Paprica	Paprika	Paprika	Paprika	Paprika
Pepe	Pepper	Poivre	Pimienta	Pfeffer
- bianco	White pepper	Poivre blanc	Pimienta blanca	Weißer Pfeffer
- di Caienna	Cayenne pepper	Poivre de Cayenne	Pimienta de Cayena	Cayenne-Pfeffer
- in grani	Pepper grains	Poivre en grains	Pimienta en granos	Pfefferkörner
- nero	Black pepper	Poivre noir	Pimienta negra	Schwarzer Pfeffer
- rosa	Pink pepper	Poivre rose	Pimienta rosa	Rosa Pfeffer
- verde	Green pepper	Poivre vert	Pimienta verde	Grüner Pfeffer
Peperoncino	Chilli pepper	Piment	Pimentón; guindilla	Chili-Pfeffer
Pepolino ► *Serpillo*				
Pimento [Pepe] della Giamaica	Allspice	Piment de la Jamaïque	Pimienta de Jamaica	Piment; Nelkenpfeffer
Pimpinella ► *Salvastrella*				
Pinoli	Pine nuts	Pignons	Piñones	Pinienkerne
Pistacchio	Pistachio nut	Pistache	Pistacho	Pistazie
Portulaca	Purslane	Pourpier	Portulaca	Portulak
Prezzemolo	Parsley	Persil	Perejil	Petersilie
Rabarbaro	Rhubarb	Rhubarbe	Rabárbaro	Rhabarber
Rosa canina	Rose-hip	Églantine	Agavanzo	Hundsrose
Rosmarino	Rosemary	Romarin	Romero	Rosmarin
Ruta	Rue	Rue	Ruda	Weinraute
Salvastrella	Burnet	Sanguisorbe	Pimpinela	Pimpinelle
Salvia	Sage	Sauge	Salvia	Salbei
Santoreggia	Savory	Sariette	Ajedrea	Bohnenkraut
Scalogno	Shallot	Échalote	Escalaia; chalote	Schalotte
Sedano di montagna ► *Levistico*				
Senape	Mustard	Moutarde	Mostaza	Senf
Serpillo	Wild thyme	Serpolet	Serpol	Feldthymian
Sesamo, semi di	Sesame seeds	Graines de sésame	Semillas de sésamo	Sesamkörner
Soffione ► *Tarassaco*				
Stellina odorosa ► *Asperula*				
Tarassaco	Dandelion	Pissenlit; dent-de-lion	Diente de león	Löwenzahn
Tiglio	Linden	Tilleul	Tilo	Linde
Timo	Thyme	Thym	Tomillo	Thymian
Valeriana	Valerian	Valériane	Valeriana	Baldrian

ERBE, SPEZIE E AROMI	AROMATIC HERBS & SPICES	FINES HERBES, ÉPICES ET AROMATES	HIERBAS, ESPECIAS Y AROMAS	KRÄUTER UND GEWÜRZE
Vaniglia	Vanilla	Vanille	Vainilla	Vanille
Verbena	Vervain	Verveine	Berbena	Eisenkraut
Zafferano	Saffron	Safran	Azafrán	Safran
Zafferone ► *Cartamo*				
Zenzero	Ginger	Gingembre	Jengibre	Ingwer
- giallo ► *Cùrcuma*				

PANE E PIZZA	BREAD & PIZZA	PAIN ET PIZZAS	PAN Y PIZZAS	BROT UND PIZZA
Calzone	Pizza calzone (stuffed)	Pizza en chausson (farcie)	Pizza calzone (rellena)	Pizza calzone (gefüllt)
Club sandwich	Club sandwich	Sandwich Club	Club sandwich	Club-Sandwich
Crackers	Crackers	Crackers	Crackers	Cracker
Crostini (per minestre)	Croûtons	Croûtons	Pedacitos de pan frito	Croûtons
Crostino [Crostone]	Canapé; toast	Croûte	Tostadita; costrón	Röstbrot
Fetta di pane	Bread slice	Tranche de pain	Rebanada de pan	Brotscheibe
- di toast	Slice of toast	Tranche de pain grillé	Rebanada de pan tostado	Röstbrotscheibe
- biscottate	Biscuit rusks	Biscottes	Pan bizcochado	Zwieback
Focaccia	Flavoured flat bread	Fouace; fougasse	Hogaza	Fladenbrot
- al rosmarino	Rosemary flat bread	Fouace au romarin	Hogaza de romero	Rosmarin-Fladenbrot
- alle cipolle	Onion flat bread	Fouace aux oignons	Hogaza de cebollas	Zwiebel-Fladenbrot
- alle olive	Olive flat bread	Fouace aux olives	Hogaza de aceitunas	Oliven-Fladenbrot
- di farina di ceci	Chick-pea flat bread	Fouace de farine de pois chiche	Hogaza de harina de garbanzos	Fladenbrot aus Kichererbsenmehl
- fritta farcita	Stuffed & fried flat bread	Fouace frite farcie	Hogaza frita rellena	Gebackenes gefülltes Fladenbrot
Gallette	Biscuits	Galettes	Galletas	Knäckebrot
Grissini	Thin breadsticks	Gressins	Palitos de pan	Dünne Weißbrotstangen
Pancarré	Sandwich loaf	Pain de mie	Pan de sandwich	Toastbrot; Kastenbrot
Pane	Bread	Pain	Pan	Brot
- ai cinque cereali	Five-cereal bread	Pain aux cinq céréales	Pan de cinco cereales	Fünfkornbrot
- alle noci	Walnut bread	Pain aux noix	Pan de nueces	Walnußbrot
- azzimo	Unleavened bread	Pain azyme	Pan ázimo	Ungesäuertes Brot
- bianco	White bread	Pain blanc	Pan blanco	Weißbrot
- biologico	Organic bread	Pain biologique	Pan biológico	Bio-Brot
- casereccio	Home-made bread	Pain de ménage	Pan casero	Hausgebackenes Brot
- di segale	Rye bread	Pain de seigle	Pan de centeno	Roggenbrot
- di soia	Soy bread	Pain de soja	Pan de soja	Sojabrot
- fresco	Fresh bread	Pain frais	Pan fresco	Frisches Brot
- imburrato	Buttered bread	Pain beurré	Pan con mantequilla	Butterbrot
- in cassetta ► *Pancarré*				
- integrale	Wholemeal[1] bread	Pain complet	Pan integral	Vollkornbrot
- nero	Brown bread	Pain noir	Pan moreno	Schwarzbrot
- tostato	Toast	Pain grillé	Pan tostado	Röstbrot
Pangrattato	Breadcrumbs	Chapelure	Pan rallado	Semmelbrösel
Panino	Roll	Petit pain	Panecillo[2]; bollo[3]; bocadillo[4]	Brötchen
- al burro	Butter roll	Petit pain au beurre	Bollo de mantequilla	Butterbrötchen

[1] USA: whole wheat [2] Panino comune [3] Panino fatto anche con altri ingredienti [4] Panino farcito

PANE E PIZZA	BREAD & PIZZA	PAIN ET PIZZAS	PAN Y PIZZAS	BROT UND PIZZA
Panino al latte	Milk roll	Petit pain au lait	Bollo de leche	Milchbrötchen
- al sesamo	Sesame roll	Petit pain au sésame	Bollo de sésamo	Schinkenbrötchen
- all'uvetta	Raisin roll	Petit pain aux raisins	Bollo de pasas	Rosinenbrötchen
- con formaggio	Cheese roll	Petit pain au fromage	Bocadillo de queso	Käsebrötchen
- con prosciutto	Ham roll	Petit pain au jambon	Bocadillo de jamón	Schinkenbrötchen
Panzerotti (paste fritte ripiene con salsa di pomodoro e mozzarella)	Panzerotti (fried dough stuffed with tomato sauce & mozzarella)	Panzerotti (chaussons frits à la sauce tomate et mozzarelle)	Panzerotti (pastas fritas rellenas de tomate y mozzarella)	Panzerotti (fritierte Brotteigtaschen mit Tomaten-Mozzarella-Füllung)
Pezzo di pane	Piece of bread	Morceau de pain	Pedazo de pan	Stück Brot
Piada o piadina	Piadina (unleavened bread)	Piadina (galette)	Piadina (hogaza sin levadura)	Piadina (dünnes Fladenbrot)
Pizza	Pizza	Pizza	Pizza	Pizza
- ai frutti di mare	Pizza with seafood	Pizza aux fruits de mer	Pizza de mariscos	Pizza mit Meeresfrüchten
- ai gamberetti	Pizza with shrimps	Pizza aux crevettes	Pizza de gambas	Pizza mit Krabben
- ai porcini	Pizza with wild mushrooms (porcini)	Pizza aux cèpes	Pizza de hongos calabaza	Pizza mit Steinpilzen
- al taglio	Sliced pizza	Pizza en tranches	Pizza en porciones	Pizza, stückweise vom Blech
- al tonno e carciofi	Pizza with tuna & artichokes	Pizza au thon et aux artichauts	Pizza de atún y alcachofas	Pizza mit Thunfisch u. Artischocken
- alla diavola (pomodoro, mozzarella e salame piccante)	Devilled pizza (tomato, mozzarella & spicy salami)	Pizza à la diable (tomate, mozzarelle et saucisson pimenté)	Pizza a la diabla (tomate, mozzarella y salchichón picante)	Teufels-Pizza (Tomaten, Mozzarella u. scharfe Salami)
- alla farina integrale	Wholemeal pizza[1]	Pizza à la farine intégrale	Pizza de harina integral	Vollkorn-Pizza
- alla marinara (pomodoro, origano, aglio e prezzemolo)	Pizza sailor style (tomato, oregano, garlic & parsley)	Pizza marinière (tomate, origan, aïl, persil)	Pizza a la marinera (tomate, orégano, ajo y perejil)	Pizza nach Matrosenart (Tomaten, Oregano, Knoblauch u. Petersilie)
- alla romana (pomodoro, mozzarella e acciughe)	Pizza Roman style (tomato, mozzarella & anchovies)	Pizza à la romaine (tomate, mozzarelle, anchois)	Pizza a la romana (tomate, mozzarella y anchoillas)	Römische Pizza (Tomaten, Mozzarella u. Sardellen)
- alla viennese (pomodoro, mozzarella e würstel)	Pizza Viennese style (tomato, mozzarella & frankfurter)	Pizza viennoise (tomate, mozzarelle, saucisse de Francfort)	Pizza a la vienesa (tomate, mozzarella y wurstel)	Wiener Pizza (Tomaten, Mozzarella u. Würstchen)
- alle melanzane	Pizza with aubergines[2]	Pizza aux aubergines	Pizza de berenjenas	Pizza mit Auberginen
- alle zucchine	Pizza with courgettes[3]	Pizza aux courgettes	Pizza de calabacines	Pizza mit Zucchini
- bianca (senza salsa di pomodoro)	White pizza (without tomato sauce)	Pizza blanche (sans sauce tomate)	Pizza blanca (sin salsa de tomate)	Weiße Pizza (ohne Tomatensauce)

[1] USA: whole-wheat pizza [2] USA: eggplants [3] USA: zucchini

PANE E PIZZA	BREAD & PIZZA	PAIN ET PIZZAS	PAN Y PIZZAS	BROT UND PIZZA
Pizza capricciosa (prosciutto, carciofi e funghi)	Pizza caprice (ham, artichokes & mushrooms)	Pizza à la capricieuse (jambon, artichauts, champignons)	Pizza caprichosa (jamón, alcachofas y setas)	Pizza Capricciosa (Schinken, Artischocken u. Pilze)
- con brie e pomodoro fresco	Pizza with brie & fresh tomato	Pizza au brie et à la tomate fraîche	Pizza de queso brie y tomate fresco	Pizza mit Brie u. rohen Tomaten
- con funghi	Pizza with mushrooms	Pizza aux champignons	Pizza de setas	Pizza mit Pilzen
- con prosciutto	Pizza with ham	Pizza au jambon	Pizza de jamón	Pizza mit Schinken
- con verdure alla griglia	Pizza with grilled vegetables	Pizza aux légumes grillés	Pizza de verduras a la parrilla	Pizza mit gegrilltem Gemüse
- cotta nel forno a legna	Pizza cooked in a wood-burning oven	Pizza cuite au four à bois	Pizza cocida en horno de leña	Im Holzofen gebackene Pizza
- del pizzaiolo	Pizzamaker's pizza	Pizza du pizzaiolo	Pizza del picero	Pizza nach Art des Pizzabäckers
- dell'amicizia (per due)	Friendship pizza (for two persons)	Pizza de l'amitié (pour deux)	Pizza de la amistad (para dos personas)	Freundschafts-Pizza (für zwei Personen)
- della casa	Pizza of the house	Pizza maison	Pizza de la casa	Pizza nach Art des Hauses
- di soia	Soy pizza	Pizza de soja	Pizza de soja	Soja-Pizza
- famiglia (per quattro)	Family pizza (for four persons)	Pizza famille (pour quatre)	Pizza familia (para cuatro personas)	Familien-Pizza (für vier Personen)
- Margherita (pomodoro e mozzarella)	Pizza Margherita (tomato & mozzarella)	Pizza Margherita (tomate et mozzarelle)	Pizza Margarita (tomate y mozzarella)	Pizza Margherita (Tomaten u. Mozzarella)
- napoletana	Pizza Neapolitan style	Pizza napolitaine	Pizza napolitana	Neapolitanische Pizza
- quattro stagioni (prosciutto, carciofi, funghi, acciughe e olive)	Four-seasons pizza (ham, artichokes, mushrooms, anchovies & olives)	Pizza quatre saisons (jambon, artichauts, champignons, anchois, olives)	Pizza cuatro estaciones (jamón, alcachofas, setas, anchoillas y aceitunas)	Pizza vier Jahreszeiten (Schinken, Artischocken, Pilze, Sardellen u. Oliven)
- Rossini (uova sode e maionese)	Pizza Rossini (boiled eggs & mayonnaise)	Pizza Rossini (œufs durs et mayonnaise)	Pizza Rossini (huevos duros y mayonesa)	Pizza Rossini (hartgekochte Eier u. Mayonnaise)
- speciale	Special pizza	Pizza spéciale	Pizza especial	Spezial-Pizza
- vegetariana	Vegetarian pizza	Pizza végétarienne	Pizza vegetariana	Vegetarische Pizza
Pizzette assortite	Assorted mini pizzas	Petites pizzas assorties	Variedad de pizzas pequeñas	Auswahl an kleinen Pizzas
Sandwich	Sandwich	Sandwich	Sandwich	Sandwich
Schiacciata alle olive	Flat bread with olives	Galette aux olives	Hogaza de aceitunas	Fladenbrot mit Oliven
Toast	Toast	Toast	Tostada	Röstbrot; Toast

PANE E PIZZA	BREAD & PIZZA	PAIN ET PIZZAS	PAN Y PIZZAS	BROT UND PIZZA
Toast con prosciutto e formaggio	Ham & cheese toast	Toast au jambon et fromage	Tostada con jamón y queso	Röstbrot mit Schinken u. Käse
Tramezzino	Sandwich	Sandwich	Sandwich	Sandwich

PREPARAZIONI ALLA...	WAYS TO PREPARE...	PRÉPARATIONS À LA...	PREPARACIONES A LA...	ZUBEREITUNGSARTEN
abruzzese, all'	Abruzzo style	à la mode des Abruzzes	a la abruza	nach abruzzesischer Art
africana, all'	African style	à l'africaine	a la africana	nach afrikanischer Art
alsaziana, all'	Alsatian style	à l'alsacienne	a la alsaciana	nach Elsässer Art
altoatesina, all'	North-Tyrol style	à la mode du Haut Adige	a la manera de Alto Adige	nach Südtiroler Art
americana, all'	American style	à l'américaine	a la americana	nach amerikanischer Art
antica, all'	old-fashioned style	à la manière traditionnelle	a la manera tradicional	nach traditioneller Art
antica ricetta	old recipe	à l'ancienne	antigua receta	nach altem Rezept
araba, all'	Arab style	à l'arabe	a la áraba	nach arabischer Art
austriaca, all'	Austrian style	à l'autrichienne	a la austriaca	nach österreichischer Art
baltica, alla	Baltic style	baltique	a la báltica	nach baltischer Art
basca, alla	Basque style	à la basquaise	a la vasca	nach baskischer Art
belga, alla	Belgian style	à la belge	a la belga	nach belgischer Art
bellavista, in	en belle vue	en belle vue	en bellavista	Bellevue
berlinese, alla	Berlin style	à la berlinoise	a la berlinesa	nach Berliner Art
bolognese, alla	Bolognese style	à la bolognaise	a la boloniesa	nach Bologneser Art; Bologneser~
bordolese, alla	Bordelaise style	à la bordelaise	a la bordolesa	Bordelaiser
borgognona, alla	Bourguignonne style	à la bourguignonne	a la borgoñona	Burgunder~
boscaiola, alla	woodman's style	bûcheron	a la boscaiola	nach Försterin-Art
bretone, alla	Breton style	à la bretonne	a la bretona	nach bretonischer Art
bulgara, alla	Bulgarian style	à la bulgare	a la búlgara	nach bulgarischer Art
buongustaia, alla	gourmet's style	gourmet	a la gastrónoma	nach Feinschmeckerart
cacciatora, alla	hunter's style	chasseur	a la cazadora	nach Jägerart
calabrese, alla	Calabrian style	à la calabraise	a la calabresa	nach kalabresischer Art
californiana, alla	Californian style	à la californienne	a la californiana	nach kalifornischer Art
campagnola, alla	peasant's style	à la paysanne	a la campesina	nach ländlicher Art
Campania, della	Campanian style	à la mode de Campanie	a la manera de Campania	nach kampanischer Art
cardinale, alla	cardinal's style	à la cardinal	a la cardenal	nach Kardinalsart
casalinga, alla	home style	de ménage	a la casera	nach Hausfrauenart
catalana, alla	Catalan style	à la catalane	a la catalana	nach katalanischer Art
cèca, alla	Czech style	à la tchèque	a la checa	nach tschechischer Art
cinese, alla	Chinese style	à la chinoise	a la china	nach chinesischer Art
contadina, alla	farmhouse style	à la paysanne	a la campesina	nach Bauernart
contadino, del	farmer's~	paysanne	del campesino	Bauern-
corsara, alla	buccaneer's style	à la corsaire	a la corsaria	nach Seeräuberart
danese, alla	Danish style	à la danoise	a la danesa	nach dänischer Art
diavola, alla	devilled style	à la diable	a la diabla	Teufels-

PREPARAZIONI ALLA...	WAYS TO PREPARE...	PRÉPARATIONS À LA...	PREPARACIONES A LA...	ZUBEREITUNGSARTEN
digionese, alla	Dijon style	à la dijonnaise	a la dijonesa	nach Dijoner Art
diplomatica, alla	diplomatic style	diplomate	a la diplomática	Diplomaten-
duchessa, alla	duchess style	duchesse	a la duquesa	Herzogin-
emiliana, all'	Emilian style	à l'émilienne	a la emiliana	nach emilianischer Art
europea, all'	European style	à l'européenne	a la europea	nach europäischer Art
fantasia	fancy style	fantaisie	fantasía	Phantasie-
finanziera, alla	financier style	financière	a la financiera	nach Finanzmannsart
finlandese, alla	Finnish style	à la finlandaise	a la finlandesa	nach finnischer Art
fiorentina, alla	Florentine style	à la florentine	a la florentina	Florentiner~
forestale, alla	woodman's style	forestière	a la forestal	nach Försterart
francese, alla	French style	à la française	a la francesa	nach französischer Art
friulana, alla	Friuli style	à la frioulane	a la friulana	nach friaulischer Art
gastronomo, del	gastronome's style	gastronome	del gastrónomo	nach Art des Feinschmeckers
genovese, alla	Genoese style	à la génoise	a la genovesa	Genueser~
giapponese, alla	Japanese style	à la japonaise	a la japonesa	nach japanischer Art
giardiniera, alla	gardener's style	jardinière	a la jardinera	nach Gärtnerinart
giudea [giudia], alla	Jewish style	à la juive	a la judía	nach jüdischer Art
greca, alla	Greek style	à la grecque	a la griega	nach griechischer Art
imperiale, all'	imperial style	à l'impériale	a la imperial	nach Kaiserart
indiana, all'	Indian style	à l'indienne	a la india	nach indischer Art
inglese, all'	English style	à l'anglaise	a la inglesa	nach englischer Art
irlandese, all'	Irish style	à l'irlandaise	a la irlandesa	nach irischer Art
italiana, all'	Italian style	à l'italienne	a la italiana	nach italienischer Art
laziale, alla	Latium style	à la mode du Latium	a la lazial	nach Art des Latiums
ligure, alla	Ligurian style	à la ligure	a la ligurina	nach ligurischer Art
lionese, alla	Lyonese style	à la lyonnaise	a la lionesa	Lyoner~; nach Lyoner Art
livornese, alla	Livornese style	à la libournaise	a la livornesa	nach livornesischer Art
lombarda, alla	Lombardy style	à la lombarde	a la lombarda	nach lombardischer Art
lucana, alla	Lucan style	à la mode de Lucanie	a la lucana	nach Art der Basilikata
lussemburghese, alla	Luxembourg style	à la luxembourgeoise	a la luxemburguesa	nach luxemburgischer Art
maître d'hôtel, alla	maître d'hotel style	maître d'hôtel	a la maître de hotel	nach Maître d'Hotel-Art; Maître d'Hotel-
maltese, alla	Maltese style	à la maltaise	a la maltesa	nach Malteser Art
marchigiana, alla	Marches style	à la mode des Marches	a la manera de Marche	nach Art der Marken
marinara, alla	marinara style	marinière	a la marinera	nach Matrosenart
mediterranea, alla	Mediterranean style	Méditerranée	a la mediterránea	nach Mittelmeerart
messicana, alla	Mexican style	à la mexicaine	a la mejicana	nach mexikanischer Art

PREPARAZIONI ALLA...	WAYS TO PREPARE...	PRÉPARATIONS À LA...	PREPARACIONES A LA...	ZUBEREITUNGSARTEN
milanese, alla	Milanese style	à la milanaise	a la milanesa	nach Mailänder Art
moda, alla	à la mode	mode; à la mode	a la moda	à la Mode
moda dello chef, alla	chef's style	du chef	a la moda del chef	nach Art des Küchenchefs
molisana, alla	Molisan style	à la molisane	a la molisana	nach molisischer Art
montanara, alla	mountain style	à la montagnarde	a la montañesa	nach Bergbauernart
napoletana, alla	Neapolitan style	à la napolitaine	a la napolitana	nach neapoletanischer Art
nizzarda, alla	Niçoise	à la niçoise	a la nizarda	Nizza-
norvegese, alla	Norwegian style	à la norvégienne	a la noruega	nach norwegischer Art
olandese, alla	Dutch style	à la hollandaise	a la holandesa	nach holländischer Art
orientale, all'	Eastern style	à l'orientale	a la oriental	nach orientalischer Art
ortolana, all'	greengrocer's style	maraîchère	a la verdurera	nach Art der Gemüsegärtnerin
paesana, alla	peasant's style	à la paysanne	a la paisana	rustikal*; nach ländlicher Art
parigina, alla	Parisian style	à la parisienne	a la parisina	nach Pariser Art
parmigiana, alla	Parmesan style	à la parmesane	a la parmesana	Parma-; nach Parma-Art
pescatore, del	fisherman's	pêcheur	del pescador	Fischer-
piemontese, alla	Piedmontese style	à la piémontaise	a la manera de Piemonte	nach piemontesischer Art
pirata, alla	pirate's style	à la pirate	a la pirata	nach Piratenart
polacca, alla	Polish style	à la polonaise	a la polaca	nach polnischer Art
portoghese, alla	Portuguese style	à la portugaise	a la portuguesa	nach portugiesischer Art
principessa, alla	princess style	princesse	a la princesa	Prinzessin-
provenzale, alla	Provençal style	à la provençale	a la provenzal	nach Art der Provence
pugliese, alla	Apulian style	à la mode des Pouilles	a la pullesa	nach apulischer Art
reale, alla	royal style	à la royale	a la real	nach königlicher Art
regina, alla	queen's style	à la reine	a la reina	Königin-
ricca, alla	rich style	à la riche	a la rica	nach reicher Art
romagnola, alla	Romagna style	à la mode de Romagne	a la romañesa	nach romagnolischer Art
romana, alla	Roman style	à la romaine	a la romana	nach römischer Art
russa, alla	Russian style	à la russe	a la rusa	nach russischer Art
rustica, alla	rural style	rustique*	a la rústica	rustikal*
sarda, alla	Sardinian style	à la mode de Sardaigne	a la sarda	nach sardischer Art
savoiarda, alla	Savoyard style	à la savoyarde	a la saboyarda	nach savoyischer Art
siciliana, alla	Sicilian style	à la sicilienne	a la siciliana	nach sizilianischer Art
slovacca, alla	Slovak style	à la slovaque	a la eslovaca	nach slowakischer Art

PREPARAZIONI ALLA...	WAYS TO PREPARE...	PRÉPARATIONS À LA...	PREPARACIONES A LA...	ZUBEREITUNGSARTEN
spagnola, alla	Spanish style	à l'espagnole	a la española	nach spanischer Art
strasburghese, alla	Strasbourg style	à la strasbourgeoise	a la estrasburguesa	Straßburger~
svedese, alla	Swedish style	à la suédoise	a la sueca	nach schwedischer Art
svizzera, alla	Swiss style	à la suisse	a la suiza	nach Schweizer Art
tartara, alla	tartare	tartare	a la tártara	nach Tatarenart
tedesca, alla	German style	à l'allemande	a la alemana	nach deutscher Art
toscana, alla	Tuscan style	à la toscane	a la toscana	nach toskanischer Art
trentina, alla	Trentino style	à la mode du Trentin	a la trentina	nach Trentiner Art
turca, alla	Turkish style	à la turque	a la turca	nach türkischer Art
umbra, alla	Umbrian style	à la mode d'Ombrie	a la manera de Umbria	nach umbrischer Art
ungherese, all'	Hungarian style	à la hongroise	a la ungaresa	nach ungarischer Art
valdostana, alla	Aosta-Valley style	à la valdôtaine	a la manera del Valle de Aosta	nach Art des Aosta-Tals; Aosta-Taler~
vegetariana, alla	vegetarian style	à la végétarienne	a la vegetariana	nach Vegetarierart
veneta, alla	Veneto style	à la mode de Vénétie	a la véneta	nach Venetischer Art
Venezia-Giulia, alla	Venezia Giulia style	à la mode des Juliennes	a la Venecia-Julia	nach Art des julischen Venetiens
veneziana, alla	Venetian style	à la vénitienne	a la veneciana	nach venezianischer Art
viennese, alla	Viennese style	à la viennoise	a la vienesa	Wiener~
vignaiola, alla	vineyard style	vigneron	a la viñadora	nach Winzerart
zingara, alla	gypsy style	à la tsigane	a la gitana	Zigeuner-; nach Zigeunerart

ALTRI INGREDIENTI	ADDITIONAL COOK'S INGREDIENTS	AUTRES INGRÉDIENTS	OTROS INGREDIENTES	WEITERE ZUTATEN
Aceto	Vinegar	Vinaigre	Vinagre	Essig
- balsamico (aceto agrodolce invecchiato in botti di legno)	Balsamic vinegar (sweet & sour vinegar aged in wood barrels)	Vinaigre balsamique (vinaigre aigre-doux vieilli en barrique)	Vinagre balsámico (vinagre agridulce envejecido en cubas)	Balsamessig (süß-saurer Essig, in Holzfässern gelagert)
- di fragole	Strawberry vinegar	Vinaigre de fraises	Vinagre de fresas	Erdbeeressig
- di mele	Apple vinegar	Vinaigre de pommes	Vinagre de manzanas	Apfelessig
- di pesche	Peach vinegar	Vinaigre de pêches	Vinagre de melocotones	Pfirsichessig
Acqua di rose	Rose water	Eau de rose	Agua de rosas	Rosenwasser
Albume d'uovo	Egg white	Blanc d'œuf	Clara de huevo	Eiweiß
Alchermes	Alchermes	Alkermès	Alquermes	Alkermes
Alcol	Alcohol	Alcool	Alcohol	Alkohol
Bicarbonato di sodio	Bicarbonate of soda	Bicarbonate de soude	Bicarbonato	Natron
Cacao	Cocoa	Cacao	Cacao	Kakao
- amaro	Bitter cocoa	Cacao amer	Cacao amargo	Bitterer Kakao
Carne macinata	Minced meat[1]	Viande hachée	Carne molida	Hackfleisch
Cereali	Cereals	Céréales	Cereales	Getreide; Körner
Cioccolato fondente	Pure chocolate[2]	Chocolat fondant	Chocolate de hacer	Kuvertüre; Schmelzschokolade
Concentrato di pomodoro	Tomato paste	Concentré de tomate	Concentrado de tomate	Tomatenmark
Confettura ▶ *Marmellata*				
Cornflakes	Cornflakes	Cornflakes	Cornflakes	Cornflakes; Maisflocken
Cotenna di prosciutto	Pig skin; pig rind	Couenne de jambon	Piel de jamón	Schinkenschwarte
Crema di cioccolato e nocciole	Chocolate & hazel-nut spread	Crème chocolat et noisettes	Crema de chocolate y avellanas	Nuß-Schokoladencreme
- pasticcera	Pastry cream	Crème pâtissière	Crema pastelera	Konditorcreme
Crostini (per minestre)	Croûtons	Croûtons	Pedacitos de pan frito	Croutons
Crusca	Bran	Son	Salvado	Kleie
- di grano	Wheat bran	Son de blé	Salvado de trigo	Weizenkleie
Dado	Stock cube	Bouillon cube	Avecrem[3]	Brühwürfel
Essenza di rose	Rose essence	Essence de rose	Esencia de rosas	Rosenessenz
Estratto di carne	Meat extract	Extrait de viande	Extracto de carne	Fleischextrakt
- di verdure	Vegetable extract	Extrait végétal	Extracto de verduras	Gemüseextrakt
Farina	Flour	Farine	Harina	Mehl
- di castagne	Chestnut flour	Farine de châtaignes	Harina de castañas	Kastanienmehl
- di grano duro	Durum-wheat flour	Farine de blé dur	Harina de trigo duro	Hartweizenmehl
- di grano saraceno	Buckwheat flour	Farine de sarrasin	Harina de trigo sarraceno	Buchweizenmehl
- di grano tenero	Soft-wheat flour	Farine de blé tendre	Harina de trigo tierno	Weichweizenmehl
- di mais	Cornmeal	Farine de maïs	Harina de maíz	Maismehl

[1] USA: ground meat [2] USA: semi-sweet chocolate [3] Anche: cubito de glutamato

ALTRI INGREDIENTI	ADDITIONAL COOK'S INGREDIENTS	AUTRES INGRÉDIENTS	OTROS INGREDIENTES	WEITERE ZUTATEN
Farina di pesce	Fish flour	Farine de poisson	Harina de pescado	Fischmehl
- di riso	Rice flour	Farine de riz	Harina de arroz	Reismehl
- integrale	Wholemeal[1] flour	Farine intégrale	Harina integral	Vollkornmehl
Fecola	Starch	Fécule	Fécula	Stärkemehl
- di patate	Potato starch	Fécule de pommes de terre	Fécula de patatas	Kartoffelstärke
Fette di pane	Bread slices	Tranches de pain	Rebanadas de pan	Brotscheiben
Fiocchi di avena	Oat flakes	Flocons d'avoine	Copos de avena	Haferflocken
- di cereali	Cereal flakes	Flocons de céréales	Copos de cereales	Getreideflocken
- di mais al formaggio	Cheese cornflakes	Flocons de maïs au fromage	Copos de maiz con sabor a queso	Käse-Cornflakes
Foglie di basilico	Basil leaves	Feuilles de basilic	Hojas de albahaca	Basilikumblätter
Frutta candita	Candied fruit	Fruits confits	Fruta confitada	Kandierte Früchte
Gambo di sedano	Celery stalk	Branche de céleri	Tallo de apio	Staudensellerie
Gelatina	Jelly	Gelée	Gelatina	Gelee
- di frutta	Fruit jelly	Gelée de fruits	Gelatina de fruta	Fruchtgelee
Glutammato	Monosodium glutamate	Glutamate	Glutamato	Glutamat
Impasto	Dough	Pâte	Masa	Teig
Lamelle di tartufo	Truffle slivers	Lamelles de truffe	Laminillas de trufa	Trüffelscheibchen
Lardo	Bacon fat	Lard gras	Tocino	Fetter Speck
Latte di mandorle	Almond milk	Lait d'amandes	Leche de almendras	Mandelmilch
- di soia	Soy milk	Lait de soja	Leche de soja	Sojamilch
- in polvere	Powdered milk	Lait en poudre	Leche en polvo	Milchpulver
Latticello (siero di latte acido)	Buttermilk	Petit-lait acide	Suero de leche ácida	Buttermilch
Lievito	Yeast	Levain	Levadura	Hefe
- di birra	Fresh yeast	Levure de bière	Levadura de cerveza	Bierhefe
Mais soffiato	Puffed corn	Maïs soufflé	Maíz soplado	Puffmais
Maizena	Cornstarch	Maïzéna	Maizena	Maizena; Maisstärke
Margarina	Margarine	Margarine	Margarina	Margarine
Marmellata	Jam; marmalade[2]	Confiture	Mermelada	Marmelade; Konfitüre[3]
- di albicocche	Apricot jam	Confiture d'abricots	Mermelada de albaricoque	Aprikosenmarmelade
- di amarene	Morello jam	Confiture de griottes	Mermelada de guinda garrafal	Sauerkirschmarmelade
- di arance	Orange marmalade	Confiture d'oranges	Mermelada de naranja	Orangenkonfitüre
- di ciliegie	Cherry jam	Confiture de cerises	Mermelada de cereza	Kirschmarmelade
- di fragole	Strawberry jam	Confiture de fraises	Mermelada de fresa	Erdbeermarmelade

[1] USA: whole-wheat [2] Di arance [3] Con frutta intera o pezzi di frutta

ALTRI INGREDIENTI	ADDITIONAL COOK'S INGREDIENTS	AUTRES INGRÉDIENTS	OTROS INGREDIENTES	WEITERE ZUTATEN
Marmellata di lamponi	Raspberry jam	Confiture de framboises	Mermelada de frambuesa	Himbeermarmelade
- di pesche	Peach jam	Confiture de pêches	Mermelada de melocotón	Pfirsichmarmelade
- di prugne	Plum jam	Confiture de prunes	Mermelada de ciruela	Pflaumenmarmelade
Mazzetto di erbe aromatiche	Bunch of aromatic herbs	Bouquet garni	Manojo de hierbas aromáticas	Bund Gewürzkräuter
Miele	Honey	Miel	Miel	Honig
- di acacia	Acacia-blossom honey	Miel d'acacia	Miel de acacia	Akazienhonig
- di arancio	Orange honey	Miel d'oranger	Miel de naranjo	Orangenblütenhonig
- di castagno	Chestnut honey	Miel de châtaignier	Miel de castaño	Kastanienhonig
- di montagna	Mountain honey	Miel de montagne	Miel de monte	Gebirgshonig
- di rosmarino	Rosemary honey	Miel de romarin	Miel de romero	Rosmarinhonig
- di tiglio	Linden honey	Miel de tilleul	Miel de tila	Lindenhonig
- di timo	Thyme honey	Miel de thym	Miel de tomillo	Thymianhonig
- millefiori	Honey from mixed blossom	Miel mille fleurs	Miel de milflores	Blütenhonig
Mollica di pane	Soft part of bread	Mie de pain	Miga de pan	Weicher Teil des Brotes
Mosto	Must	Moût	Mosto	Most; Maische[1]
Olio	Oil	Huile	Aceite	Öl
- di arachidi	Peanut oil	Huile d'arachides	Aceite de cacahuetes	Erdnußöl
- di girasole	Sunflower oil	Huile de tournesol	Aceite de girasol	Sonnenblumenöl
- di mais	Corn oil	Huile de maïs	Aceite de maíz	Maisöl
- di mandorla	Almond oil	Huile d'amandes	Aceite de almendras	Mandelöl
- di oliva	Olive oil	Huile d'olive	Aceite de oliva	Olivenöl
- di palma	Palm oil	Huile de palme	Aceite de palma	Palmöl
- di semi	Seed oil	Huile végétale	Aceite de semillas	Samenöl
- di sesamo	Sesame-seed oil	Huile de sésame	Aceite de sésamo	Sesamöl
- di soia	Soy-bean oil	Huile de soja	Aceite de soja	Sojaöl
- di vinacciolo	Grape-seed oil	Huile de pépins de raisin	Aceite de pepitas de uva	Traubenkernöl
Osso/i	Bone/s	Os, *inv*	Hueso/s	Knochen, *inv*
Pane raffermo	Stale bread	Pain rassis	Pan duro	Altbackenes Brot
Pangrattato	Breadcrumbs	Chapelure	Pan rallado	Semmelbrösel
Panna	Cream	Crème	Nata	Sahne; Rahm
- acida	Sour cream	Crème aigre	Nata ácida	Saure Sahne
- da cucina	Single[2] cream	Crème fraîche	Nata para cocinar	Kochsahne
- montata	Whipped cream	Crème fouettée	Nata batida	Schlagsahne
- per dolci	Double[3] cream	Crème pour pâtisserie	Nata para dulces	Süße Sahne
Pappa reale	Royal jelly	Gelée royale	Jalea real	Gelee royal
Pasta brisé	Tart pastry	Pâte brisée	Pasta brisée	Mürbeteig

[1] Di birra [2] USA: light [3] USA: heavy

ALTRI INGREDIENTI	ADDITIONAL COOK'S INGREDIENTS	AUTRES INGRÉDIENTS	OTROS INGREDIENTES	WEITERE ZUTATEN
Pasta choux	Cream-puff pastry	Pâte à choux	Pasta choux	Brandteig
- di acciughe	Anchovy paste	Pâte d'anchois	Pasta de anchoillas	Sardellenpaste
- di mandorle	Almond pastry	Pâte d'amandes	Pasta de almendras	Mandelpaste
- di nocciole	Hazelnut pastry	Pâte de noisettes	Pasta de avellanas	Haselnußpaste
- frolla	Short pastry	Pâte sablée	Pasta flora	Mürbeteig
- sfoglia	Puff pastry; flaky pastry	Pâte feuilletée	Pasta de hojaldre	Blätterteig
Pastella	Batter	Pâte à frire	Pasta para freír	Tropfteig
Pinoli	Pine nuts	Pignons	Piñones	Pinienkerne
Polline	Pollen	Pollen	Polen	Pollen
Polvere di cacao	Cocoa powder	Poudre de cacao	Cacao en polvo	Kakaopulver
- di caffè	Coffee powder	Poudre de café	Polvo de café	Kaffeepulver
Pomodori pelati	Peeled tomatoes	Tomates pelées	Tomates en lata	Geschälte Tomaten
Popcorn	Popcorn	Pop corn	Palomitas de maíz	Popcorn
Porridge	Porridge	Porridge	Porridge	Porridge
Propoli	Propolis; bee-glue	Propolis	Propóleos	Propolis
Riso soffiato	Puffed rice	Riz soufflé	Arroz soplado	Puffreis
Sale	Salt	Sel	Sal	Salz
- fino	Table [fine] salt	Sel fin	Sal fina	Feines Salz
- grosso	Rock [coarse] salt	Gros sel	Sal gruesa	Grobes Salz
Scaglie di formaggio	Cheese slivers; cheese flakes	Écailles de fromage	Briznas de queso	Käsesplitter
Sciroppo di zucchero	Sugar syrup	Sirop de sucre	Jarabe de azúcar	Zuckersirup
Scorza di limone	Lemon peel	Écorce de citron	Corteza de limón	Zitronenschale
Semi di papavero	Poppy seeds	Graines de pavot	Semillas de amapola	Mohn
- di sesamo	Sesame seeds	Graines de sésame	Semillas de sésamo	Sesamkörner
- di zucca	Pumpkin seeds	Graines de potiron	Semillas de calabaza	Kürbiskerne
Semola di grano duro	Durum-wheat semolina	Semoule de blé dur	Sémola de trigo duro	Hartweizengrieß
Semolino	Semolina	Semoule	Sémola	Grieß
Siero di latte	Whey	Petit-lait	Suero de leche	Molke
Spicchio d'aglio	Garlic clove	Gousses d'aïl	Diente de ajo	Knoblauchzehe
Stecca di vaniglia	Vanilla-pod	Gousse de vanille	Palo de vainilla	Vanilleschote
Strutto	Lard	Saindoux	Manteca de cerdo	Schmalz
Tuorlo d'uovo	Egg yolk	Jaune d'œuf	Yema de huevo	Eigelb
Uva passa	Raisins	Raisins secs	Pasas	Rosinen
- passa di Corinto	Currants	Raisins de Corinthe	Pasas de Corinto	Korinthen
- sultanina	Sultanas	Raisins de Smyrne	Pasas de Esmirna	Sultaninen
Vaniglia	Vanilla	Vanille	Vainilla	Vanille
Vanillina	Powdered vanilla	Vanilline	Vanilina	Vanillin; Vanillezucker

ALTRI INGREDIENTI	ADDITIONAL COOK'S INGREDIENTS	AUTRES INGRÉDIENTS	OTROS INGREDIENTES	WEITERE ZUTATEN
Yogurt	Yoghurt	Yaourt	Yogur	Joghurt
- ai cereali	Yoghurt with cereals	Yaourt aux céréales	Yogur de cereales	Körnerjoghurt
- al naturale	Plain yoghurt	Yaourt nature	Yogur natural	Joghurt natur
- alla frutta	Fruit yoghurt	Yaourt aux fruits	Yogur de fruta	Früchtejoghurt
- magro	Low-fat yoghurt	Yaourt maigre	Yogur magro	Magerjoghurt
Zollette di zucchero	Sugar lumps	Morceaux de sucre	Terrones de azúcar	Würfelzucker
Zucchero	Sugar	Sucre	Azúcar	Zucker
- a velo	Icing sugar[1]	Sucre glace	Azúcar de flor	Puderzucker
- di canna	Cane sugar	Sucre de canne	Azúcar de caña	Rohrzucker
- dietetico	Dietetic sugar	Sucre diététique	Azúcar dietético	Diätzucker

[1] USA: confectioners' sugar

BEVANDE	BEVERAGES	BOISSONS	BEBIDAS	GETRÄNKE
Acqua	Water	Eau	Agua	Wasser
- minerale gassata	Sparkling mineral water	Eau minérale gazeuse	Agua mineral con gas	Mineralwasser mit Kohlensäure
- minerale naturale	Natural mineral water	Eau minérale plate	Agua mineral sin gas	Mineralwasser ohne Kohlensäure
- potabile	Drinking water	Eau potable	Agua potable	Trinkwasser
- tonica	Tonic water	Eau tonique	Agua tónica	Tonic Water
Acquavite	Spirit	Eau-de-vie	Aguardiente	Schnaps
Alchermes	Alchermes	Alkermès	Alquermes	Alkermes
Amaro (liquore)	Bitter liqueur	Amer	Licor amargo	Magenbitter
Anisetta	Anisette	Anisette	Anisete	Anisett; Anislikör
Aperitivo	Aperitif	Apéritif	Aperitivo	Aperitif
- analcolico	Non-alcoholic aperitif	Apéritif sans alcool	Aperitivo sin alcohol	Alkoholfreier Aperitif
Aranciata	Orangeade	Orangeade	Refresco de naranja	Orangenlimonade
Bevanda analcolica	Non-alcoholic drink	Boisson sans alcool	Bebida sin alcohol	Alkoholfreies Getränk
Bevanda/e	Drink/s	Boisson/s	Bebida/s	Getränk/e
Bibita	Soft drink	Boisson	Bebida; refresco	Alkoholfreies Getränk
- alla spina	Soda fountain drink	Boisson à la pression	Bebida de barril	Faßgetränk; Getränk vom Faß
Birra	Beer	Bière	Cerveza	Bier
- al doppio malto	Double-malt beer	Bière double malt	Cerveza doble malta	Doppelbock
- alla spina	Draught beer	Bière à la pression	Cerveza de barril	Bier vom Faß; Faßbier
- analcolica	Non-alcoholic beer	Bière sans alcool	Cerveza sin alcohol	Alkoholfreies Bier
- chiara	Pale ale	Bière blonde	Cerveza clara	Helles Bier
- estera	Imported beer	Bière étrangère	Cerveza extranjera	Ausländisches Bier
- in bottiglia	Bottled beer	Bière en bouteille	Cerveza en botella	Flaschenbier
- leggera	Light beer	Bière légère	Cerveza ligera	Leichtes Bier
- nazionale	National beer	Bière nationale	Cerveza nacional	Inländisches Bier
- rossa	Bitter (beer)	Bière rousse	Cerveza oscura	Rotes Bier
- scura	Stout (beer)	Bière brune	Cerveza negra	Dunkles Bier
Brandy	Brandy	Brandy	Brandy	Brandy; Weinbrand
Cacao	Cocoa	Cacao	Cacao	Kakao
Caffè	Coffee	Café	Café	Kaffee
- bollente	Hot coffee	Café brûlant	Café muy caliente	Heißer Kaffee
- con latte	Coffee with milk	Café au lait	Café con leche	Kaffee mit Milch
- con panna	Coffee with cream	Café à la crème	Café con nata	Kaffee mit Sahne
- corretto	Fortified coffee	Café arrosé	Café correcto	Kaffee mit Schuß
- d'orzo	Ovaltine; barley coffee	Café d'orge	Café de cebada	Malzkaffee

BEVANDE	BEVERAGES	BOISSONS	BEBIDAS	GETRÄNKE
Caffè decaffeinato	Decaffeinated coffee	Café décaféiné	Café descafeinado	Koffeinfreier Kaffee
- filtro	Filter coffee	Café-filtre	Café filtro	Filterkaffee
- freddo	Iced coffee	Café froid	Café frío	Kalter Kaffee
Caffellatte	Coffee with milk	Café au lait	Café con leche	Milchkaffe
Caffè lungo	Weak coffee	Café américain	Café largo	Schwacher Kaffee
- nero	Black coffee	Café noir	Café solo	Schwarzer Kaffee
- ristretto	Strong coffee	Café serré	Café corto	Starker Kaffee
Camomilla	Camomile tea	Camomille	Manzanilla	Kamillentee
Cappuccino	Cappuccino	Cappuccino	Cappuccino	Cappuccino
Cedrata	Citron lemonade	Eau de cédrat	Cidrada	Cedrolimonengetränk
Chinotto	Chinotto (soft drink flavoured with sour orange)	Chinotto (boisson à base de chinois)	Quina	Bitterorangengetränk
Cioccolata	Chocolate	Chocolat	Chocolate	Kakao
- densa	Thick chocolate	Chocolat dense	Chocolate denso	Dickflüssiger Kakao
Cocktail	Cocktail	Cocktail	Cóctel	Cocktail
Cognac	Cognac	Cognac	Coñac	Cognac
Digestivo	Liqueur	Digestif	Digestivo	Verdauungslikör
Distillato	Spirit	Eau-de-vie	Aguardiente	Schnaps
- di canna da zucchero	Sugar-cane distillate	Alcool de canne	Destilado de caña de azúcar	Branntwein aus Zuckerrohr
- di cereali	Cereal distillate	Alcool de céréales	Destilado de cereales	Kornbranntwein
- di frutta	Fruit distillate	Alcool de fruits	Destilado de frutas	Obstbranntwein
- di mele	Apple distillate	Alcool de pomme	Destilado de manzanas	Apfelkorn
- di pere	Pear distillate	Alcool de poire	Destilado de peras	Birnenkorn
- di vinaccia	Grape peel distillate	Marc	Destilado de orujo	Tresterbranntwein
- di vino	Wine distillate	Alcool de vin	Destilado de vino	Weinbrand
Espresso	Espresso coffee	Espresso	Expreso	Espresso
Frappé	Milk-shake	Milk-shake; mousse-lait[1]	Batido	Milkshake
- al cioccolato	Chocolate milk-shake	Milk-shake au chocolat	Batido de chocolate	Schokoladen-Milkshake
- con gelato	Ice cream milk-shake	Milk-shake à la glace	Batido con helado	Eis-Milkshake
- con gelato al caffè	Coffee ice cream milk-shake	Milk-shake à la glace au café	Batido con helado de café	Mokkaeis-Milkshake
Frullato (con frutta)	Fruit milk-shake	Frullato aux fruits	Batido natural de fruta	Obst-Milkshake
- alla banana	Fresh banana milk-shake	Frullato à la banane	Batido natural de plátano	Milkshake mit frischer Banane
Gassosa	Lemonade	Limonade	Gaseosa	Limonade
Ghiaccio	Ice	Glace	Hielo	Eis

[1] Termine raccomandato nel progetto di legge sull'impiego della lingua francese (la cosiddetta circolare Toubon del 23.2.94)

BEVANDE	BEVERAGES	BOISSONS	BEBIDAS	GETRÄNKE
Gin	Gin	Gin	Ginebra	Gin
Grappa	Grappa	Marc	Grapa	Grappa
Infuso	Infusion; tea	Infusion	Infusión	Tee
- d'ibisco (carcadè)	Hibiscus tea	Infusion d'hibiscus	Infusión de malvavisco	Hibiskustee
- di erbe	Herb tea	Infusion d'herbes	Infusión de hierbas	Kräutertee
- di fiori d'arancio	Orange-blossom tea	Infusion de fleurs d'oranger	Infusión de flores de naranjo	Orangenblütentee
- di frutta	Fruit tea	Infusion de fruits	Infusión de fruta	Früchtetee
- di melissa	Lemon-balm tea	Infusion de mélisse	Infusión de melisa	Melissentee
- di menta	Mint tea	Infusion de menthe	Infusión de menta	Pfefferminztee
- di rosa canina	Rose-hip tea	Infusion d'églantine	Infusión de agavanzo	Hundsrosentee
- di tiglio	Linden tea	Infusion de tilleul	Infusión de tilo	Lindenblütentee
- di verbena	Vervain tea	Infusion de verveine	Infusión de berbena	Eisenkrauttee
Kirsch (distillato di ciliege marasche)	Kirsch (sour-cherry distillate)	Kirsch (eau-de-vie de griottes)	Kirsch (destilado de guindas garrafales)	Kirsch (Sauerkirschendestillat)
Latte	Milk	Lait	Leche	Milch
- a lunga conservazione	Long-life milk	Lait à longue conservation	Leche a larga duración	H-Milch
- bollente	Hot milk	Lait bouillant	Leche muy caliente	Heiße Milch
- caldo	Warm milk	Lait chaud	Leche caliente	Warme Milch
- condensato	Condensed milk	Lait condensé	Leche condensada	Kondensmilch
- di soia	Soy milk	Lait de soja	Leche de soja	Sojamilch
- freddo	Cold milk	Lait froid	Leche fría	Kalte Milch
- fresco	Fresh milk	Lait frais	Leche fresca	Frischmilch
- intero	Whole milk	Lait entier	Leche cremosa	Vollmilch
- magro	Low-fat milk	Lait maigre	Leche desnatada	Magermilch
- pastorizzato	Pasteurized milk	Lait pasteurisé	Leche pasteurizada	Pasteurisierte Milch
- scremato	Skimmed milk	Lait écrémé	Leche descremada	Entrahmte Milch
Limonata	Lemon soda	Citronnade	Refresco de limón	Limonade
Liquore	Liqueur	Liqueur	Licor	Likör
- all'arancia	Orange liqueur	Liqueur à l'orange	Licor de naranja	Orangenlikör
- alla pesca	Peach liqueur	Liqueur à la pêche	Licor de melocotón	Pfirsichlikör
- alle erbe	Herb liqueur	Liqueur aux herbes	Licor de hierbas	Kräuterlikör
- dolce	Sweet liqueur	Liqueur	Licor dulce	Süßer Likör
Madera (vino liquoroso)	Madeira (fortified wine)	Madère (vin liquoreux)	Madeira (vino licoroso)	Madeira (Likörwein)
Malvasia	Malmsey	Malvoisie	Malvasía	Malvasier
Maraschino (liquore dolce di ciliege marasche)	Maraschino (sweet liqueur from sour-cherries)	Marasquin (liqueur de marasques)	Marrasquino (licor dulce de guindas garrafales)	Maraschino (süßer Likör aus Maraschino-Kirschen)

BEVANDE	BEVERAGES	BOISSONS	BEBIDAS	GETRÄNKE
Marsala (vino liquoroso siciliano)	Marsala (Sicilian fortified wine)	Marsala (vin liquoreux sicilien)	Marsala (vino licoroso de Sicilia)	Marsala (sizilianischer Likörwein)
Mosto	Must	Moût	Mosto	Most
Nocino (liquore di noci verdi)	(green walnut liqueur)	(liqueur de noix vertes)	(licor de nueces verdes)	(Likör aus grünen Walnüssen)
Orzata	Orgeat	Orgeat	Orchata	Mandelmilch
Porto	Port	Porto	Oporto	Portwein
Rum (distillato di canna da zucchero)	Rum (sugar-cane distillate)	Rhum (eau-de-vie de canne à sucre)	Ron (destilado de caña de azúcar)	Rum (Destillat aus Zuckerrohr)
Sangria	Sangria	Sangria	Sangría	Sangria
Sciroppo	Syrup	Sirop	Jarabe; almíbar	Sirup
- di amarena	Sour-cherry syrup	Sirop de griottes	Jarabe de guinda	Sauerkirschsirup
- di fragola	Strawberry syrup	Sirop de fraise	Jarabe de fresa	Erdbeersirup
- di frutta	Fruit syrup	Sirop de fruits	Jarabe de fruta	Fruchtsirup
- di granatina	Grenadine syrup	Sirop de grenadine	Jarabe de granadina	Grenadina; Granatapfelsirup
- di lampone	Raspberry syrup	Sirop de framboise	Jarabe de frambuesa	Himbeersirup
- di menta	Mint syrup	Sirop de menthe	Jarabe de menta	Minzsirup
- di orzata	Orgeat syrup	Sirop d'orgeat	Jarabe de orchata	Mandelmilchsirup
Sherry	Sherry	Sherry	Jerez	Sherry
Sidro (vino di mele)	Cider (apple wine)	Cidre (vin de pommes)	Sidra (vino de manzanas)	Cidre (Apfelwein)
Soda	Soda	Soda	Soda	Soda
Spremuta d'arancia	Squeezed orange juice	Orange pressée	Naranjada	Frischgepreßter Orangensaft
- di limone	Squeezed lemon juice	Citron pressé	Limonada	Frischgepreßter Zitronensaft
- di pompelmo	Squeezed grapefruit juice	Pamplemousse pressé	Zumo natural de pomelo	Frischgepreßter Grapefruitsaft
Spumante	Sparkling wine	Mousseux	Champán; vino de cava	Sekt; Schaumwein
- dolce	Sweet sparkling wine	Mousseux doux	Champán dulce	Süßer Sekt
- secco	Dry sparkling wine	Mousseux sec	Champán seco	Trockener Sekt
Succo	Juice	Jus de fruits	Zumo	Saft
- di albicocca	Apricot juice	Jus d'abricot	Zumo de albaricoque	Aprikosensaft
- di ananas	Pineapple juice	Jus d'ananas	Zumo de piña	Ananassaft
- di arancia	Orange juice	Jus d'orange	Zumo de naranja; naranjada	Orangensaft
- di frutta	Fruit juice	Jus de fruits	Zumo de fruta	Fruchtsaft
- di limone	Lemon juice	Jus de citon	Zumo di limón; limonada	Zitronensaft

BEVANDE	BEVERAGES	BOISSONS	BEBIDAS	GETRÄNKE
Succo di mela	Apple juice	Jus de pomme	Zumo de manzana	Apfelsaft
- di pera	Pear juice	Jus de poire	Zumo de peras	Birnensaft
- di pomodoro	Tomato juice	Jus de tomate	Zumo de tomate	Tomatensaft
- di pompelmo	Grapefruit juice	Jus de pamplemousse	Zumo de pomelo	Grapefruitsaft
- di uva	Grape juice	Jus de raisin	Zumo de uva	Traubensaft
- di verdura	Vegetable juice	Jus frais de légumes	Zumo de verdura	Gemüsesaft
- fresco di carota	Fresh carrot juice	Jus frais de carotte	Zumo fresco de zanahoria	Frischer Karottensaft
- fresco di mele	Fresh apple juice	Jus frais de pomme	Zumo fresco de manzanas	Frischer Apfelsaft
- tropicale	Tropical juice	Jus de fruits tropicaux	Zumo tropical	Tropenfrüchte-Saft
Tè	Tea	Thé	Té	Tee
- ai lamponi	Raspberry tea	Thé aux framboises	Té de frambuesas	Himbeertee
- al bergamotto	Bergamot tea	Thé à la bergamote	Té de bergamote	Bergamotte-Tee
- all'arancia	Orange tea	Thé à l'orange	Té de naranja	Orangentee
- alla liquerizia	Liquorice tea	Thé à la réglisse	Té de regaliz	Lakritztee
- alla mela	Apple tea	Thé à la pomme	Té de manzana	Apfeltee
- alla menta	Mint tea	Thé à la menthe	Té de menta	Pfefferminztee
- alla pesca	Peach tea	Thé à la pêche	Té de melocotón	Pfirsichtee
- con latte	Tea with milk	Thé au lait	Té con leche	Tee mit Milch
- con limone	Tea with lemon	Thé au citron	Té con limón	Tee mit Zitrone
- freddo	Iced tea	Thé froid	Té frío	Kalter Tee
- naturale	Plain tea	Thé nature	Té natural	Tee natur
- nero	Dark tea	Thé noir	Té negro	Schwarzer Tee
- verde	Green tea	Thé vert	Té verde	Grüner Tee
Vin brulé	Mulled wine	Vin chaud	Vino caliente	Glühwein
Vino	Wine	Vin	Vino	Wein
- al bicchiere	Wine by the glass	Vin au verre	Copa de vino	Schoppenwein
- bianco	White wine	Vin blanc	Vino blanco	Weißwein
- da aperitivo	Aperitif wine	Vin d'apéritif	Vino de aperitivo	Aperitifwein
- da dessert	Dessert wine	Vin à dessert	Vino de postre	Dessertwein
- frizzante	Slightly sparkling wine	Vin pétillant	Vino picante	Perlwein
- in bottiglia	Bottled wine	Vin en bouteille	Vino en botella	Flaschenwein
- in caraffa	Wine in carafe	Vin en carafe	Vino en garrafa	Wein in der Karaffe
- liquoroso	Fortified wine	Vin liquoreux	Vino licoroso	Likörwein
- novello	New wine	Vin nouveau	Vino nuevo	Primeurwein
- passito	Sweet raisin wine	Vin de paille	Vino rancio	Trockenbeerenwein
- rosato [Rosé]	Rosé wine	Vin rosé	Vino rosado	Roséwein

BEVANDE	BEVERAGES	BOISSONS	BEBIDAS	GETRÄNKE
Vino rosso	Red wine	Vin rouge	Vino tinto	Rotwein
- sfuso	Wine in carafe	Vin en carafe	Vino de la cuba	Offener Wein
Vodka	Vodka	Vodka	Vodka	Wodka
Whisky	Whisky	Whisky	Whisky	Whisky

TERMINI DI PREPARAZIONE	COOKING TERMS	TERMES DE PRÉPARATION CULINAIRE	TÉRMINOS DE PREPARACIÓN CULINARIA	TERMINOLOGIE FÜR DIE SPEISEZUBEREITUNG
abbrustolire/abbrustolito	to toast/toasted	griller/grillé	tostar/tostado	rösten/geröstet
addensare/addensato	to thicken/thickened	épaissir/épaissi	espesar/espeso	eindicken/eingedickt
affettare/affettato	to slice/sliced	couper/coupé en tranches	cortar/cortado	in Scheiben schneiden/geschnitten
aromatizzare/aromatizzato	to aromatize/aromatized	aromatiser/aromatisé	aromatizar/aromatizado	aromatisieren/aromatisiert
arrostire/arrostito	to roast/roasted	rôtir/rôti	asar/asado	braten/gebraten
arrosto	roast	rôti	asado	gebraten; Brat-
arrotolare/arrotolato	to roll/rolled	rouler/roulé	enrollar/enrollado	rollen/gerollt
bagnare/bagnato	to baste/basted	mouiller/mouillé	mojar/mojado	anfeuchten/angefeuchtet
bagnomaria, a	in bain marie	au bain-marie	a baño María	im Wasserbad
battere/battuto	to beat/beaten	battre/battu	batir/batido	schlagen/geschlagen
bollire/bollito	to boil/boiled	bouillir/bouilli	hervir/hervido	kochen/gekocht; sieden/gesotten[1]
brasare/brasato	to braise/braised	braiser/braisé	brasear/braseado	schmoren/geschmort
cartoccio, al	baked in foil	en papillote	en papillote	in Folie gebacken
centrifugare/centrifugato	to centrifuge/centrifuged	centrifuger/centrifugé	licuar/licuado	entsaften/entsaftet
completare/completato	to complete/completed; to finish/finished	compléter/complété	completar/completado	abschmecken/ abgeschmeckt
condire/condito	to season/seasoned; to dress/dressed[2]	assaisonner/assaisonné	condimentar/ condimentado	anmachen/angemacht
conservare/conservato	to preserve/preserved	conserver/conservé	conservar/conservado	konservieren/konserviert
coprire/coperto	to cover/covered	couvrir/couvert	cubrir/cubierto	zudecken/zugedeckt
cospargere/cosparso	to spread/spread; to sprinkle/sprinkled[3]	saupoudrer/saupoudré; asperger/aspergé[4]	rociar/rociado	bestreuen/bestreut
cucina casalinga	home-made cooking	cuisine de ménage	cocina casera	Hausmannskost
cucina internazionale	international cuisine	cuisine internationale	cocina internacional	internationale Küche
cucina regionale	regional cuisine	cuisine régionale	cocina regional	regionale Küche
cuocere/cotto	to cook/cooked	cuire/cuit	cocer/cocido	kochen/gekocht; garen/gegart
cuocere/cotto al forno	to bake/baked; to roast/roasted	cuire/cuit au four	cocer/cocido al horno	im Ofen backen/ gebacken
cuocere/cotto alla brace	to charcoal grill/grilled	cuire/cuit à la braise	cocer/cocido a la brasa	grillen/gegrillt
cuocere/cotto alla griglia	to grill/grilled	cuire/cuit sur le gril	cocer/cocido a la parrilla	grillen/gegrillt
cuocere/cotto in padella	to pan fry/fried	cuisiner/cuisiné à la poêle	cocer/cocido en la sartén	in der Pfanne braten/gebraten
dieta	diet	régime	dieta	Diät
diluire/diluito	to dilute/diluted; to thin/thinned	diluer/dilué	diluir/diluido	verlängern/verlängert

[1] Preferito per la carne [2] L'insalata [3] Sale o liquidi [4] Liquidi

TERMINI DI PREPARAZIONE	COOKING TERMS	TERMES DE PRÉPARATION CULINAIRE	TÉRMINOS DE PREPARACIÓN CULINARIA	TERMINOLOGIE FÜR DIE SPEISEZUBEREITUNG
disossare/disossato	to bone/boned	désosser/désossé	deshuesar/deshuesado	entbeinen/entbeint
doppio, il	double	double	doble	das Doppelte
farcia	stuffing; filling	farce	relleno	Farce; Füllung
farcire/farcito	to stuff/stuffed; to fill/filled	farcir/farci	rellenar/relleno	füllen/gefüllt
fatto in casa	home made	maison	casero; hecho en casa	hausgemacht
ferri, ai	grilled	sur le gril	a la parrilla	gegrillt; vom Grill
fetta	slice	tranche	loncha; tajada	Scheibe
fiamma, alla	flambé	flambé	flameado	flambiert
fiammeggiare/ fiammeggiato	to set/set alight with a liqueur	flamber/flambé	flambear/flambeado	flambieren/flambiert
fondere/fuso	to melt/melted	fondre/fondu	fundir/fundido	schmelzen/geschmolzen
forno, al	cooked in the oven; baked	au four	al horno	im Ofen gebacken
friggere/fritto	to fry/fried	frire/frit	freír/frito	braten/gebraten[1]; backen/gebacken[2]; fritieren/fritiert[3]
frollare la carne	to tenderize the meat	faisander la viande	manir la carne	das Fleisch abhängen lassen
frullare/frullato	to mix/mixed	battre/battu	batir/batido	mixen/gemixt
gelatina, in	jellied; in aspic	en gelée	en gelatina	in Gelee
ghiacciare/ghiacciato	to freeze/frozen	frapper/frappé	helar/helado	gefrieren/gefroren
girare/girato	to turn/turned	(re)tourner/(re)tourné	revolver/revuelto	wenden/gewendet
glassare/glassato (dolci)	to frost/frosted; to ice/iced	glacer/glacé	glasear/glaseado	glasieren/glasiert
grasso, il	fat	gras	grasa	Fett
gratin, in	au gratin	au gratin	gratinado	-Gratin; gratiniert
gratinare/gratinato	to broil/broiled	gratiner/gratiné	gratinar/gratinado	gratinieren/gratiniert; überbacken/überbacken
grattugiare/grattugiato	to grate/grated	râper/râpé	rallar/rallado	reiben/gerieben
guarnire/guarnito	to garnish/garnished	garnir/garni	guarnecer/guarnecido	garnieren/garniert
guarnizione	garnish; decoration	garniture	guarnición	Garnierung
imburrare/imburrato	to butter/buttered	beurrer/beurré; foncer/foncé[4]	untar/untado con mantequilla	mit Butter einfetten/ eingefettet[4]; bestreichen/bestrichen[5]
impanare/impanato	to bread/breaded	paner/pané	empanar/empanado	panieren/paniert
impastare/impastato	to knead/kneaded	pétrir/pétri	amasar/amasado	kneten/geknetet

[1] In padella [2] In padella o nella friggitrice [3] Nella friggitrice [4] La teglia [5] Il pane

TERMINI DI PREPARAZIONE	COOKING TERMS	TERMES DE PRÉPARATION CULINAIRE	TÉRMINOS DE PREPARACIÓN CULINARIA	TERMINOLOGIE FÜR DIE SPEISEZUBEREITUNG
infarinare/infarinato	to flour/floured; to dredge/dredged with flour	enfariner/enfariné	enharinar/enharinado	in Mehl wenden/gewendet
ingredienti	ingredients	ingrédients	ingredientes	Zutaten
insaporire/insaporito	to flavour/flavoured	assaisonner/assaisonné	condimentar/ condimentado; aderezar/aderezado	würzen/gewürzt
lardellare/lardellato	to lard/larded	larder/lardé	mechar/mechado	spicken/gespickt
lavare/lavato	to wash/washed	laver/lavé	limpiar/limpiado	waschen/gewaschen
lavorare l'impasto	to knead the dough	travailler[manier] la pâte	trabar la masa	den Teig kneten/geknetet
lievitare/lievitato	to leaven/leavened	lever/levé	fermentar/fermentado	aufgehen/aufgegangen
liquido (essere liquido)	liquid	liquide	líquido	flüssig
macinare/macinato	to grind/ground	moudre/moulu	triturar/triturado	mahlen/gemahlen
marinare/marinato	to marinate/marinated	mariner/mariné	marinar/marinado	marinieren/mariniert
maturare/maturato	to ripen/ripened	mûrir/mûri	madurar/madurado	reifen/gereift
maturo	ripe	mûr	maduro	reif
mescolare/mescolato	to mix/mixed	mélanger/mélangé	mezclar/mezclado	mischen/gemischt
mettere/messo	to put/put	mettre/mis	poner/puesto; meter/metido	stellen/gestellt[1]; legen/gelegt[2]
montare/montato	to whip/whipped; to whisk/whisked	monter/monté; fouetter/fouetté	montar/montado	schlagen/geschlagen
porzionare/porzionato	to portion/portioned; to divide/divided into portions	faire/fait des portions	racionar/racionado; trocear/troceado	In Portionen teilen/geteilt
pulire/pulito (cibi)	to clean/cleaned	nettoyer/nettoyé	limpiar/limpio	putzen/geputzt
raffreddare/raffreddato	to cool/cooled	refroidir/refroidi	enfriar/enfriado	abkühlen/abgekühlt
rapprendere/rappreso	to set/set	figer/figé	cuajar/cuajado	hart werden/geworden
raschiare/raschiato	to scrape/scraped	râcler/râclé	raspar/raspado	schaben/geschabt
ricetta antica	old recipe	recette à l'ancienne	receta antigua	altes Rezept
ricetta classica	classic recipe	recette classique	receta clásica	traditionelles Rezept
ricoprire/ricoperto	to coat/coated	recouvrir/recouvert	recubrir/recubierto	zudecken/zugedeckt
riempire/riempito	to fill/filled	remplir/rempli[3]; garnir/garni[4]	llenar/lleno	füllen/gefüllt
ripieno, il	stuffing	farce	relleno	Füllung
riscaldare/riscaldato	to warm up/warmed up	réchauffer/réchauffé	recalentar/recalentado	aufwärmen/aufgewärmt
rompere le uova	to break the eggs	casser les œufs	romper los huevos	die Eier aufschlagen
rosolare/rosolato	to brown/browned	rissoler/rissolé	soasar/soasado	anbraten/angebraten
salamoia, in	in brine; pickled	en saumure	en salmuera	in Salzlake; gepökelt

[1] In verticale, per esempio: mettere la bottiglia sul tavolo [2] In orizzontale, per esempio: mettere la carne nel piatto [3] Liquidi [4] Alimenti

TERMINI DI PREPARAZIONE	COOKING TERMS	TERMES DE PRÉPARATION CULINAIRE	TÉRMINOS DE PREPARACIÓN CULINARIA	TERMINOLOGIE FÜR DIE SPEISEZUBEREITUNG
salare/salato	to salt/salted	saler/salé	salar/salado	salzen/gesalzen
saltare/saltato	to stir fry/fried; to sauté/sautéed	sauter/sauté	saltear/salteado	sautieren/sautiert; schwenken/geschwenkt
sbattere/sbattuto	to beat/beaten	battre/battu	batir/batido	verquirlen/verquirlt
sbucciare/sbucciato	to peel; peeled	éplucher/épluché; peler/pelé	pelar/pelado	schälen/geschält
scaldare/scaldato	to warm up/warmed up	chauffer/chauffé	calentar/calentado	erhitzen/erhitzt
scegliere/scelto	to choose/chosen; to select/selected	choisir/choisi	elegir/elegido	auswählen/ausgewählt
sciacquare/sciacquato	to rinse/rinsed	rincer/rincé	aclarar/aclarado; enjuagar/enjuagado	abspülen/abgespült
sciogliere/sciolto	to melt/melted	diluer/dilué; dissoudre/dissous[1]	derretir/derretido	auflösen/aufgelöst
scolare/scolato	to drain/drained	égoutter/égoutté	escurrir/escurrido	abgießen/abgegossen
scongelare/scongelato	to thaw/thawed	décongeler/décongelé	descongelar/ descongelado	auftauen/aufgetaut
servire/servito	to serve/served	servir/servi	servir/servido	servieren/serviert
setacciare/setacciato	to sift/sifted; to sieve/sieved	tamiser/tamisé	tamizar/tamizado	sieben/gesiebt
sgocciolare/sgocciolato	to drip/dripped	égoutter/égoutté	escurrir/escurrido	abtropfen/abgetropft
sgrassare/sgrassato	to remove/removed fat	dégraisser/dégraissé	desgrasar/desgrasado	das Fett entfernen/entfernt
spalmare/spalmato	to spread/spread	tartiner/tartiné[2]; enduire/enduit	untar/untado	bestreichen/bestrichen
spezzare/spezzato	to break/broken	briser/brisé	trocear/troceado	zerbrechen/zerbrochen
spinare/spinato	to bone/boned	ôter/ôté les arêtes	quitar/quitado las espinas	entgräten/entgrätet
spolverare/spolverato (versare a pioggia)	to dust/dusted; to sprinkle/sprinkled	saupoudrer/saupoudré	espolvorear/espolvoreado	bestreuen/bestreut; bestäuben/bestäubt[1]
spremere/spremuto	to squeeze/squeezed	presser/pressé	exprimir/exprimido	auspressen/ausgepreßt
stappare/stappato	to uncork/uncorked	déboucher/débouché	destapar/destapado	entkorken/entkorkt
strati, disporre a	to layer/layered	disposer/disposé en couches	disponer a capas	schichten/geschichtet
surgelare/surgelato	to freeze/frozen	surgeler/surgelé	congelar/congelado	tiefgefrieren/tiefgefroren
tagliare a cubetti	to cube	couper en cubes	cortar a cubitos	in Würfelchen schneiden
tagliare a dadi	to dice	couper en dés	cortar a daditos	in Würfel schneiden
tagliare a pezzi	to cut into pieces	couper en morceaux	cortar a pedacitos	in Stücke schneiden
tagliare a striscioline	to cut into strips	couper en rubans	cortar a tiritas	in Streifchen schneiden

[1] Gli ingredienti in polvere [2] Sul pane

TERMINI DI PREPARAZIONE	COOKING TERMS	TERMES DE PRÉPARATION CULINAIRE	TÉRMINOS DE PREPARACIÓN CULINARIA	TERMINOLOGIE FÜR DIE SPEISEZUBEREITUNG
tagliare/tagliato	to cut/cut	couper/coupé; découper/découpé[1]	cortar/cortado	schneiden/geschnitten
tartufare/tartufato	to flavour/flavoured with truffles	truffer/truffé	trufar/trufado	trüffeln/getrüffelt
tostare/tostato	to toast/toasted	griller/grillé	tostar/tostado	toasten/getoastet
trinciare/trinciato	to shred/shredded	émincer/émincé	trinchar/trinchado	zerlegen/zerlegt
tritare/tritato	to mince/minced; to chop/chopped	hacher/haché	triturar/triturado	hacken/gehackt
versare/versato	to pour/poured	verser/versé	versar/versado	gießen/gegossen
zuccherare/zuccherato	to sweeten/sweetened	sucrer/sucré	azucarar/azucarado	zuckern/gezuckert

[1] Le carni

IL CIBO È...	FOOD IS...	LA NOURRITURE EST...	LA COMIDA ES...	DAS ESSEN IST...
abbondante	abundant; plentiful	abondant	abundante	reichhaltig
acido	acid	acide	agrio	sauer
affumicato	smoked	fumé	ahumado	geräuchert
appetitoso	appetizing	appétissant	apetitoso	appetitlich
aromatico	aromatic	aromatique	aromático	aromatisch; würzig
aromatizzato	aromatized	aromatisé	aromatizado	gewürzt
asciutto (secco)	dry; dried	sec	seco	trocken
aspro	sour; tart	âpre	áspero	herb; sauer
bicolore	bicoloured; of two colours	bicolore	bicolor	zweifarbig
biologico	biological	biologique	biológico	aus biologischem Anbau; Bio-
bollente	hot	brûlant	muy caliente	heiß; kochend
bruciato	burnt	brûlé	quemado	verbrannt
caldo	warm	chaud	caliente	warm
calorico	caloric	calorique	calórico	kalorienhaltig
cattivo	bad tasting	mauvais	malo	nicht gut
condito	seasoned; dressed[1]	assaisonné	condimentado	angemacht
conservanti, senza	without preservatives	sans conservants	sin conservantes	ohne Konservierungsstoffe
cotta, bene (carne)	well-done	bien cuite	bien hecha	gut durchgebraten
cotto	cooked	cuit	cocido	gekocht
cottura, a media (carne)	medium	cuite à point	en su punto	medium
cremoso	creamy	crémeux	cremoso	cremig
croccante	crunchy	croquant	crocante	knusprig
crudo	raw	cru	crudo	roh
delicato	delicate	délicat	delicado	delikat
denso	thick	dense	denso	dickflüssig
dente, al (pasta)	firm to the bite; not overcooked	pas trop cuites	no demasiado cocida	nicht zu weich gekocht
dietetico	dietetic	diététique	dietético	Diät-; diätetisch
digeribile facilmente	easily digestible	facile à digérer	fácilmente digerible	leichtverdaulich
disossato	boned	désossé	deshuesado	entbeint
dolce	sweet; mild	sucré	dulce	süß
dura (carne)	tough	dure	dura	zäh
duro	hard	dur; coriace	duro	hart
eccellente	excellent	excellent	excelente	hervorragend
esotico	exotic	exotique	exótico	exotisch
fatto in casa	home made	maison	hecho en casa; casero	hausgemacht

[1] L'insalata

IL CIBO È...	FOOD IS...	LA NOURRITURE EST...	LA COMIDA ES...	DAS ESSEN IST...
freddo	cold	froid	frío	kalt
fresco (di temperatura)	cool	frais	frío	kühl
fresco (di tempo)	fresh	frais	fresco	frisch
friabile	crumbly	friable	friable	mürbe
genuino	genuine	naturel	genuino	natürlich
ghiacciato	iced	glacé	helado	eiskalt
goloso	mouth watering	appétissant	goloso	lecker; wohlschmeckend
grasso	fat	gras	graso	fett
indigesto	heavy; heard to digest	indigeste	indigesto	unverdaulich; schwerverdaulich
insipido	tasteless; insipid	insipide	insípido	geschmacklos; fade
ipercalorico	high in calories	hypercalorique	hipercalórico	kalorienhaltig
ipocalorico	low in calories	hypocalorique	hipocalórico	kalorienarm
leggero	light	léger	ligero	leicht
lievitato	leavened	au levain	leudado; fermentado	aufgegangen
magro	low fat	maigre	magro	mager
marinato	marinated	mariné	marinado	mariniert
molle	soft	mou	muy blando	sehr weich
morbido	tender	moelleux	blando	weich
naturale	genuine	naturel	natural	natürlich; natur
ottimo	very good	excellent	óptimo	sehr gut; ausgezeichnet
pesante	heavy	lourd	pesado	schwer
piccante	hot; spicy	relevé; piquant	picante	scharf
prezioso	precious	précieux	precioso	erlesen
profumato	fragrant	parfumé	perfumado	duftend; wohlriechend
raffinato	refined	raffiné	refinado	raffiniert; erlesen
rinfrescante	refreshing	rafraîchissant	refrescante	erfrischend
rustico	rustic; simple	rustique	rústico	rustikal
salato	salty	salé	salado	salzig; gesalzen
sangue, al (carne)	rare; underdone	saignante	poco hecha	halb durch
sangue, molto al (carne)	very rare	très saignante; au bleu	muy poco hecha	kaum durch
saporito (con molto sapore)	tasty	savoureux	sabroso	schmackhaft
scarso	poor in quantity	insuffisant	poco	wenig; kleine Portion
secco	dry	sec	seco	trocken; getrocknet
soffice	light; soft	moelleux	blando	locker; weich
sorpresa, a	surprise	surprise	a sorpresa	Überraschungs-
spesso (alto)	thick	épais	grueso	dick

IL CIBO È...	FOOD IS...	LA NOURRITURE EST...	LA COMIDA ES...	DAS ESSEN IST...
spinato	boned	sans arêtes	sin espinas	entgrätet
squisito	delicious	exquis	exquisito	ausgezeichnet
surgelato	frozen	surgelé	congelado	tiefgefroren
tiepido	lukewarm	tiède	templado	lauwarm
tipico	characteristic; typical	typique	típico	typisch
tricolore	of three colours	tricolore	tricolor	dreifarbig
tritato	minced[1]	haché	triturado	gehackt
vegetariano	vegetarian	végétarien	vegetariano	vegetarisch

[1] USA: ground

IL VINO È...	WINE IS...	LE VIN EST...	EL VINO ES...	DER WEIN IST...
abboccato	slightly sweet	moelleux	abocado	süffig
acidulo	acidulous	acidulé	acídulo	säuerlich
alcolico	alcoholic	alcoolisé	alcohólico	alkoholhaltig
amabile	slightly sweet	moelleux	amable	lieblich; leicht süß
anidride carbonica	carbon dioxide	anhydride carbonique	anhídrido carbónico	Kohlendioxyd
annata	vintage	année; cuvée	cosecha	Jahrgang
armonico	agreeable	harmonieux	armónico	harmonisch
aroma	aroma	arôme	aroma	Aroma
aromatico	aromatic	aromatique	aromático	aromatisch
asciutto	dry	sec	seco	trocken
caldo	warm	chaud	caliente	warm; temperiert
colore	colour	couleur	color	Farbe
conosciuto	known	connu	conocido	bekannt
corpo, di	full bodied	du corps	de cuerpo	schwer
decrepito	weakened	affaibli	decrépito	überaltert
degustare	to taste	déguster	degustar	probieren; kosten
degustazione	wine-tasting	dégustation	degustación	Weinprobe
DOC (Denominazione di Origine Controllata)	CAO (Controlled Appellation of Origin)	AOC (Appellation d'Origine Contrôlée)	DOC (Denominación de Origen Calificada)	Qualitätswein
dolce	sweet	doux	dulce	süß
dorato	golden	doré	dorado	goldgelb
equilibrato	well balanced	équilibré	equilibrado	ausgeglichen
famoso	famous	célèbre	conocido	berühmt
fermentazione	fermentation	fermentation	fermentación	Gärung
filtrare	to filter	filtrer	filtrar	filtern
filtrazione	filtering	filtrage	filtración	Filtrierung
fine	delicate	fin	fino	fein
freddo	cold	froid	frío	kalt
fresco	cool	frais	fresco	kühl
frizzante	lightly sparkling	pétillant	picante	perlend; prickelnd
fruttato	fruity	fruité	frutoso	fruchtig
genuino	genuine	naturel; honnête	genuino	Naturwein
giovane	young	jeune	joven	jung
grado alcolico	alcoholic percentage	degré d'alcool	grado de alcohol	Alkoholgehalt
grado zuccherino	sugar percentage	degré de sucre	grado de azúcar	Zuckergehalt
grossolano	not refined	grossier	corriente	einfacher Landwein
gusto	taste	goût	sabor; gusto	Geschmack
imbottigliare/imbottigliato	to bottle/bottled	embouteiller/embouteillé	embotellar/embotellado	abfüllen/abgefüllt

IL VINO È...	WINE IS...	LE VIN EST...	EL VINO ES...	DER WEIN IST...
intenso	forceful	capiteux	intenso	intensiv
invecchiamento	aging	vieillissement	envejecimiento	Lagerung
invecchiamento in botti di legno	aging in wooden barrels	vieillissement en tonneaux [en fûts]	envejecimiento en barriles	Lagerung in Holzfässern
leggero	thin; light body	léger	ligero	leicht
lieviti	fermenting agents	levures	fermentos	Gärungsstoffe
limpido	clear	limpide	límpido	klar
locale	local	local	del país	Landwein
maturazione	ripening; ripeness	maturation	maduración	Reifung
maturo	ripe	mûr	maduro	reif
morbido	mellow	souple	suave	samtig
nuovo	new	nouveau	nuevo	neu
odore	aroma	odeur	olor	Geruch; Aroma
pastoso	mellow	moelleux	pastoso	samtig
penetrante	pervading	pénétrant	penetrante	stark; intensiv
persistente	persisting	persistant	persistente	anhaltend
pregiato	vintage	réputé	preciado	erlesen
produttore	producer	producteur	productor	Hersteller
profumato	fragrant	parfumé	perfumado	blumig
profumo	fragrance; aroma	parfum	perfume	Blume; Bukett
qualità, di	of quality	de qualité	de calidad	Qualitäts-
rifermentazione	second fermentation	refermentation	refermentación	Wiedergärung
robusto	robust	robuste	robusto	kräftig
sconosciuto	unknown	inconnu	desconocido	unbekannt
secco	dry	sec	seco	trocken
tannico	tannic	tannique	tánico	tanninhaltig
temperatura ambiente, a	at room temperature	chambré	a temperatura ambiente	temperiert
tipico	typical	typique	típico	typisch
torbido	turbid; not clear	trouble	turbio	trübe
travasare	to decant	transvaser	trasvasar	umfüllen
travaso	decanting	transvasage	trasvase	Umfüllung
uve bianche	white grapes	raisins blancs	uvas blancas	Weiße Trauben
uve rosse	red grapes	raisins noirs	uvas negras	Blaue Trauben
vecchio	old	vieux	viejo	alt
velato	cloudy	voilé	velado	trübe
versare	to pour	verser	verter	eingießen; einschenken
vinacce	marc	marc de raisins	orujos	Weintrester
vitigno	variety of wine plant	cépage	viduño	Weirebe; Weinrebe sorte

ATTREZZATURE E TERMINI UTILI	EQUIPMENT & USEFUL TERMS	USTENSILES ET TERMES UTILES	UTENSILIOS Y TÉRMINOS ÚTILES	AUSSTATTUNG UND NÜTZLICHE BEGRIFFE
Addebitare	To charge	Débiter	Cargar	Berechnen
Addio	Goodbye	Adieu	Adiós	Auf Wiedersehen
Aggiungere	To add	Ajouter	Añadir	Hinzufügen
Alcolico	Alcoholic	Alcolisé	Alcohólico	Alkoholisch
-, poco	Slightly alcoholic	Peu alcolisé	Poco alcohólico	Leicht alkoholisch; alkoholarm
Alzarsi	To get up	Se lever	Levantarse	Aufstehen
Analcolico	Non alcoholic	Sans alcool	Sin alcohol	Alkoholfrei
Anticipo, in	In advance	En avance	Con antelación	Im voraus
Anziana	Elderly	Personne âgée	Anciana	Ältere Dame
Anziano/i	Elderly, *inv*	Personne/s âgée/s	Anciano/s	Älterer Herr
Aperto	Open	Ouvert	Abierto	Offen; Geöffnet
Apparecchiare	To set the table	Mettre le couvert	Poner la mesa	Den Tisch decken
Appetito	Appetite	Appétit	Apetito	Appetit
Apriscatole	Tin opener; can opener	Ouvre-boîte	Abrelatas	Dosenöffner
Aria condizionata	Air conditioning	Climatisation; air conditionné	Aire acondicionado	Klimaanlage
Aroma	Aroma	Arôme	Aroma	Aroma
Arrivare	To arrive	Arriver	Llegar	Ankommen
Arrivederci	Goodbye	Au revoir	Hasta luego	Auf Wiedersehen
Asciugamano	Towel	Essuie-mains	Toalla	Handtuch
Assaggiare	To taste	Goûter	Degustar	Kosten; probieren
Assaggio	Taste	Dégustation	Degustación	Kostprobe
Attaccapanni	Coat-hanger	Porte-manteaux; cintre	Colgador	Garderobe
Attendere	To wait	Attendre	Esperar	Warten
Bagno	Bathroom	Salle de bains	Servicio	Bad
Banchetto	Banquet	Banquet	Banquete	Bankett; Festessen
Banco del bar	Bar counter	Comptoir	Barra de bar	Theke; Tresen
Batticarne	Meat-pounder	Pilon à viande	Aplastador de carne	Fleischklopfer
Bicarbonato di sodio	Bicarbonate of soda	Bicarbonate de soude	Bicarbonato	Natron
Bicchiere	Glass	Verre	Vaso; copa[1]	Glas
- da acqua	Water glass	Verre à eau	Vaso para agua	Wasserglas
- da spumante	Champagne glass	Flûte/coupe à champagne	Copa para champán	Sektglas
- da vino	Wine glass	Verre à vin	Copa para vino	Weinglas
- da vino bianco	White-wine glass	Verre à vin blanc	Copa para vino blanco	Weißweinglas
- da vino rosso	Red-wine glass	Verre à vin rouge	Copa para vino tinto	Rotweinglas
- miscelatore	Mixing glass	Verre à mélange	Vaso mezclador	Mixglas
Bilancia	Scale	Balance	Balanza	Waage

[1] Con stelo

ATTREZZATURE E TERMINI UTILI	EQUIMPENT & USEFUL TERMS	USTENSILES ET TERMES UTILES	UTENSILIOS Y TÉRMINOS ÚTILES	AUSSTATTUNG UND NÜTZLICHE BEGRIFFE
Bollente	Hot	Brûlant; bouillant	Muy caliente; hirviendo	Heiß; kochend
Bottiglia	Bottle	Bouteille	Botella	Flasche
- di acqua minerale	Bottle of mineral water	Bouteille d'eau minérale	Botella de agua mineral	Flasche Mineralwasser
- di spumante	Bottle of sparkling wine	Bouteille de mousseux	Botella de champán	Flasche Sekt
- di vino	Bottle of wine	Bouteille de vin	Botella de vino	Flasche Wein
- di vino bianco	Bottle of white wine	Bouteille de vin blanc	Botella de vino blanco	Flasche Weißwein
- , mezza bottiglia di acqua	Half bottle of water	Demi-bouteille d'eau	Media botella de agua	Halbe Flasche Wasser
Bricco	Jug	Pichet	Jarrita	Kanne
- da latte	Milk jug	Pot à lait	Jarrita de leche	Milchkanne
Brocca	Pitcher	Cruche	Jarra	Krug
Buccia	Peel; rind	Peau; écorce	Pellejo[1]; corteza	Schale; Rinde
Buon giorno	Good day	Bonjour	Buenos días	Guten Tag
- giorno (mattino)	Good morning	Bonjour	Buenos días	Guten Morgen
- pomeriggio	Good afternoon	Bon après-midi	Buenas tardes	Guten Tag
Buona notte	Good night	Bonne nuit	Buenas noches	Gute Nacht
- sera	Good evening	Bonsoir	Buenas noches	Guten Abend
Burriera	Butter dish	Beurrier	Mantequillera	Butterdose
Cadere	To fall	Tomber	Caer	Hinunterfallen
Caffettiera	Coffee pot	Cafetière	Cafetera	Kaffeekanne
Caldo	Warm	Chaud	Caliente	Warm
Camera/e	Room/s	Chambre/s	Habitación/es	Zimmer, *inv*
Candela	Candle	Bougie	Vela	Kerze
Cannuccia	Straw	Paille	Pajita	Strohhalm
Cantina	Wine-cellar	Cave	Bodega	Weinkeller
Capogruppo, il/la	Head of the group	Chef de groupe	Jefe de grupo	Gruppenleiter/ Gruppenleiterin
Cappello	Hat	Chapeau	Sombrero	Hut
Cappotto	Overcoat	Manteau	Abrigo	Mantel
Caraffa	Carafe; decanter	Carafe	Garrafa; jarra	Karaffe
Carrello	Trolley	Chariot	Carrito	Servierwagen
Carta d'identità	Identity card	Carte d'identité	Carnet de identidad	Personalausweis
- dei vini	Wine list	Carte des vins	Carta de vinos	Weinkarte
- del giorno	Today's menu	Carte du jour	Menú del día	Tageskarte
- igienica	Toilet paper	Papier hygiénique	Papel higiénico	Toilettenpapier
- [lista] delle vivande	Menu	Carte des plats; menu	Menú; carta	Speisekarte
Cassa	Cashier; till	Caisse	Caja	Kasse
Casseruola	Casserole; saucepan	Casserole	Cazuela	Kasserolle; Schmortopf
Cavatappi	Corkscrew	Tire-bouchon	Sacacorchos	Korkenzieher

[1] Sottile

ATTREZZATURE E TERMINI UTILI	EQUIPMENT & USEFUL TERMS	USTENSILES ET TERMES UTILES	UTENSILIOS Y TÉRMINOS ÚTILES	AUSSTATTUNG UND NÜTZLICHE BEGRIFFE
Cena	Dinner	Dîner	Cena	Abendessen
Cenone di San Silvestro	New Year's Eve dinner	Réveillon de la Saint-Sylvestre	Cena de noche vieja	Großes Silvesteressen
Centrifuga	Juice extractor	Centrifuge	Licuadora	Entsafter
Cestino	Basket	Corbeille	Cesta	Korb
- da frutta	Fruit basket	Corbeille à fruits	Cesta para frutas	Obstkorb
- da pane	Bread basket	Corbeille à pain	Cesta para el pan	Brotkorb
- da vino	Wine basket	Corbeille à vin	Cesta para botella	Weinkorb
Chiamare	To call	Appeler	Llamar	Rufen
Chiave	Key	Clef	Llave	Schlüssel
Chiuso	Closed	Fermé	Cerrado	Geschlossen
Cliente/i	Customer/s[1]; guest/s[2]	Client/s	Cliente/s	Gast/Gäste
Cliente, abituale	Regular customer	Habitué	Cliente habitual	Stammgast
Colazione (di mezzogiorno)	Lunch	Déjeuner	Almuerzo	Mittagessen
- far colazione (al mattino)	To have breakfast	Déjeuner	Desayunar	Frühstücken
- piccola [prima]	Breakfast	Petit-déjeuner	Desayuno	Frühstück
Colino	Strainer	Chinois	Colador	Teesieb
Coltello	Knife	Couteau	Cuchillo	Messer
- da bistecca	Steak knife	Couteau à viande	Cuchillo de carne	Sägemesser
- da dessert	Dessert knife	Couteau à dessert	Cuchillo de postre	Dessertmesser
- da pesce	Fish knife	Couteau à poisson	Cuchillo de pescado	Fischmesser
Comanda	Order	Commande	Pedido	Bestellung
Comunicazione	Communication	Communication	Comunicación	Mitteilung
Condimento per insalata	Salad dressing	Assaisonnement pour salade	Condimento para ensalada	Salatsauce
Confermare	To confirm	Confirmer	Confirmar	Bestätigen
Consigliare	To advise; to suggest	Conseiller	Aconsejar	Empfehlen
Conto	Bill[3]	Addition; note	Cuenta	Rechnung
-, mettere sul	To put on the bill[4]	Mettre sur la note [sur l'addition[5]]	Cargar en la cuenta	Auf die Rechnung setzen
- separato	Separate bill	Addition à part	Cuenta separada	Getrennte Rechnung
- unico	One bill	Une seule addition	Cuenta única	Gemeinsame Rechnung
Coperchio	Cover; lid	Couvercle	Tapa	Deckel
Coperto (del ristorante)	Cover; cover charge[6]	Couvert	Cubierto	Gedeck
Coprimacchia	Small tablecloth	Protège-nappe	Cubremantel	Deckchen
Cucchiaino da caffè	Coffee spoon	Cuillère à café	Cucharilla de café	Kaffeelöffel

[1] Di ristorante [2] Di albergo [3] USA: check [4] USA: on the check [5] Al ristorante [6] Riferito al costo del coperto

ATTREZZATURE E TERMINI UTILI	EQUIMPENT & USEFUL TERMS	USTENSILES ET TERMES UTILES	UTENSILIOS Y TÉRMINOS ÚTILES	AUSSTATTUNG UND NÜTZLICHE BEGRIFFE
Cucchiaino da tè	Tea spoon	Petite cuillère	Cucharilla de té	Teelöffel
Cucchiaio	Spoon	Cuillère; cuiller	Cuchara	Löffel
- da dessert	Dessert spoon	Cuillère à dessert	Cuchara de postre	Kleiner Löffel
- da ghiaccio	Ice spoon	Cuillère à glace	Cuchara para el hielo	Eislöffel
- di legno	Wooden spoon	Cuillère en bois	Cuchara de madera	Holzlöffel
Cucina (zona)	Kitchen	Cuisine	Cocina	Küche
Cugina	Cousin	Cousine	Prima	Cousine
Cugino	Cousin	Cousin	Primo	Vetter; Cousin
Denaro	Money	Argent	Dinero	Geld
Desiderare	To wish	Désirer	Desear	Wünschen
Dieta, essere a	To be on a diet	Être au régime	Estar a dieta	Eine Diät machen
Digiunare	To fast	Jeûner	Ayunar	Fasten
Digiuno, a	On an empty stomach	A jeun	En ayunas	Auf nüchternen Magen
Dispensa	Larder	Office	Despensa	Speisekammer
Dispiace, mi	I am sorry	Je regrette	Lo siento	Ich bedaure; es tut mir leid
Dissetante	Thirst quenching	Désaltérant	Refrescante	Durstlöschend
Distillazione	Distillation	Distillation	Destilación	Destillation; Brennen
Documento (personale)	Document	Papiers	Documento	Ausweis
Domani, a	See you tomorrow	À demain	Hasta mañana	Bis morgen
Dosatore	Measuring-jug [cup]	Doseur	Dosador	Dosierer
Dose	Quantity; amount	Dose	Dosis	Menge
Fattura	Invoice	Facture	Factura	Rechnung
Festa	Feast; party	Fête	Fiesta	Fest
Fetta	Slice	Tranche	Loncha; rodaja[1]	Scheibe
- di limone	Lemon slice	Rondelle de citron	Rodaja de limón	Zitronenscheibe
Fiammiferi	Matches	Allumettes	Cerillas; fósforos	Streichhölzer
Figlia/e	Daughter/s	Fille/s	Hija/s	Tochter/Töchter
Figlio/i	Son/s	Fils, *inv*	Hijo/s	Sohn/Söhne
Filtro	Filter	Filtre	Filtro	Filter
Fiori	Flowers	Fleurs	Flores	Blumen
Firmare	To sign	Signer	Firmar	Unterschreiben
Forbici	Scissors	Ciseaux	Tijeras	Schere
Forchetta	Fork	Fourchette	Tenedor	Gabel
- da dessert	Dessert fork	Fourchette à dessert	Tenedor para postre	Dessertgabel
- da pesce	Fish fork	Fourchette à poisson	Tenedor para pescado	Fischgabel
Formaggera	Parmesan-cheese bowl	Fromagère	Quesera	Käsedose
Formine	Little moulds	Petits moules	Moldes	Förmchen

[1] Fetta rotonda

ATTREZZATURE E TERMINI UTILI	EQUIPMENT & USEFUL TERMS	USTENSILES ET TERMES UTILES	UTENSILIOS Y TÉRMINOS ÚTILES	AUSSTATTUNG UND NÜTZLICHE BEGRIFFE
Forno	Oven	Four	Horno	Ofen
- a convezione	Ventilated oven	Four à convection	Horno a convección	Konvektionsofen
- a microonde	Micro-wave oven	Four à micro-ondes	Horno a microondas	Mikrowellenherd
- a vapore	Steam oven	Four à vapeur	Horno a vapor	Dampfofen
Freddo	Cold	Froid	Frío	Kalt
Fretta, aver	To be in a hurry	Être pressé	Tener prisa	Es eilig haben
Friggitrice	Deep frier	Friteuse	Freidora	Friteuse
Frigorifero	Refrigerator	Réfrigérateur	Frigorífico; nevera	Kühlschrank
Frullatore	Mixer[1]	Mélangeur	Batidor	Mixer
Frusta	Whisk	Fouet	Varilla	Schneebesen
Fruttiera	Fruit bowl	Compotier	Frutero	Obstschale
Fumare	To smoke	Fumer	Fumar	Rauchen
-, si prega di non	Please, do not smoke	Nous vous prions de ne pas fumer	Se ruega no fumar	Wir bitten Sie, nicht zu rauchen
Fumo	Smoke	Fumée	Humo	Rauch
Gabinetto	Toilet; men's room; ladies' room	Cabinets; toilettes	Aseos; servicios	Toilette
Gassato/a	Fizzy	Gazeux/se	Gaseoso/a	Mit Kohlensäure; kohlensäurehaltig[2]
Gelato, pallina di	Ice-cream scoop	Boule de glace	Bola de helado	Kugel Eis
Ghiacciato	Iced	Frappé; glacé	Helado	Eiskalt
Ghiaccio	Ice	Glace	Hielo	Eis
- tritato	Crushed ice	Glace pilée	Hielo triturado	Zerkleinertes Eis
Giacca	Coat	Veste	Chaqueta	Jacke
Giovane donna	Young woman	Jeune fille	Joven (una)	Junge Frau
- uomo	Young man	Jeune homme	Joven (un)	Junger Mann
Gradire	To enjoy	Désirer	Agradecer	Mögen
Grande	Big; large	Grand	Grande	Groß
Grattugia	Grater	Râpe	Rallador	Reibe
Griglia	Grill	Gril	Parrilla	Grill
Guardaroba	Wardrobe; cloakroom	Vestiaire	Guardarropa	Garderobe
Imbuto	Funnel	Entonnoir	Embudo	Trichter
Impermeabile	Raincoat	Imperméable	Impermeable	Regenmantel
Incrinato	Cracked	Fêlé; fendu	Rajado	Gesprungen
Insalatiera	Salad bowl	Saladier	Ensaladera	Salatschüssel
Invecchiato	Aged	Vieilli	Envejecido	Gereift; gelagert[3]
- in botte	Aged in barrel	Vieilli en fût [en tonneau]	Envejecido en barril	Im Faß gelagert
Lattiera	Milk jug	Pot à lait	Jarrita de leche	Milchkanne

[1] USA: blender [2] Le bibite [3] Le bevande

ATTREZZATURE E TERMINI UTILI	EQUIMPENT & USEFUL TERMS	USTENSILES ET TERMES UTILES	UTENSILIOS Y TÉRMINOS ÚTILES	AUSSTATTUNG UND NÜTZLICHE BEGRIFFE
Lattina	Tin[1]	Boîte	Lata	Dose
Lavadita	Finger-bowl	Rince-doigts	Lavadedos	Fingerschale
Lavare	To wash	Laver	Lavar	Waschen
Leggero (con poco alcol)	Light	Léger; peu alcoolisé	Ligero; poco alcohólico	Leicht alkoholisch
Lische	Fish bones	Arêtes	Espinas	Gräten
Luce	Light	Lumière	Luz	Licht
Macchina da caffè	Coffee machine	Machine à café	Máquina de café	Kaffeemaschine
Macinapepe	Pepper mill	Moulin à poivre	Molinillo de pimienta	Pfeffermühle
Macinino da caffè	Coffee grinder	Moulin à café	Molinillo de café	Kaffeemühle
Mangiare	To eat	Manger	Comer	Essen
Mangiare, alla carta	To eat à la carte	Manger à la carte	Comer a la carta	A la carte essen
Mantello	Cloak	Cape	Mantel	Mantel; Umhang
Marito	Husband	Mari	Marido	Mann; Ehemann
Matterello	Rolling-pin	Rouleau à pâtisserie	Rodillo	Nudelholz
Mattina	Morning	Matin	Mañana	Morgen
Menù	Menu	Menu	Menú	Menü
- alla carta	A la carte menu	Menu à la carte	Menú a la carta	Menü à la carte
- degustazione	Tasting menu	Menu dégustation	Menú degustación	Probiermenü
- del giorno	Today's menu	Menu du jour	Menú del día	Tagesmenü
- di Natale	Christmas menu	Menu de Noël	Menú de Navidad	Weihnachtsmenü
- di Pasqua	Easter menu	Menu de Pâques	Menú de Pascua	Ostermenü
- di pesce	Seafood menu	Menu de poisson	Menú de pescado	Fischmenü
- dietetico	Dietetic menu	Menu diététique [de régime]	Menú dietético	Diätmenü
- rustico	Farmhouse menu	Menu rustique	Menú rústico	Rustikales Menü
- turistico	Tourist's menu	Menu touristique	Menú turístico	Touristenmenü
Messaggio	Message	Message	Mensaje	Mitteilung; Nachricht
Mestolo	Ladle	Louche	Cazo	Schöpfkelle
Misurino	Measuring cup	Doseur	Medidor	Meßbecher; Meßglas
Mixing glass ► *Bicchiere miscelatore*				
Moglie	Wife	Femme	Esposa	Frau; Ehefrau
Mortaio	Mortar	Mortier	Mortero	Mörser
Musica	Music	Musique	Música	Musik
- classica	Classical music	Musique classique	Música clásica	Klassische Musik
- da ballo	Dance music	Musique de danse	Música de baile	Tanzmusik
- leggera	Popular music	Musique légère	Música ligera	Unterhaltungsmusik
Naturale (da natura)	Natural	Naturel	Natural	Natürlich
- (non gassata)	Natural	Plate	Natural; sin gas	Ohne Kohlensaüre

[1] USA: can

ATTREZZATURE E TERMINI UTILI	EQUIPMENT & USEFUL TERMS	USTENSILES ET TERMES UTILES	UTENSILIOS Y TÉRMINOS ÚTILES	AUSSTATTUNG UND NÜTZLICHE BEGRIFFE
Nipote, il/la (di nonno)	Grandson/granddaughter	Petit-fils/petite-fille	Nieto/nieta	Enkel/Enkelin
-, il/la (di zio)	Nephew/niece	Neveu/nièce	Sobrino/sobrina	Neffe/Nichte
Nonna	Grandmother	Grand-mère	Abuela	Großmutter; Oma
Nonno/i (la coppia)	Grandfather/ grandparents	Grand-père/grands-parents	Abuelo/abuelos	Großvater; Opa/ Großeltern
Notte	Night	Nuit	Noche	Nacht
Numero del tavolo	Table number	Numéro de la table	Número de mesa	Tischnummer
Oliera	Cruet	Huilier	Aceitera	Ölkännchen
Ombrello	Umbrella	Parapluie	Paraguas	Regenschirm
Orario degli autobus	Bus timetable	Horaire des autobus [des cars]	Horario de los autobuses	Busfahrplan
Orario ferroviario	Train timetable	Horaire des trains	Horario de trenes	Zugfahrplan
Padella	Frying-pan[1]	Poêle	Sartén	Pfanne
Paletta	Fish slice	Palette	Paleta	Wender
Parcheggio	Parking place[2]	Parking	Aparcamiento	Parkplatz
- custodito	Guarded parking place	Parking surveillé [gardé]	Aparcamiento vigilado	Bewachter Parkplatz
- incustodito	Unguarded parking place	Parking non surveillé	Aparcamiento no vigilado	Unbewachter Parkplatz
Partire	To leave; to depart	Partir	Partir; salir	Abfahren; abreisen
Passaverdure	Vegetable mill	Moulinette; presse-purée[3]	Pasaverduras	Passiergerät
Passino	Strainer	Passoire	Colador	Sieb
Pastiglia per digerire	Pill for indigestion	Comprimé pour digérer	Pastilla para digerir	Verdauungspastille
- per il mal di testa	Headache tablet	Comprimé pour les maux de tête	Pastilla para el dolor de cabeza	Kopfschmerztablette
Pasto/i	Meal/s	Repas, *inv*	Comida/s	Mahlzeit/en
Pavimento	Floor	Sol	Suelo	Fußboden
Pazientare	To be patient	Patienter	Tener paciencia	Sich gedulden
Pelapatate	Potato peeler	Épluche-légumes	Pelapatatas	Kartoffelschäler
Pelliccia	Fur coat	Fourrure	Piel	Pelzmantel
Penna	Pen	Stylo	Bolígrafo	Kugelschreiber; Füller
Pennello	Brush	Pinceau	Pincel	Pinsel
Pentola	Pan	Casserole	Olla; cazuela	Topf
Pepiera	Pepper-pot[4]	Poivrière	Pimentero	Pfefferstreuer
Pescera	Fish-kettle	Poissonnière	Besuguera	Fischtopf
Piano (di edificio)	Floor	Étage	Piso; planta	Stock (in Gebäuden)
Piastra	Griddle; girdle	Gril	Plancha	Grillplatte
Piatto da dessert	Dessert plate	Assiette à dessert	Plato para postre	Dessertteller
- del giorno	Dish of the day	Plat du jour	Plato del día	Tagesgericht
- di pesce	Fish dish	Plat de poisson	Plato de pescado	Fischgericht

[1] USA: skillet [2] USA: parking-lot [3] Per le patate [4] USA: pepper shaker

ATTREZZATURE E TERMINI UTILI	EQUIMPENT & USEFUL TERMS	USTENSILES ET TERMES UTILES	UTENSILIOS Y TÉRMINOS ÚTILES	AUSSTATTUNG UND NÜTZLICHE BEGRIFFE
Piatto dietetico	Dietetic dish	Assiette diététique [de régime]	Plato dietético	Diätgericht
- fondo	Soup plate	Assiette creuse	Plato sopero [hondo]	Tiefer Teller; Suppenteller
- forte	Main course	Plat de résistance	Plato fuerte	Hauptgericht
- per pane	Bread plate	Assiette à pain	Platito para pan	Brotteller
- piano	Shallow plate	Assiette plate	Plato llano	Flacher Teller
- (pietanza)	Dish	Plat	Plato	Gericht
- primo	First course	Entrée	Primer plato	Erster Gang
-, secondo	Second course	Plat de résistance	Segundo plato	Zweiter Gang
- (stoviglia)	Plate	Assiette	Plato	Teller
- unico	Single-course dish	Plat unique	Plato único	Gericht mit einem Gang
- vegetariano	Vegetarian dish	Assiette végétarienne	Plato vegetariano	Vegetarisches Gericht
Piccolo	Small	Petit	Pequeño	Klein
Pinza	Tongs	Pince	Pinza	Zange
- per crostacei	Shellfish tongs	Pince à crustacés	Pinza para crustáceos	Zange für Krustentiere
- per ghiaccio	Ice tongs	Pince à glace	Pinza para el hielo	Eiszange
- per zucchero	Sugar tongs	Pince à sucre	Pinza para el azúcar	Zuckerzange
Pirofila	Oven-proof dish	Plat à four	Pirex	Feuerfeste Form
Portare	To bring	Apporter	Llevar	Bringen
Porzione	Portion; serving	Portion	Porción	Portion
Posacenere	Ashtray	Cendrier	Cenicero	Aschenbecher
Posate	Cutlery; silverware	Couverts	Cubiertos	Besteck
Pranzo (pasto della sera)	Dinner	Dîner	Cena	Abendessen
Preferire	To prefer	Préférer	Preferir	Vorziehen; lieber mögen
Prendere	To take	Prendre	Coger; tomar	Nehmen
Prenotare	To book; to reserve	Réserver	Reservar	Reservieren
Prenotazione	Reservation	Réservation	Reserva	Reservierung
- telefonica	Phone reservation	Réservation téléphonique	Reserva telefónica	Telefonische Reservierung
Presto, a	See you soon	À bientôt	Hasta pronto	Bis bald
Prezzo	Rate; price	Prix	Precio	Preis
- fisso	Fixed rate	Prix fixe	Precio fijo	Fester Preis
Profumo (di cibo)	Aroma; fragrance	Parfum	Perfume	Duft
Prolunga per tavoli	Table extension	Rallonge	Alargadera de mesas	Verlängerung für Tische
Pulire	To clean	Nettoyer	Limpiar	Putzen
Pulito (essere pulito)	Clean	Propre	Limpio	Sauber
Ragazza/e	Girl/s	Jeune/s fille/s	Chica/s	Mädchen, *inv*
Ragazzo/i	Boy/s	Jeune/s; garçon/s	Chico/s	Junge/n
Resto (di denaro)	Change	Monnaie	Resto; vuelta	Restgeld; Rest

ATTREZZATURE E TERMINI UTILI	EQUIMPENT & USEFUL TERMS	USTENSILES ET TERMES UTILES	UTENSILIOS Y TÉRMINOS ÚTILES	AUSSTATTUNG UND NÜTZLICHE BEGRIFFE
Ricevuta	Receipt	Reçu	Recibo	Quittung
Richiesta, su	On request	Sur demande	De encargo	Auf Anfrage
Riservare/riservato	To reserve/reserved	Réserver/réservé	Reservar/reservado	Reservieren/reserviert
Ritardo, in	To be delayed	En retard	Con retraso	Mit Verspätung
Rompere/rotto	To break/broken	Casser/cassé	Romper/roto	Zerbrechen/zerbrochen; kaputt machen/kaputt gemacht
Rumore	Noise	Bruit	Ruido	Lärm
Rumoroso	Noisy	Bruyant	Ruidoso	Laut
Sala da pranzo	Dining-room	Salle à manger	Comedor	Speisesaal
- per piccole colazioni	Breakfast-room	Salle du petit déjeuner	Sala de desayunos	Frühstückssaal
Saliera	Saltcellar[1]	Salière	Salero	Salzstreuer
Salire	To go up	Monter	Subir	Hinaufgehen
Salsiera	Sauce boat; gravy boat	Saucière	Salsera	Sauciere
Sapone	Soap	Savon	Jabón	Seife
Sbagliato, mi sono	I was wrong; I was mistaken	Je me suis trompé	Me he equivocado	Ich habe mich geirrt; ich habe einen Fehler gemacht
Scendere	To go down	Descendre	Bajar	Hinuntergehen
Schiaccianoci	Nutcracker	Casse-noix	Rompenueces	Nußknacker
Schiuma di latte	Milk froth	Mousse de lait	Espuma de leche	Milchschaum
Schiumarola	Skimming ladle	Écumoire	Espumadera	Schaumlöffel
Scolapasta	Colander	Égouttoir	Colador de pasta	Sieb
Sconto	Discount	Réduction	Descuento	Rabatt
Scordato, mi sono	I forgot	J'ai oublié	Me he olvidado	Ich habe es vergessen
Scottare (di temperatura)	To burn	Brûler	Quemar	Heiß sein
Scricchiola, la sedia	The chair squeaks	La chaise grince	La silla cruje	Der Stuhl knarrt
Secchiello per ghiaccio	Ice bucket	Seau à glace	Cubo para hielo	Eiskübel
Sedia	Chair	Chaise	Silla	Stuhl
Seggiolone (per bambini)	High chair	Chaise d'enfant	Silla de niño	Kinderstuhl
Sera	Evening	Soir	Noche	Abend
Serata danzante	Evening with dancing	Soirée dansante	Noche con bailables	Tanzabend
- di gala	Gala evening	Soirée de gala	Noche de gala	Gala-Abend
Servire	To serve	Servir	Servir	Bedienen; Servieren
Servizio	Service	Service	Servicio	Service
- accurato	Accurate service	Service soigné	Servicio diligente	Ausgezeichneter Service
- in camera	Room service	Service en chambre	Servicio en la habitación	Zimmer-Service
Setaccio	Sieve	Tamis	Tamiz	Sieb

[1] USA: saltshaker

ATTREZZATURE E TERMINI UTILI	EQUIMPENT & USEFUL TERMS	USTENSILES ET TERMES UTILES	UTENSILIOS Y TÉRMINOS ÚTILES	AUSSTATTUNG UND NÜTZLICHE BEGRIFFE
Shaker	Shaker	Shaker; secoueur[1]	Shaker; mezclador	Shaker
Shakerato	Shaken	Passer au shaker	Shakerado; mezclado	Geshakert
Sifone per selz	Siphon-bottle	Siphon de seltz	Sifón de agua de Seltz	Siphon für Sodawasser
Sigaretta/e	Cigarette/s	Cigarette/s	Cigarrillo/s; cigarro/s	Zigarette/n
Sigaro/i	Cigar/s	Cigare/s	Puro/s	Zigarre/n
Signora/e	Mrs Rossi; Madam/Ladies	Madame/Mesdames	Señora/s	Frau/en; Dame/n
Signore/i	Mr Rossi; Sir/Gentlemen	Monsieur/Messieurs	Señor/es	Herr/en
Silenzio	Silence	Silence	Silencio	Ruhe
Silenzioso	Silent	Silencieux	Silencioso	Ruhig
Smacchiatore	Spot remover	Détachant	Quitamanchas	Fleckenentferner
Sottobicchiere	Glass coaster	Dessous de verre	Posavasos	Glasuntersetzer
Sottotazza	Saucer	Soucoupe	Posataza	Untertasse
Spatola	Spatula	Spatule	Espátola	Teigschaber
Spazzare	To sweep	Balayer	Barrer	Fegen; Kehren
Spazzola	Brush	Brosse	Cepillo	Bürste
Specchio	Mirror	Miroir	Espejo	Spiegel
Specialità	Special dish/es	Spécialité/s	Especialidad/es	Spezialität/en
- di carne	Meat special	Spécialité de viandes	Especialidad de carne	Fleischspezialität
- di pesce	Fish special	Spécialité de poissons	Especialidad de pescado	Fischspezialität
- locali	Local specials	Spécialités locales	Especialidades locales	Heimische Spezialitäten
Spiccioli	Small change	Monnaie	Dinero suelto	Kleingeld
Sporco	Dirty	Sale	Sucio	Schmutzig
Spremiagrumi	Citrus-fruit squeezer	Presse-agrumes	Esprimidor	Zitronenpresse
Spruzzo	Squeeze	Giclée	Salpicón	Spritzer
- di buccia di limone	Squeeze of lemon peel	Jus du zeste de citron	Salpicón de corteza de limón	Spritzer von der Zitronenschale
Stagione	Season	Saison	Temporada	Saison
-, alta	High season	Haute saison; en saison	Temporada alta	Hochsaison
-, bassa	Low season	Basse saison; hors saison	Temporada baja	Vorsaison[2]; Nachsaison[3]
Stampini	Small moulds	Petits moules	Moldes	Förmchen
Stampo	Mould	Moule	Molde	Form
Stappare	To uncork	Déboucher	Destapar	Entkorken; öffnen
Stuzzicadenti	Toothpicks	Cure-dents	Palillos	Zahnstocher
Stuzzichini	Appetizers	Amuse-bouche	Chucherías	Appetithäppchen
Supplemento	Additional charge	Supplément	Suplemento	Aufpreis; Zuschlag
Surgelato (essere surgelato)	Frozen	Surgelé	Congelado	Tiefgefroren

[1] Termine raccomandato dal progetto di legge sull'impiego della lingua francese (la cosiddetta circolare Toubon del 23.2.94) [2] Prima dell'alta stagione [3] Dopo l'alta stagione

ATTREZZATURE E TERMINI UTILI	EQUIPMENT & USEFUL TERMS	USTENSILES ET TERMES UTILES	UTENSILIOS Y TÉRMINOS ÚTILES	AUSSTATTUNG UND NÜTZLICHE BEGRIFFE
Tagliaverdure	Vegetable cutter	Coupe-légumes	Cortaverduras	Gemüsehobel
Tagliente	Sharp	Coupant	Afilado	Scharf
Tagliere	Cutting board	Planche à découper	Tabla	Schneidebrett
Tappo di plastica	Plastic cap	Bouchon de plastique	Tapón de plástico	Plastikverschluß
- di sughero	Cork	Bouchon de liège	Tapón de corcho	Korken
- per spumante	Sparkling-wine cork	Bouchon de champagne	Tapón de champán	Sektkorken
Tavolo	Table	Table	Mesa	Tisch
- d'onore	Head table	Table d'honneur	Mesa de honor	Ehrentisch
- libero	Free table	Table libre	Mesa libre	Freier Tisch
- occupato	Occupied table	Table occupée	Mesa ocupada	Besetzter Tisch
-, preparare il	To set the table	Dresser la table	Preparar la mesa	Den Tisch decken
- quadrato	Square table	Table carrée	Mesa cuadrada	Quadratischer Tisch
- rettangolare	Rectangular table	Table rectangulaire	Mesa rectangular	Rechteckiger Tisch
- riservato	Reserved table	Table réservée	Mesa reservada	Reservierter Tisch
-, sbarazzare il	To clear the table	Desservir	Retirar la mesa	Den Tisch abräumen
- tondo	Round table	Table ronde	Mesa redonda	Runder Tisch
Tazza	Cup	Tasse	Taza	Tasse
- da caffè	Coffee cup	Tasse à café	Tacita de café	Kaffeetasse
- da cappuccino	Cappuccino cup	Tasse à café au lait	Taza de cappuccino	Cappuccinotasse
- da tè	Tea cup	Tasse à thé	Taza de té	Teetasse
Tegame	Saucepan	Poêle	Sartén	Pfanne
Teglia	Baking pan	Plat à four	Tortera	Blech
Teiera	Tea pot	Théière	Tetera	Teekanne
Telefono	Telephone	Téléphone	Teléfono	Telefon
Televisore	Television set	Téléviseur	Televisión	Fernseher
Temperatura	Temperature	Température	Temperatura	Temperatur
Termometro per vino	Wine thermometer	Thermomètre à vin	Termómetro para vino	Weinthermometer
Toilette	Toilette	Toilettes	Servicios	Toilette
Tortiera	Cake tin	Tourtière	Tortera	Kuchenform
Tostapane	Toaster	Grille-pain	Tostador	Toaster
Tovaglia	Table-cloth	Nappe	Mantel	Tischtuch
Tovagliolo/i	Table napkin/s	Serviette/s	Servilleta/s	Serviette/n
Tovagliolo di carta	Paper napkin	Serviette en papier	Servilleta de papel	Papierserviette
Traballa, il tavolo	The table wobbles	La table branle	La mesa tambalea	Der Tisch wackelt
Tritacarne	Meat grinder	Hachoir	Triturador de carne	Fleischwolf
Vacanze	Vacation	Vacances	Vacaciones	Ferien; Urlaub
Vaso da fiori	Vase	Vase	Florero	Blumenvase
Vassoio	Tray	Plateau	Bandeja	Tablett

ATTREZZATURE E TERMINI UTILI	EQUIMPENT & USEFUL TERMS	USTENSILES ET TERMES UTILES	UTENSILIOS Y TÉRMINOS ÚTILES	AUSSTATTUNG UND NÜTZLICHE BEGRIFFE
Vengo subito	I'll come immediately	J'arrive tout de suite	Llego en seguida	Ich komme sofort
Versare da bere	To pour a drink	Verser à boire	Servir de beber	Eingießen; einschenken
Vivanda	Food	Mets	Comida	Speise; Lebensmittel
Zuccheriera	Sugar bowl	Sucrier	Azucarera	Zuckerdose
Zuppiera	Tureen	Soupière	Sopera	Suppenschüssel

1 Buon giorno Signori, benvenuti nel nostro ristorante.

Ⓘ Good day Ladies and Gentlemen, welcome to our restaurant.
Ⓕ Bonjour Madame, Bonjour Monsieur[Bonjour Mesdames, Bonjour Messieurs] bienvenus dans notre maison restaurant.
Ⓢ Buenos días Señores, bienvenidos a nuestro restaurante.
Ⓣ Guten Tag meine Herrschaften, willkommen in unserem Restaurant.

2 Buon giorno Signor Rossi, ben tornato.

Ⓘ Good day, Mr Rossi, welcome back.
Ⓕ Bonjour Monsieur Rossi, je suis content de vous revoir.
Ⓢ Buenos días Señor Rossi, bienvenido.
Ⓣ Guten Tag, Herr Rossi, es freut mich, Sie wiederzusehen.

3 Mi consegni pure il suo cappotto, lo deposito in guardaroba.

Ⓘ You can give me your coat, I will take it to the cloakroom.
Ⓕ Voulez-vous me laisser votre manteau, je le mettrai au vestiaire.
Ⓢ Me puede dar su abrigo, lo meto en el guardarropa.
Ⓣ Geben Sie mir bitte Ihren Mantel, ich bringe ihn zur Garderobe.

4 Quante persone siete?

Ⓘ How many of you are there?
Ⓕ Vous êtes combien de personnes?
Ⓢ ¿Cuántas personas son?
Ⓣ Wie viele Personen sind Sie?

5 Avete prenotato?

Ⓘ Did you make reservations?
Ⓕ Avez-vous réservé?
Ⓢ ¿Han reservado?
Ⓣ Haben Sie einen Tisch reserviert?

6 Le ho riservato il suo tavolo abituale.

Ⓘ I reserved the usual table for you.
Ⓕ Je vous ai réservé votre table habituelle.
Ⓢ Le he reservado su mesa habitual.
Ⓣ Ich habe Ihnen den üblichen Tisch reserviert.

7 C'è un bel tavolo libero all'angolo [vicino alla finestra; in terrazza; in giardino].

Ⓘ There is a beautiful table in the corner [near the window; on the terrace; in the garden].
Ⓕ Il y a une bonne table libre à l'écart [près de la fenêtre; à la terrasse; dans le jardin].
Ⓢ Hay una mesa libre en la esquina [cerca de la ventana; en la terraza; en el jardín].
Ⓣ Es gibt einen schönen freien Tisch in der Ecke [am Fenster; auf der Terrasse; im Garten].

8 Questo all'angolo può andare bene?

Ⓘ Would this one in the corner be all right?
Ⓕ Celle-ci à l'écart vous convient-elle?
Ⓢ ¿Ésta en el rincón está bien?
Ⓣ Ist Ihnen der in der Ecke recht?

9 Vi prepariamo subito il tavolo.

Ⓘ We'll prepare a table for you right away.

Ⓕ Nous préparons votre table tout de suite.
Ⓢ Les preparamos en seguida la mesa.
Ⓣ Wir decken Ihnen den Tisch gleich.

10 Sono spiacente, al momento i tavoli sono tutti occupati.

Ⓘ I am sorry, all the tables are taken at the moment.
Ⓕ Je regrette, pour l'instant toutes les tables sont occupées.
Ⓢ Lo siento, en este momento todas las mesas están ocupadas.
Ⓣ Es tut mir leid, im Moment sind alle Tische besetzt.

11 Potete aspettare quindici minuti?

Ⓘ Could you wait fifteen minutes?
Ⓕ Pouvez-vous attendre un quart d'heure?
Ⓢ ¿Pueden esperar quince minutos?
Ⓣ Können Sie eine Viertelstunde warten?

12 Il tavolo sarà disponibile fra mezz'ora.

Ⓘ The table will be ready for you in half an hour.
Ⓕ La table sera libre dans une demi-heure.
Ⓢ La mesa se librará dentro de media hora.
Ⓣ Der Tisch wird in einer halben Stunde frei.

13 Se volete attendere, vi offriamo un aperitivo al bar.

Ⓘ If you like to wait at the bar, you can have a drink on the house.
Ⓕ Si vous désirez attendre, nous vous offrons l'apéritif au bar.
Ⓢ Si quieren esperar, les ofrecemos un aperitivo en el bar.
Ⓣ Wenn Sie warten möchten, bieten wir Ihnen einen Aperitif an der Theke an.

14 Se desiderate, potete attendere al bar mentre bevete un aperitivo.

Ⓘ If you wish, you can take a drink at the bar while you are waiting.
Ⓕ Entre temps, vous pouvez prendre un apéritif au bar, si vous le désirez.
Ⓢ Si lo desean pueden esperar en el bar mientras toman un aperitivo.
Ⓣ Wenn Sie möchten, können Sie inzwischen einen Aperitif an der Theke trinken.

15 Prego, seguitemi.

Ⓘ Please follow me.
Ⓕ Suivez-moi, je vous prie.
Ⓢ Síganme por favor.
Ⓣ Bitte kommen Sie mit.

16 Prego, accomodatevi.

Ⓘ Please come in.
Ⓕ Prenez place, je vous prie.
Ⓢ Acomódense por favor.
Ⓣ Bitte nehmen Sie Platz.

17 Va bene questo tavolo?

Ⓘ Is this table to your liking?
Ⓕ Cette table vous convient?
Ⓢ ¿Está bien la mesa?
Ⓣ Ist Ihnen dieser Tisch recht?

18 Ecco la lista delle vivande

Ⓘ Here's the menu.

Ⓕ Voici la carte.
Ⓢ Aquí tienen el menú.
Ⓣ Bitte sehr, die Speisekarte.

19 Ecco la carta delle vivande e dei vini.

Ⓘ Here is the menu and the wine list.
Ⓕ Voici le menu et la carte des vins.
Ⓢ Aquí está la lista de las comidas y de los vinos.
Ⓣ Hier sind die Speise- und die Weinkarte.

20 Nel frattempo gradite un aperitivo?

Ⓘ Would you like a drink before ordering [eating]?
Ⓕ Entre temps, désirez-vous un apéritif?
Ⓢ Entretanto, ¿gustan/desean un aperitivo?
Ⓣ Möchten Sie inzwischen einen Aperitif?

21 Avete già scelto?

Ⓘ Have you already decided?
Ⓕ Avez-vous déjà choisi?
Ⓢ ¿Ya han elegido?
Ⓣ Haben Sie schon gewählt?

22 Avete fretta? Non c'è problema, saremo rapidi.

Ⓘ Are you in a hurry? No problem, we will be quick.
Ⓕ Vous êtes pressés? Il n'y a pas de problème, nous serons rapides.
Ⓢ ¿Teneis prisa? No hay problema, seremos rápidos.
Ⓣ Haben Sie es eilig? Kein Problem, wir werden Sie sofort bedienen.

23 Desidera qualche consiglio?

Ⓘ May I help you with some suggestions?
Ⓕ Voulez-vous un conseil?
Ⓢ ¿Desean algún consejo?
Ⓣ Darf ich Ihnen etwas empfehlen?

24 Preferite mangiare piatti a base di carne o di pesce?

Ⓘ Do you prefer meat or fish?
Ⓕ Préférez-vous de la viande ou du poisson?
Ⓢ ¿Prefieren carne o pescado?
Ⓣ Möchten Sie lieber Fleisch- oder Fischgerichte?

25 Cosa preferisce per antipasto?

Ⓘ What would you like for an appetizer?
Ⓕ Que choisissez-vous comme hors-d'oeuvre?
Ⓢ ¿Qué prefiere de entremés?
Ⓣ Was wünschen Sie als Vorspeise?

26 Gradite qualche antipasto al carrello? Ne abbiamo un grande assortimento.

Ⓘ Would you like to choose some appetizers from our trolley? We have a great assortment.
Ⓕ Voulez-vous des hors-d'œuvre du chariot? Nous avons un bel assortiment.
Ⓢ ¿Desean algún entremés del carrito? Tenemos una gran variedad.
Ⓣ Möchten Sie eine Vorspeise vom Servierwagen? Wir haben eine große Auswahl.

27 Come antipasto abbiamo...

Ⓘ As appetizer we have...

Ⓕ En hors-d'œuvre nous avons...
Ⓢ Como entremeses tenemos...
Ⓣ Als Vorspeise haben wir...

28 Cosa desidera come primo piatto?

Ⓘ What would you like for first course?
Ⓕ Que désirez-vous comme entrée?
Ⓢ ¿Qué prefiere de primer plato?
Ⓣ Was wünschen Sie als ersten Gang?

29 Come primo piatto vi consiglio...

Ⓘ As a first course may I suggest...
Ⓕ Comme entrée, je vous conseille...
Ⓢ De primer plato les aconsejo...
Ⓣ Als ersten Gang empfehle ich Ihnen...

30 E per secondo?

Ⓘ And for second course?
Ⓕ Et comme plat de résistance?
Ⓢ De segundo, ¿qué desean comer?
Ⓣ Und als zweiten Gang?

31 Come secondo la nostra specialità del giorno è...

Ⓘ As a second course today's special is...
Ⓕ Comme plat du jour nous proposons...
Ⓢ De segundo nuestra especialidad del día es...
Ⓣ Als zweiter Gang ist unsere Spezialität des Tages....

32 Gradite delle scaloppine con funghi?

Ⓘ Would you like escalopes with mushrooms?
Ⓕ Désirez-vous des escalopes aux champignons?
Ⓢ ¿Queréis escalopes con setas?
Ⓣ Möchten Sie Schnitzel mit Pilzen?

33 Cosa gradisce come dessert?

Ⓘ What would you like for dessert?
Ⓕ Que désirez-vous comme dessert?
Ⓢ ¿Qué desea como postre?
Ⓣ Was wünschen Sie zum Dessert?

34 Le consiglio...

Ⓘ May I suggest...
Ⓕ Je vous conseille...
Ⓢ Le aconsejo...
Ⓣ Ich empfehle Ihnen...

35 È la nostra specialità.

Ⓘ It's our speciality.
Ⓕ C'est une spécialité de la maison.
Ⓢ Es nuestra especialidad.
Ⓣ Das ist unsere Spezialität.

36 Oggi il nostro chef consiglia...

Ⓘ Today the chef suggests...
Ⓕ Aujourd'hui le chef conseille...
Ⓢ Hoy nuestro cocinero aconseja...
Ⓣ Heute empfiehlt unser Chef...

37 Il nostro piatto del giorno è veramente ottimo.

Ⓘ Our dish of the day is really special.

Ⓕ Notre plat du jour est excellent.
Ⓢ Nuestro plato del día es realmente bueno.
Ⓣ Unser Tagesgericht ist wirklich ausgezeichnet.

38 Le assicuro che il menù del giorno è molto buono.

Ⓘ I can assure you that the dish of the day is very good.
Ⓕ Je vous assure que le menu du jour est très bon.
Ⓢ Le aseguro que el menú del día es muy bueno.
Ⓣ Ich versichere Ihnen, daß das Tagesmenü sehr gut ist.

39 Se desiderate, al menù posso pensarci io.

Ⓘ If you wish, you can leave the menu up to me.
Ⓕ Si vous désirez, je peux m'occuper du menu.
Ⓢ Si lo desean, el menú puedo elegirlo yo.
Ⓣ Wenn Sie wünschen, kann ich das Menu zusammenstellen.

40 Vi faccio assaggiare le nostre specialità.

Ⓘ I will let you try our specialities.
Ⓕ Je vous fait déguster nos specialités.
Ⓢ Les hago degustar nuestras especialidades.
Ⓣ Ich bringe Ihnen eine Kostprobe von unseren Spezialitäten.

41 Abbiamo un'ampia scelta di ottimi piatti di carne, ma io vi consiglio un gustoso brasato di manzo.

Ⓘ We have a large choice of meat dishes, but I would suggest an excellent braised beef.
Ⓕ Nous avons un grand choix de viandes, mais je vous conseille notre bœuf braisé.
Ⓢ Tenemos una gran variedad de buenísimos platos de carne, pero yo les aconsejo una sabrosa carne de vaca braseada.
Ⓣ Wir haben eine große Auswahl an sehr guten Fleischgerichten, aber ich empfehle Ihnen den Rinderschmorbraten.

42 Fidatevi di me, ne rimarrete soddisfatti.

Ⓘ Leave it to me, you'll be satisfied.
Ⓕ Faites-moi confiance, vous serez satisfaits.
Ⓢ Confíen en mí, quedarán satisfechos.
Ⓣ Verlassen Sie sich auf mich, Sie werden zufrieden sein.

43 Questi piatti sono veramente squisiti, ve l'assicuro.

Ⓘ These dishes are excellent, I assure you.
Ⓕ Ces plats sont excellents, je vous assure.
Ⓢ Estos platos son realmente exquisitos, se los aseguro.
Ⓣ Diese Gerichte sind wirklich vorzüglich, das versichere ich Ihnen.

44 Mi dispiace, ma questo piatto è terminato.

Ⓘ I'm sorry, this dish is not available any more.
Ⓕ Je regrette, mais ce plat est terminé.
Ⓢ Lo siento pero este plato se ha acabado.
Ⓣ Es tut mir leid, aber dieses Gericht gibt es nicht mehr.

45 Avete fatto un'ottima scelta.

Ⓘ You've made an excellent choice.
Ⓕ C'est un très bon choix.
Ⓢ Han elegido muy bien.
Ⓣ Sie haben eine gute Wahl getroffen.

46 Per le bevande, il sommelier arriva subito.

Ⓘ For the drinks, the wine waiter will be here shortly.

Ⓕ Pour les boissons, le sommelier va passer.
Ⓢ Para las bebidas, el sommelier llega en seguida.
Ⓣ Für die Getränke kommt gleich der Weinkellner.

47 Cosa gradite bere?

Ⓘ What would you like to drink?
Ⓕ Que désirez-vous boire?
Ⓢ ¿Qué desean beber?
Ⓣ Was möchten Sie trinken?

48 Il vino va bene?

Ⓘ Do you like the wine?
Ⓕ Ce vin vous convient?
Ⓢ ¿El vino les va bien?
Ⓣ Ist Ihnen der Wein recht?

49 L'antipasto verrà servito subito.

Ⓘ The hors d'œuvre will be served in a minute.
Ⓕ Le hors-d'œuvre arrive tout de suite.
Ⓢ Los entremeses se servirán en seguida.
Ⓣ Die Vorspeise kommt sofort.

50 Per l'antipasto occorre attendere dieci minuti.

Ⓘ There is a ten-minute wait for the hors d'œuvre.
Ⓕ Pour le hors-d'œuvre, il faut compter dix minutes.
Ⓢ Para los entremeses tienen que esperar diez minutos.
Ⓣ Auf die Vorspeise müssen Sie zehn Minuten warten.

51 Ecco l'antipasto.

Ⓘ Here is your appetizer.
Ⓕ Votre hors-d'œuvre, Monsieur, Madame.
Ⓢ Aquí están los entremeses.
Ⓣ Bitte sehr, die Vorspeise.

52 Buon appetito.

Ⓘ Enjoy your food.
Ⓕ Bon appétit.
Ⓢ Buen provecho.
Ⓣ Guten Appetit.

53 Posso sbarazzare?

Ⓘ May I take the plates?
Ⓕ Puis-je desservir?
Ⓢ ¿Puedo retirar?
Ⓣ Darf ich abräumen?

54 Ecco la pasta.

Ⓘ Here is your pasta.
Ⓕ Vos pâtes, Monsieur.
Ⓢ Aquí está la pasta.
Ⓣ Bitte sehr, die Nudeln.

55 Prego, il primo piatto.

Ⓘ Here is your first course.
Ⓕ Votre entrée, Monsieur, Madame.
Ⓢ Por favor, el primer plato.
Ⓣ Bitte sehr, der erste Gang.

56 Desiderate un po' di parmigiano?

Ⓘ Would you like some parmesan cheese?

Ⓕ Voulez-vous du parmesan?
Ⓢ ¿Desean un poco de queso parmesano?
Ⓣ Möchten Sie etwas Parmesan?

57 Avete terminato?

Ⓘ Have you finished?
Ⓕ Avez-vous terminé, Monsieur, Madame?
Ⓢ ¿Han acabado?
Ⓣ Sind sie fertig?

58 Ne gradite ancora un po'?

Ⓘ Would you like some more?
Ⓕ Puis-je vous resservir?
Ⓢ ¿Desean un poco más?
Ⓣ Möchten Sie noch ein bißchen davon?

59 Gradisce ancora un po' di...

Ⓘ Would you like some more...?
Ⓕ Vous reprendrez peut-être un peu de...?
Ⓢ ¿Desea un poco más de...?
Ⓣ Möchten Sie noch etwas.....?

60 Mi scusi, me ne ero scordato.

Ⓘ I am sorry, I forgot.
Ⓕ Excusez-moi, j'avais oublié.
Ⓢ Disculpe, me había olvidado.
Ⓣ Verzeihung, das habe ich vergessen.

61 Lo porto subito.

Ⓘ I will bring it right away.
Ⓕ Je vous l'apporte tout de suite.
Ⓢ Lo traigo en seguida.
Ⓣ Ich bringe es sofort.

62 Per il pesce occorre attendere dieci minuti.

Ⓘ There is a ten-minute wait for the fish.
Ⓕ Pour le poisson il faut compter dix minutes.
Ⓢ Para el pescado tienen que esperar diez minutos.
Ⓣ Auf den Fisch müssen Sie zehn Minuten warten.

63 Ecco il pesce.

Ⓘ Here is your fish.
Ⓕ Votre plat de poisson, Monsieur, Madame.
Ⓢ Aquí está el pescado.
Ⓣ Bitte sehr, der Fisch.

64 Posso spinarlo?

Ⓘ Would you like me to bone it for you?
Ⓕ Puis-je vous ôter les arêtes?
Ⓢ ¿Puedo quitar las espinas?
Ⓣ Soll ich ihn zerlegen?

65 Il pesce è di vostro gradimento?

Ⓘ Do you like the fish?
Ⓕ Le poisson vous plaît?
Ⓢ ¿Le gusta el pescado?
Ⓣ Ist der Fisch nach Ihrem Geschmack?

66 Il cibo era di vostro gradimento?

Ⓘ Did you enjoy your food?

Ⓕ Ce plat vous a plu?
Ⓢ ¿Les ha gustado la comida?
Ⓣ Hat es Ihnen geschmeckt?

67 **Mi dispiace molto.**

Ⓘ I'm very sorry.
Ⓕ Je regrette.
Ⓢ Lo siento mucho.
Ⓣ Es tut mir sehr leid.

68 **Sono desolato.**

Ⓘ I'm terribly sorry.
Ⓕ Je suis désolé.
Ⓢ Estoy desolado.
Ⓣ Es tut mir furchtbar leid.

69 **Posso sostituirlo con qualcos'altro?**

Ⓘ May I replace it with something else?
Ⓕ Puis-je vous apporter autre chose?
Ⓢ ¿Puedo cambiarlo con alguna otra cosa?
Ⓣ Kann ich Ihnen stattdessen etwas anderes bringen?

70 **Gradite qualcos'altro?**

Ⓘ Would you like something else?
Ⓕ Puis-je vous servir autre chose?
Ⓢ ¿Desean algo más?
Ⓣ Wünschen Sie noch etwas?

71 **Gradite un buon dessert per concludere il pasto?**

Ⓘ Would you like a good dessert to end your meal?
Ⓕ Prendrez-vous un bon dessert pour conclure?
Ⓢ ¿Desean un buen postre para terminar la comida?
Ⓣ Möchten Sie ein gutes Dessert zum Abschluß?

72 **Cosa posso portarle [servirle] per dessert?**

Ⓘ What can I bring you for dessert?
Ⓕ Que puis-je vous apporter [servir] comme dessert?
Ⓢ ¿Qué puedo traerle [servirle] de postre?
Ⓣ Was darf ich Ihnen zum Dessert bringen [servieren]?

73 **Il dessert viene conteggiato come extra.**

Ⓘ The dessert is extra.
Ⓕ Le dessert est en supplément.
Ⓢ El postre se cuenta como extra.
Ⓣ Das Dessert wird extra berechnet.

74 **Posso togliere i piatti?**

Ⓘ May I take away your plates?
Ⓕ Puis-je retirer les assiettes?
Ⓢ ¿Puedo retirar los platos?
Ⓣ Kann ich die Teller abräumen?

75 **Posso appoggiare il vassoio sul tavolo?**

Ⓘ May I put the tray on the table?
Ⓕ Puis-je poser le plateau sur la table?
Ⓢ ¿Puedo apoyar la bandeja sobre la mesa?
Ⓣ Darf ich das Tablett auf dem Tisch abstellen?

76 **Come desidera.**

Ⓘ As you wish.

Ⓕ Comme vous voulez [désirez].
Ⓢ Como quiera.
Ⓣ Wie Sie wünschen.

77 Posso consigliare un buon...?

Ⓘ May I suggest a good...?
Ⓕ Puis-je conseiller un bon...?
Ⓢ ¿Puedo aconsejar un buen...?
Ⓣ Darf ich einen guten.... empfehlen?

78 Avete mangiato bene?

Ⓘ Did you enjoy your food?
Ⓕ Avez-vous bien déjeuné [dîné]?
Ⓢ ¿Han comido bien?
Ⓣ Hat es Ihnen geschmeckt?

79 Gradite un caffè o un digestivo?

Ⓘ Would you like coffee or a liqueur?
Ⓕ Prendrez vous un café, un digestif?
Ⓢ ¿Desean un café o un digestivo?
Ⓣ Möchten Sie einen Kaffee oder einen Verdauungslikör?

80 Desiderate un conto unico o separato?

Ⓘ Would you like one or separate bills?
Ⓕ Voulez-vous deux additions séparées ou une seule?
Ⓢ ¿Desean una cuenta sola o separada?
Ⓣ Zahlen Sie zusammen oder getrennt?

81 Ecco il conto.

Ⓘ Here is your bill ([check].
Ⓕ L'addition, Monsieur.
Ⓢ Aquí tienen la cuenta.
Ⓣ Bitte sehr, die Rechnung.

82 Sono spiacente per il brasato.

Ⓘ I am sorry for the braised beef.
Ⓕ Je suis désolé pour le bœuf braisé.
Ⓢ Lo siento por el asado.
Ⓣ Es tut mir leid wegen des Schmorbratens.

83 Accettiamo le principali carte di credito.

Ⓘ We accept the main credit cards.
Ⓕ Nous acceptons les principales cartes de crédit.
Ⓢ Aceptamos las principales tarjetas de crédito.
Ⓣ Wir nehmen die wichtigsten Kreditkarten an.

84 Mi dispiace, ma non accettiamo carte di credito.

Ⓘ Sorry, we do not accept credit cards.
Ⓕ Non, je regrette, nous n'acceptons pas de carte de crédit.
Ⓢ Lo siento, pero no aceptamos tarjetas de crédito.
Ⓣ Es tut mir leid, aber wir nehmen keine Kreditkarten an.

85 C'è un errore? Verifico subito.

Ⓘ Is there a mistake? I will check it right away.
Ⓕ Y a-t-il une erreur? Je fais vérifier tout de suite.
Ⓢ ¿Hay un error? Verifico inmediatamente.
Ⓣ Da ist ein Fehler? Ich werde das sofort überprüfen.

86 Ha ragione. Sono desolato.

Ⓘ You are right. I am terribly sorry.

Ⓕ Vous avez raison. Je suis désolé.
Ⓢ Tiene razón. Estoy desolado.
Ⓣ Sie haben recht. Es tut mir furchtbar leid.

87 È stato fatto un errore alla cassa.

Ⓘ It was the cashier's mistake.
Ⓕ Il y a eu une erreur à la caisse.
Ⓢ Se han equivocado en la caja.
Ⓣ An der Kasse wurde ein Fehler gemacht.

88 Provvedo subito.

Ⓘ I will see to this immediately.
Ⓕ Je fais rectifier immédiatement.
Ⓢ Resuelvo inmediatamente.
Ⓣ Ich bringe das sofort in Ordnung.

89 Lo addebito sul conto della camera.

Ⓘ I will charge it to your room.
Ⓕ Le repas sera compté avec la chambre.
Ⓢ Lo meto en la cuenta de la habitación.
Ⓣ Ich setze es auf die Zimmerrechnung.

90 Può firmare il conto, per favore?

Ⓘ Would you sign your bill, please?
Ⓕ Pouvez-vous signer la note, s'il-vous-plaît?
Ⓢ ¿Puede firmar la cuenta por favor?
Ⓣ Würden Sie bitte die Rechnung unterschreiben?

91 Il signor Rossi è desiderato al telefono.

Ⓘ There is a phone call for Mr Rossi.
Ⓕ Monsieur Rossi est demandé au téléphone.
Ⓢ Al Señor Rossi le llaman al teléfono.
Ⓣ Herr Rossi wird am Telefon gewünscht.

92 Signor Rossi, c'è una telefonata per lei.

Ⓘ Mr Rossi, there is a phone call for you.
Ⓕ On vous demande au téléphone, Monsieur Rossi.
Ⓢ Señor Rossi hay una llamada para Usted.
Ⓣ Herr Rossi, ein Anruf für Sie.

93 Molte grazie, è stato un piacere servirvi.

Ⓘ Thank you very much, it was a pleasure.
Ⓕ Merci beaucoup, vous servir a été un plaisir.
Ⓢ Muchas gracias, ha sido un placer servirles.
Ⓣ Vielen Dank, es war mir ein Vergnügen.

94 Arrivederci, ci venga a trovare presto.

Ⓘ Goodbye, come again soon.
Ⓕ Au revoir et revenez bientôt.
Ⓢ Hasta la vista, vuelva pronto.
Ⓣ Auf Wiedersehen, besuchen Sie uns bald wieder.

95 Spero di rivedervi presto.

Ⓘ I hope to see you soon.
Ⓕ J'espère vous revoir bientôt.
Ⓢ Espero volver a verle pronto.
Ⓣ Ich hoffe, Sie bald wieder begrüßen zu dürfen.

1 **Ecco la carta dei vini.**

- Ⓘ Here is the wine list.
- Ⓕ La carte des vins, Monsieur.
- Ⓢ Aquí tienen la carta de los vinos.
- Ⓣ Bitte sehr, die Weinkarte.

2 **La nostra cantina dispone di un ottimo assortimento.**

- Ⓘ Our cellar is well stocked.
- Ⓕ Notre cave est bien assortie.
- Ⓢ Nuestra bodega tiene una variedad de vinos excelente.
- Ⓣ Unser Weinkeller bietet eine sehr große Auswahl an Weinen.

3 **Abbiamo una grande scelta di vini.**

- Ⓘ We have an excellent selection of wines.
- Ⓕ Nous avons un grand choix de vins.
- Ⓢ Tenemos una gran variedad de vinos.
- Ⓣ Wir haben eine große Auswahl an Weinen.

4 **Desidera un vino sfuso o imbottigliato?**

- Ⓘ Would you like the wine by the carafe or by the bottle?
- Ⓕ Voulez-vous du vin en carafe ou une bouteille?
- Ⓢ ¿Desea un vino de la cuba o en botella?
- Ⓣ Möchten Sie offenen Wein oder Flaschenwein?

5 **Le consiglio un buon...**

- Ⓘ May I suggest a good...
- Ⓕ Je vous conseille un bon...
- Ⓢ Le aconsejo un buen...
- Ⓣ Ich empfehle Ihnen einen guten...

6 **Questo vino si abbina perfettamente con il suo menù.**

- Ⓘ This wine goes well with your meal.
- Ⓕ Ce vin accompagne parfaitement votre menu.
- Ⓢ Este vino se combina perfectamente con su menú.
- Ⓣ Dieser Wein paßt sehr gut zu Ihrem Menü.

7 **Abbiamo anche del buon vino della casa.**

- Ⓘ We also have some good house wine.
- Ⓕ Nous avons également un bon vin de la maison.
- Ⓢ Tenemos también un buen vino de la casa.
- Ⓣ Wir haben auch eine gute Hausmarke.

8 **Le consiglio il vino di nostra produzione.**

- Ⓘ May I suggest our own wine?
- Ⓕ Je vous conseille le vin de notre production.
- Ⓢ Le aconsejo el vino de nuestra producción.
- Ⓣ Ich empfehle Ihnen den Wein aus eigenem Anbau.

9 **Le piace il vino?**

- Ⓘ Do you like the wine?
- Ⓕ Le vin vous plaît?
- Ⓢ ¿Le gusta el vino?
- Ⓣ Schmeckt Ihnen der Wein?

10 **Gradisce ancora del vino?**

- Ⓘ Would you like some more wine?
- Ⓕ Voulez-vous encore du vin?
- Ⓢ ¿Desea más vino?
- Ⓣ Möchten Sie noch Wein?

11 **Desidera acqua gassata o naturale?**

Ⓘ Would you prefer sparkling or natural water?
Ⓕ Voulez-vous de l'eau plate ou gazeuse?
Ⓢ ¿Desea agua con gas o sin gas?
Ⓣ Möchten Sie Mineralwasser mit oder ohne Kohlensäure?

12 **Questo vino va decantato.**

Ⓘ This wine has to be poured into a carafe.
Ⓕ Il faut décanter ce vin.
Ⓢ Este vino tiene que ser decantado.
Ⓣ Diesen Wein muß man in eine Karaffe umgießen.

13 **Può assaggiare il vino?**

Ⓘ Will you taste the wine?
Ⓕ Pouvez-vous goûter le vin?
Ⓢ ¿Puede probar el vino?
Ⓣ Würden Sie bitte den Wein probieren?

14 **È meglio aprire la bottiglia in anticipo.**

Ⓘ The wine should be opened in advance.
Ⓕ Il vaut mieux déboucher la bouteille à l'avance.
Ⓢ Es mejor abrir la botella con antelación.
Ⓣ Es empfiehlt sich, die Flasche einige Zeit vorher zu öffnen.

15 **Questo vino non è più buono. Glielo sostituisco subito.**

Ⓘ This wine is not good. I'll change it immediately.
Ⓕ Ce vin n'est plus bon. Je vous le remplace immédiatement.
Ⓢ Este vino está pasado. Se lo cambio inmediatamente.
Ⓣ Dieser Wein ist nicht mehr gut. Ich bringe Ihnen sofort eine neue Flasche.

16 **Questo vino sa di tappo.**

Ⓘ This wine is corked.
Ⓕ Ce vin sent le bouchon.
Ⓢ Este vino sabe a corcho.
Ⓣ Dieser Wein schmeckt nach Korken.

17 **Il vino non è alla giusta temperatura.**

Ⓘ This wine is not at the right temperature.
Ⓕ Ce vin n'est pas à la bonne température.
Ⓢ El vino no está a la temperatura adecuada.
Ⓣ Der Wein hat nicht die richtige Temperatur.

ITALIANO
ENGLISH
FRANÇAIS
ESPAÑOL
DEUTSCH

ITALIANO	ENGLISH	FRANÇAIS	ESPAÑOL	DEUTSCH

ITALIANO	ENGLISH	FRANÇAIS	ESPAÑOL	DEUTSCH

ITALIANO
ENGLISH
FRANÇAIS
ESPAÑOL
DEUTSCH

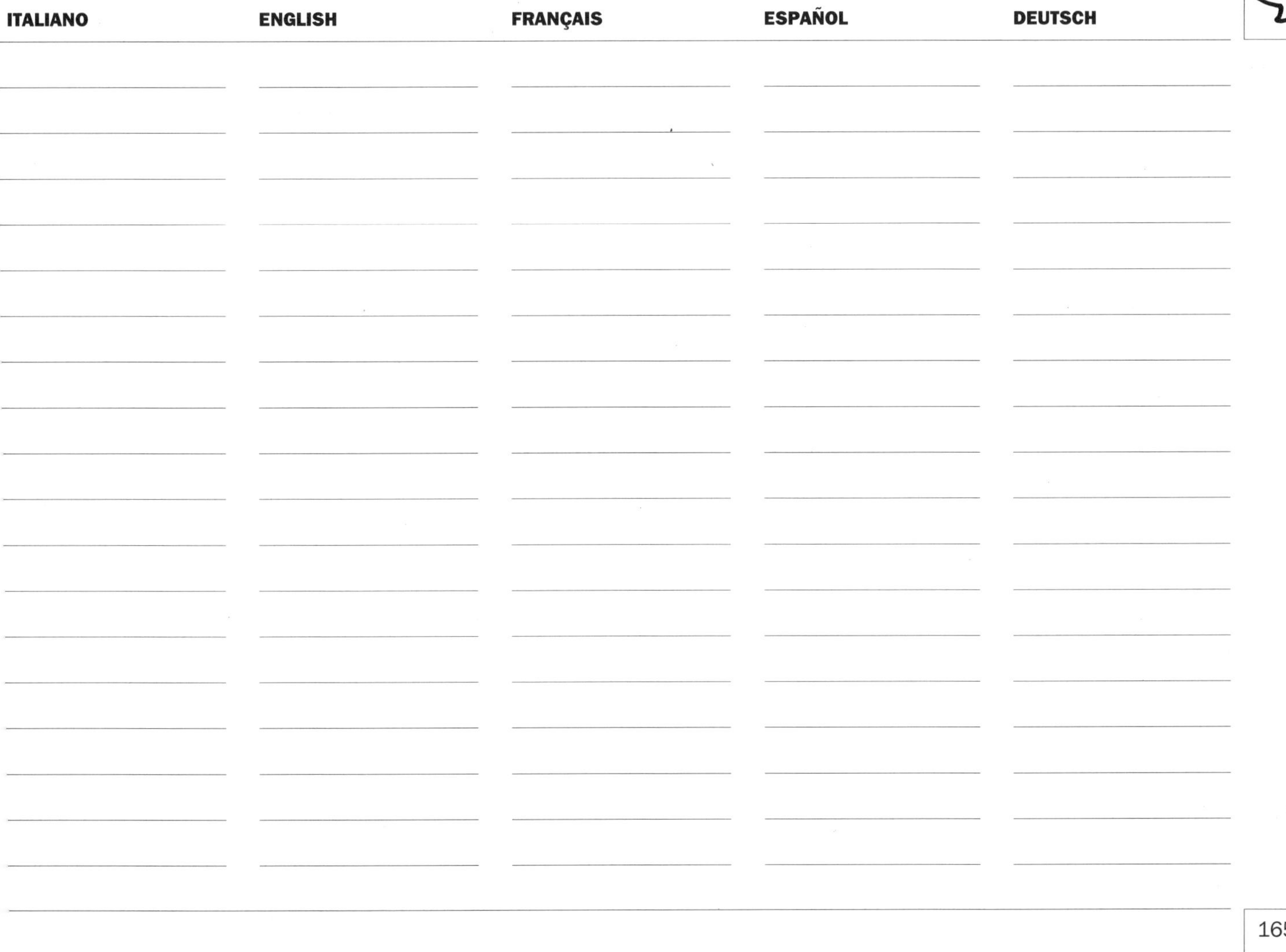

ITALIANO	ENGLISH	FRANÇAIS	ESPAÑOL	DEUTSCH

ITALIANO	ENGLISH	FRANÇAIS	ESPAÑOL	DEUTSCH

NELLE EDIZIONI HOEPLI

Emilia VALLI
I primi piatti
Pagine XVI-400, con 372 ricette

La pastasciutta - La pasta ripiena - La polenta - Il riso e i risotti - Minestre, passati e zuppe.

Emilia VALLI
I secondi di carne
Pagine XVI-416, con 352 ricette

Gli arrosti - Bolliti, stracotti e stufati - Carne a fette, involtini e spiedini - La polpa tritata - Il maiale - I tagli di seconda scelta - Pollame, coniglio, selvaggina e ovini.

Emilia VALLI
I secondi di pesce
Pagine XVI-376, con 323 ricette

Pesci di mare e d'acqua dolce - Crostacei - Bivalvi - Calamaretti e polpi. Piccolo glossario.

Emilia VALLI
I contorni
Pagine XVI-370, con 300 ricette

Contorni per gli arrosti - Contorni per il lesso - Contorni per le grigliate - Contorni per le cotolette, le frittate, gli sformati - Contorni per gli umidi, gli stufati, gli stracotti - Contorni per il pesce lesso - Contorni per il pesce alla griglia e arrosto - Contorni per le uova sode.

Emilia VALLI
I dolci
Pagine XII-306, con 281 ricette

Budini, creme, charlotte, semifreddi, bavaresi, dolci al cucchiaio, gelati - Biscotti, delicatezze, paste da tè - Ciambelle, focacce, soufflé, cake e panettoni, dolci da merenda - Dolci fritti - Torte e crostate, rotoli, bisquit - Dessert.

Emilia VALLI
Antipasti, insalate e salse
Pagine XX-470, con 492 ricette

Antipasti caldi - Antipasti freddi - Insalate verdi - Insalate semplici - Insalate miste - Salse.

Emilia VALLI
Cucina esotica
Pagine XVIII-430, con 339 ricette

Africa mediterranea. Medio Oriente. Regione indiana. Sud-est asiatico. Asia orientale. Antille. Polinesia. Appendice.

Emilia VALLI
Cucina rapida
Pagine XIV-322, con 363 ricette

I primi - I secondi di carne - I secondi di pesce - I piatti di mezzo - Dolci e dessert

Emilia VALLI
Il piatto unico
Pagine XII-372, con 281 ricette

Giuseppe VOCI
La nuova ristorazione
Pagine XII-372, con numerose figure e tabelle in nero e a colori